새로운 개정 교육과정 반영

BEST 유형 + BEST 기출 총망라

내신 UP

UP

내신업

기말고사
대비

중학 수학 2·2

구성과 특징
Structures&Features

Part I

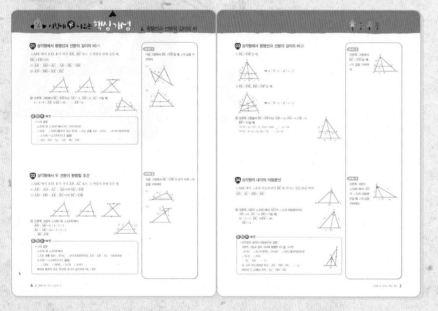

> ## 시험에 꼭 나오는 핵심 개념

각 단원에서 꼭 알아야 할 핵심 개념을 꼼꼼하게 정리하였고, 포인트 개념을 두어 중요한 개념을 한눈에 확인할 수 있도록 하였습니다.

> ## 예제

각 개념의 정의와 공식을 단순히 적용하여 학습한 개념을 바로 확인할 수 있는 기초 문제로 구성하였습니다.

Part II

| 싹쓸이 핵심 기출문제 |

전국 1,000여 개 중학교의 5년간 기출문제를 분석하여 출제율이 높은 핵심 문제를 엄선하여 시험 직전에 최종 확인할 수 있도록 하였습니다.

| 싹쓸이 핵심 예상문제 |

싹쓸이 핵심 기출문제의 유형에 대하여 '숫자를 바꾼 문제', '표현을 바꾼 문제'로 구성하여 유형을 확실히 익힐 수 있도록 하였습니다.

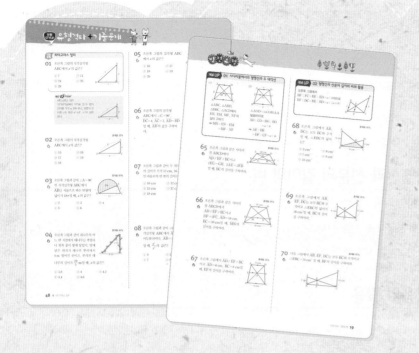

> 유형격파 + 기출문제

2015 개정 교육과정의 새 교과서와 전국
1,000여 개 중학교의 5년간 기출문제를 분석하여
시험에 꼭 나오는 대표유형과 그 유사문제를
난이도, 출제율과 함께 실었습니다.

> 내신 UP POINT

문제 해결을 위한 도움말을 제공하였습니다.

> 발전 유형

까다로운 기출문제를 유형별로 분석하여
발전 개념과 함께 구성하였습니다.

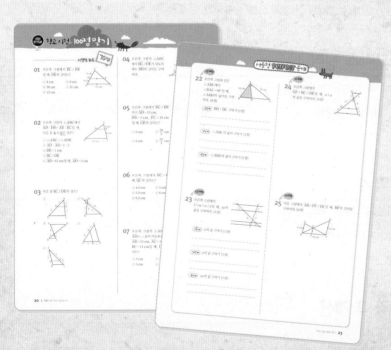

> 학교시험 100점 맞기

전국 1,000여 개 중학교의 5년간 기출 사이클
분석을 바탕으로 중간고사 적중률 100%에
도전하는 문제들을 수록하였습니다.

> 서술형 PERFECT 문제

실제 학교 시험과 유사한 서술형 문제로 단계형,
실생활, 사고력, 융합형 문제를 실었습니다.

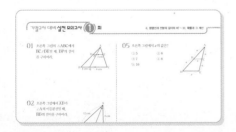

| 실전 모의고사 |

실제 시험과 같이 구성한 실전 모의고사를 총 4회 실어 시험에 대한 자신감을
기를 수 있도록 하였습니다.

차례
Contents

절대공감

내신 UP

중학 수학

Part I

시험에 꼭 나오는 핵심 개념

유형격파 + 기출문제

학교시험 100점 맞기

01 삼각형에서 평행선과 선분의 길이의 비(1)

△ABC에서 점 D, E가 각각 $\overline{AB}$, $\overline{AC}$ 또는 그 연장선 위에 있을 때,
$\overline{BC} /\!/ \overline{DE}$이면

(1) $\overline{AB} : \overline{AD} = \overline{AC} : \overline{AE} = \overline{BC} : \overline{DE}$

(2) $\overline{AD} : \overline{DB} = \overline{AE} : \overline{EC}$

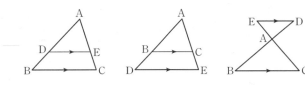

예 오른쪽 그림에서 $\overline{BC} /\!/ \overline{DE}$이고 $\overline{AD}=4$, $\overline{AB}=6$, $\overline{AC}=9$일 때,
   $6 : 4 = 9 : \overline{AE}$, $6\overline{AE}=36$ $\therefore \overline{AE}=6$

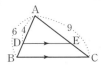

포인트 개념

• (1)의 설명

△ABC와 △ADE에서 $\overline{BC} /\!/ \overline{DE}$이므로

∠ABC = ∠ADE(동위각 또는 엇각), ∠A는 공통 또는 ∠BAC = ∠DAE(맞꼭지각)

∴ △ABC∽△ADE(AA 닮음)

∴ $\overline{AB} : \overline{AD} = \overline{AC} : \overline{AE} = \overline{BC} : \overline{DE}$

예제 1

다음 그림에서 $\overline{BC} /\!/ \overline{DE}$일 때, x의 값을 구하여라.

(1)
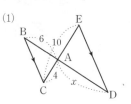

(2)
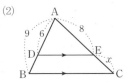

---

02 삼각형에서 두 선분이 평행할 조건

△ABC에서 점 D, E가 각각 $\overline{AB}$, $\overline{AC}$ 또는 그 연장선 위에 있을 때,

(1) $\overline{AB} : \overline{AD} = \overline{AC} : \overline{AE}$이면 $\overline{BC} /\!/ \overline{DE}$

(2) $\overline{AD} : \overline{DB} = \overline{AE} : \overline{EC}$이면 $\overline{BC} /\!/ \overline{DE}$

예 오른쪽 그림의 △ABC와 △ADE에서

   $\overline{AB} : \overline{AD} = 6 : 4 = 3 : 2$

   $\overline{AC} : \overline{AE} = 4.5 : 3 = 3 : 2$

   $\therefore \overline{BC} /\!/ \overline{DE}$

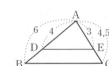

포인트 개념

• (1)의 설명

△ABC와 △ADE에서

∠A는 공통 또는 ∠BAC = ∠DAE(맞꼭지각), $\overline{AB} : \overline{AD} = \overline{AC} : \overline{AE}$이므로

△ABC∽△ADE(SAS 닮음)

∴ ∠ABC = ∠ADE, ∠ACB = ∠AED

따라서 동위각 또는 엇각의 크기가 같으므로 $\overline{BC} /\!/ \overline{DE}$

예제 2

다음 그림에서 $\overline{BC} /\!/ \overline{DE}$가 되기 위한 x의
값을 구하여라.

(1)
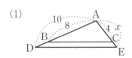

(2)
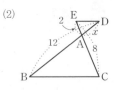

03 삼각형에서 평행선과 선분의 길이의 비(2)

(1) $\overline{BC} \parallel \overline{DE}$일 때,

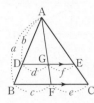

$\Rightarrow a:b=c:d=e:f$

(2) $\overline{BC} \parallel \overline{DE}$, $\overline{BE} \parallel \overline{DF}$일 때,

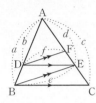

$\Rightarrow a:b=c:d=e:f$

예 오른쪽 그림에서 $\overline{BC} \parallel \overline{DE}$이고 $\overline{AB}=21$, $\overline{DG}=8$, $\overline{GE}=6$,
$\overline{BF}=12$일 때,

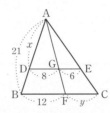

(1) $21:x=12:8$, $12x=168$ $\quad \therefore x=14$
(2) $12:8=y:6$, $8y=72$ $\quad \therefore y=9$

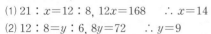

04 삼각형의 내각의 이등분선

$\triangle ABC$에서 $\angle A$의 이등분선이 $\overline{BC}$와 만나는 점을 D라 하면
$\overline{AB}:\overline{AC}=\overline{BD}:\overline{DC}$

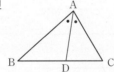

예 오른쪽 그림의 $\triangle ABC$에서 $\overline{AD}$가 $\angle A$의 이등분선이고
$\overline{AB}=10$, $\overline{AC}=8$, $\overline{BD}=5$일 때,
$10:8=5:\overline{DC}$, $10\overline{DC}=40$
$\quad \therefore \overline{DC}=4$

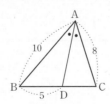

포인트개념

• 삼각형의 내각의 이등분선의 설명
오른쪽 그림과 같이 $\overline{AD}$에 평행한 $\overline{EC}$를 그으면
$\angle DAC=\angle ACE$(엇각), $\angle BAD=\angle AEC$(동위각)이므로
$\angle ACE=\angle AEC$
$\therefore \overline{AC}=\overline{AE}$ $\cdots$ ㉠
또, $\overline{AD} \parallel \overline{EC}$이므로 $\overline{BA}:\overline{AE}=\overline{BD}:\overline{DC}$ $\cdots$ ㉡
따라서 ㉠, ㉡에서 $\overline{AB}:\overline{AC}=\overline{BD}:\overline{DC}$

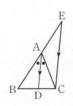

예제 3

오른쪽 그림에서
$\overline{BC} \parallel \overline{DE}$일 때,
x의 값을 구하여
라.

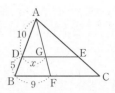

예제 4

오른쪽 그림의
$\triangle ABC$에서 $\overline{AD}$
가 $\angle A$의 이등분
선일 때, x의 값을
구하여라.

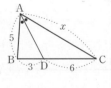

05 삼각형의 외각의 이등분선

△ABC에서 ∠A의 외각의 이등분선이 $\overline{BC}$의 연장선과
만나는 점을 D라 하면 $\overline{AB} : \overline{AC} = \overline{BD} : \overline{DC}$

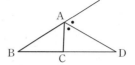

예 오른쪽 그림의 △ABC에서 $\overline{AD}$가 ∠A의 외각의 이등분선이고
$\overline{AC}=2$, $\overline{BC}=2$, $\overline{CD}=3$일 때,

$\overline{AB} : 2 = (2+3) : 3$, $3\overline{AB}=10$ ∴ $\overline{AB}=\dfrac{10}{3}$

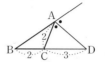

포 인 트 개념

• 삼각형의 외각의 이등분선의 설명
오른쪽 그림과 같이 $\overline{AD}$에 평행한 $\overline{FC}$를 그으면
∠EAD=∠AFC(동위각), ∠DAC=∠ACF(엇각)이므로
∠AFC=∠ACF
∴ $\overline{AF}=\overline{AC}$ … ㉠
또, $\overline{AD}\,/\!/\,\overline{FC}$이므로 $\overline{BA} : \overline{AF}=\overline{BD} : \overline{DC}$ … ㉡
따라서 ㉠, ㉡에서 $\overline{AB} : \overline{AC}=\overline{BD} : \overline{DC}$

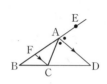

예제 5

오른쪽 그림의
△ABC에서
$\overline{AD}$가 ∠A의
외각의 이등분
선일 때, x의 값을 구하여라.

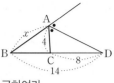

06 평행선 사이의 선분의 길이의 비

세 개 이상의 평행선이 다른 두 직선과
만날 때, 그 두 직선이 평행선에 의하여
잘려서 생기는 선분의 길이의 비는 같다.
즉, $l\,/\!/\,m\,/\!/\,n$이면

(1) $a : b=a' : b'$

(2) $a : a'=b : b'$

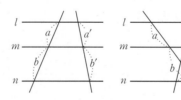

예 오른쪽 그림에서 $l\,/\!/\,m\,/\!/\,n$이면
$4 : 8=x : 10$, $8x=40$
∴ $x=5$

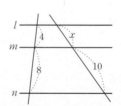

포 인 트 개념

• 오른쪽 그림에서 $k\,/\!/\,l\,/\!/\,m\,/\!/\,n$이면
$a : b : c=a' : b' : c'$
$a : a'=b : b'=c : c'$

예제 6

다음 그림에서 $l\,/\!/\,m\,/\!/\,n$일 때, x의 값을 구
하여라.

(1)

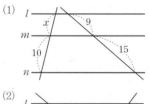

(2)

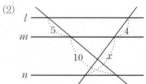

07 사다리꼴에서의 평행선

$\overline{AD}/\!/\overline{BC}$인 사다리꼴 ABCD에서 $\overline{AD}/\!/\overline{EF}/\!/\overline{BC}$가 되도록
점 E, F를 잡으면

(1) $\overline{AE}:\overline{EB}=\overline{DF}:\overline{FC}$

(2) △ABC에서 $\overline{EP}:\overline{BC}=\overline{AE}:\overline{AB}$

$\Rightarrow \overline{EP}=\dfrac{\overline{AE}\times\overline{BC}}{\overline{AB}}=\dfrac{bm}{m+n}$

△CDA에서 $\overline{PF}:\overline{AD}=\overline{CF}:\overline{CD}\Rightarrow \overline{PF}=\dfrac{\overline{AD}\times\overline{CF}}{\overline{CD}}=\dfrac{an}{m+n}$

(3) $\overline{EF}=\overline{EP}+\overline{PF}=\dfrac{bm+an}{m+n}$

예 오른쪽 그림과 같은 사다리꼴 ABCD에서 $\overline{AD}/\!/\overline{EF}/\!/\overline{BC}$일 때,
$\overline{EP}:12=3:(3+6)$, $9\overline{EP}=36$ ∴ $\overline{EP}=4$
$\overline{PF}:6=6:(3+6)$, $9\overline{PF}=36$ ∴ $\overline{PF}=4$
∴ $\overline{EF}=\overline{EP}+\overline{PF}=4+4=8$

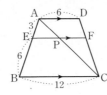

포인트개념

- 보조선을 긋는 다른 방법

$\Rightarrow \overline{EG}:(b-a)=m:(m+n)$

예제 7

오른쪽 그림과 같은 사다리꼴 ABCD에서 $\overline{AD}/\!/\overline{EF}/\!/\overline{BC}$일 때, 다음을 구하여라.

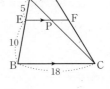

(1) $\overline{EP}$의 길이
(2) $\overline{PF}$의 길이
(3) $\overline{EF}$의 길이

08 평행선과 선분의 길이의 비의 활용

$\overline{AC}$와 $\overline{BD}$의 교점을 E라 하고 $\overline{AB}/\!/\overline{EF}/\!/\overline{DC}$이면

(1) △ABE∽△CDE
 △BFE∽△BCD
 △CEF∽△CAB

(2) $\overline{BF}:\overline{FC}=\overline{BE}:\overline{ED}=a:b$

(3) $\overline{EF}:\overline{DC}=\overline{BE}:\overline{BD}\Rightarrow \overline{EF}=\dfrac{ab}{a+b}$

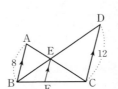

예 오른쪽 그림에서 $\overline{AB}/\!/\overline{EF}/\!/\overline{DC}$이면
$\overline{BE}:\overline{DE}=8:12=2:3$이므로 $\overline{EF}:\overline{DC}=\overline{BE}:\overline{BD}$에서
$\overline{EF}:12=2:5$, $5\overline{EF}=24$ ∴ $\overline{EF}=\dfrac{24}{5}$(cm)

포인트개념

① △ABE∽△CDE ➡ 닮음비 $a:b$
② △BFE∽△BCD ➡ 닮음비 $a:(a+b)$
③ △CEF∽△CAB ➡ 닮음비 $b:(a+b)$

예제 8

오른쪽 그림에서 $\overline{AB}/\!/\overline{EF}/\!/\overline{DC}$일 때, 다음을 구하여라.

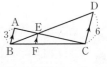

(1) $\overline{BE}:\overline{BD}$
(2) $\overline{EF}$의 길이

대표유형 삼각형에서 평행선과 선분의 길이의 비(1)

01 오른쪽 그림에서 $\overline{BC} /\!/ \overline{DE}$ 일 때, $\overline{DE}$의 길이를 구하여라.

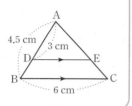

04 오른쪽 그림에서 $\overline{BC} /\!/ \overline{DE}$ 일 때, $\overline{EC}$의 길이는?

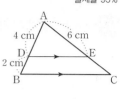

① 1 cm ② 1.5 cm
③ 2 cm ④ 2.5 cm
⑤ 3 cm

02 다음은 △ABC에서 변 AB, AC의 연장선 위에 각각 점 D, E를 잡을 때, $\overline{BC} /\!/ \overline{DE}$이면 $\overline{AB} : \overline{AD} = \overline{AC} : \overline{AE} = \overline{BC} : \overline{DE}$임을 설명하는 과정이다. □ 안에 알맞은 것을 써넣어라.

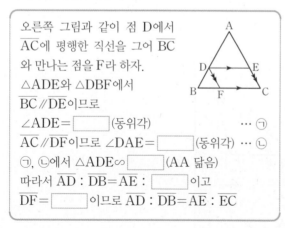

오른쪽 그림의
△ABC와 △ADE에서
∠ABC = □ (동위각) … ㉠
□ 는 공통 … ㉡
㉠, ㉡에서
△ABC∽△ADE(□ 닮음)
∴ $\overline{AB} : \overline{AD} = \overline{AC} : \overline{AE} = □ : \overline{DE}$

05 오른쪽 그림에서 $\overline{AB} /\!/ \overline{DE}$ 일 때, x의 값은?

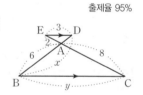

① 6 cm ② 5 cm
③ 4 cm ④ 3 cm
⑤ 2 cm

06 오른쪽 그림에서 $\overline{BC} /\!/ \overline{DE}$ 일 때, $y-x$의 값을 구하여라.

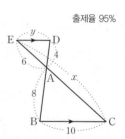

03 다음은 △ABC에서 $\overline{BC} /\!/ \overline{DE}$이면 $\overline{AD} : \overline{DB} = \overline{AE} : \overline{EC}$임을 설명하는 과정이다. □ 안에 알맞은 것을 써넣어라.

오른쪽 그림과 같이 점 D에서 $\overline{AC}$에 평행한 직선을 그어 $\overline{BC}$와 만나는 점을 F라 하자.
△ADE와 △DBF에서
$\overline{BC} /\!/ \overline{DE}$이므로
∠ADE = □ (동위각) … ㉠
$\overline{AC} /\!/ \overline{DF}$이므로 ∠DAE = □ (동위각) … ㉡
㉠, ㉡에서 △ADE∽□ (AA 닮음)
따라서 $\overline{AD} : \overline{DB} = \overline{AE} : □$이고
$\overline{DF} = □$이므로 $\overline{AD} : \overline{DB} = \overline{AE} : \overline{EC}$

07 오른쪽 그림에서 $\overline{BC} /\!/ \overline{DE}$일 때, $x+y$의 값을 구하여라.

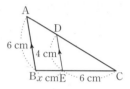

08 오른쪽 그림에서 $\overline{AB} \parallel \overline{CD}$, $\overline{EF} \parallel \overline{GC}$일 때, $\overline{EF}$의 길이를 구하여라.

출제율 85%

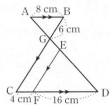

대표유형 | 삼각형에서 두 선분이 평행할 조건

09 다음 중 $\overline{BC} \parallel \overline{DE}$가 <u>아닌</u> 것을 모두 고르면?

①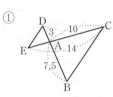

②

③

④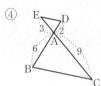

⑤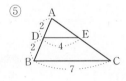

출제율 90%

10 다음은 주어진 그림에서 $\overline{AB} : \overline{AD} = \overline{AC} : \overline{AE}$가 성립할 때, $\overline{BC} \parallel \overline{DE}$임을 설명하는 과정이다. □ 안에 알맞은 것을 써넣어라.

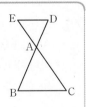

△ABC와 △ADE에서
∠BAC = ☐ (맞꼭지각)
$\overline{AB} : \overline{AD} = \overline{AC} : \overline{AE}$
∴ △ABC∽△ADE(☐ 닮음)
따라서 ∠ABC = ☐ (엇각)
이므로 $\overline{BC} \parallel \overline{DE}$

출제율 95%

11 오른쪽 그림에서 $\overline{AD} : \overline{DB} = 2 : 3$이고 $\overline{AC} = 45$ cm일 때, $\overline{BC} \parallel \overline{DE}$가 되도록 하는 $\overline{EC}$의 길이를 구하여라.

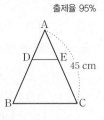

출제율 95%

12 오른쪽 그림에서 $\overline{AD} = 12$ cm, $\overline{AE} : \overline{AC} = 3 : 5$이다. $\overline{BC} \parallel \overline{DE}$가 되도록 하는 $\overline{DB}$의 길이는?

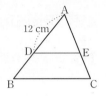

① 8 cm　　② 10 cm
③ 12 cm　　④ 14 cm
⑤ 16 cm

출제율 95%

13 오른쪽 그림에서 $\overline{BC} \parallel \overline{DE}$가 되도록 하는 $\overline{AD}$의 길이를 구하여라.

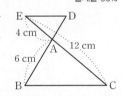

출제율 95%

14 오른쪽 그림에서 $\overline{DE}$, $\overline{EF}$, $\overline{DF}$ 중 △ABC의 어느 한 변과 평행한 선분을 말하여라.

---

15 오른쪽 그림과 같은 삼각형 ABC에 대하여 다음 중 옳지 <u>않은</u> 것은?

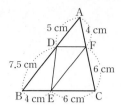

① $\overline{AB} /\!/ \overline{FE}$
② $\overline{BC} /\!/ \overline{DF}$
③ $\overline{AC} /\!/ \overline{DE}$
④ $\angle CAB = \angle CFE$
⑤ $\angle ADF = \angle ABC$

출제율 90%

대표유형 삼각형에서 평행선과 선분의 길이의 비(2)

16 오른쪽 그림에서 $\overline{BC} /\!/ \overline{DE}$이고 $\overline{PE}=3$ cm, $\overline{BQ}=4$ cm, $\overline{QC}=6$ cm일 때, $\overline{DP}$의 길이는?

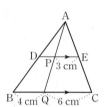

① 2 cm ② 3 cm
③ 4 cm ④ 5 cm
⑤ 6 cm

내신 UP POINT

(1) $\overline{BC} /\!/ \overline{DE}$일 때,
$a:b=c:d=e:f$

(2) $\overline{BC} /\!/ \overline{DE}$, $\overline{BE} /\!/ \overline{DF}$일 때, $a:b=c:d=e:f$

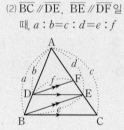

---

17 오른쪽 그림에서 $\overline{BC} /\!/ \overline{DE}$이고 $\overline{AD}=12$ cm, $\overline{DB}=4$ cm, $\overline{GE}=9$ cm일 때, $\overline{FC}$의 길이는?

① 11 cm ② 12 cm
③ 13 cm ④ 14 cm
⑤ 15 cm

---

18 오른쪽 그림에서 $\overline{BC} /\!/ \overline{DE}$일 때, y를 x에 관한 식으로 나타내면?

① $y=\dfrac{1}{3}x$ ② $y=\dfrac{2}{5}x$
③ $y=\dfrac{1}{2}x$ ④ $y=\dfrac{3}{5}x$
⑤ $y=\dfrac{2}{3}x$

출제율 85%

---

19 오른쪽 그림에서 $\overline{BC} /\!/ \overline{DE}$, $\overline{DC} /\!/ \overline{FE}$이고 $\overline{AD}=18$ cm, $\overline{DB}=9$ cm 일 때, $\overline{AF}$의 길이는?

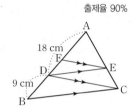

① 9 cm ② 10 cm
③ 11 cm ④ 12 cm
⑤ 13 cm

출제율 90%

---

20 오른쪽 그림에서 $\overline{EF} /\!/ \overline{AD}$, $\overline{ED} /\!/ \overline{AC}$일 때, $\overline{BF} : \overline{FD}$를 구하여라.

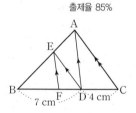

출제율 85%

---

21 오른쪽 그림에서 $\overline{FD} /\!/ \overline{GC}$, $\overline{AF} : \overline{FG} : \overline{GB}=2:1:1$ 이다. $\overline{FE}=4$ cm일 때, $\overline{DE}$ 의 길이를 구하여라.

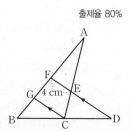

출제율 80%

삼각형의 내각의 이등분선

22 오른쪽 그림과 같은 △ABC 에서 ∠A의 이등분선과 $\overline{BC}$ 의 교점을 D라 하자. $\overline{AB}$=18 cm, $\overline{BD}$=9 cm, $\overline{AC}$=12 cm일 때, $\overline{DC}$의 길이는?

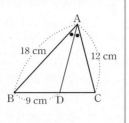

① 4 cm   ② 5 cm   ③ 6 cm

④ 8 cm   ⑤ 10 cm

출제율 90%

23 다음은 △ABC에서 ∠A의 이등분선이 $\overline{BC}$와 만나는 점을 D라 할 때, $\overline{AB}:\overline{AC}=\overline{BD}:\overline{DC}$임을 설명하는 과정이다. ☐ 안에 알맞은 것을 써넣어라.

> 오른쪽 그림과 같이 점 C를 지나면서 $\overline{AD}$에 평행한 직선이 $\overline{BA}$의 연장선과 만나는 점을 E라 하면
>
> ∠DAC = ☐ (엇각)
>
> ∠BAD = ∠AEC(☐)
>
> ∠DAC = ∠BAD이므로
>
> ☐ = ∠AEC
>
> 따라서 △ACE는 ☐ 삼각형이므로
>
> ☐ = $\overline{AE}$ ⋯ ㉠
>
> 또, $\overline{AD}\,/\!/\,\overline{EC}$이므로 $\overline{BA}:\overline{AE}=\overline{BD}:$ ☐
>
>   ⋯ ㉡
>
> 따라서 ㉠, ㉡에서 $\overline{AB}:\overline{AC}=\overline{BD}:\overline{DC}$

출제율 95%

24 오른쪽 그림과 같은 △ABC에서 $\overline{AD}$는 ∠A의 이등분선이다. $\overline{AB}$=12 cm, $\overline{AC}$=9 cm, $\overline{BC}$=14 cm일 때, $\overline{BD}$의 길이는?

① 4 cm   ② 5 cm   ③ 6 cm

④ 7 cm   ⑤ 8 cm

출제율 85%

25 오른쪽 그림의 △ABC에서 $\overline{AD}$는 ∠A의 이등분선이고 점 C를 지나면서 $\overline{AD}$에 평행한 직선이 $\overline{BA}$의 연장선과 만나는 점을 E라 할 때, $\overline{BE}$의 길이는?

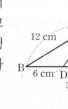

① 15 cm   ② 16 cm   ③ 18 cm

④ 20 cm   ⑤ 21 cm

출제율 85%

26 오른쪽 그림에서 $\overline{AE}$는 ∠A의 이등분선이고 $\overline{DE}\,/\!/\,\overline{AC}$, $\overline{AB}$=12 cm, $\overline{AC}$=6 cm일 때, $\overline{DE}$의 길이는?

① 3 cm   ② 4 cm   ③ 5 cm

④ 6 cm   ⑤ 7 cm

출제율 95%

27 오른쪽 그림과 같은 △ABC에서 $\overline{AD}$는 ∠A의 이등분선일 때, △ABD와 △ADC의 넓이의 비를 구하여라.

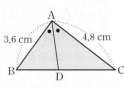

출제율 95%

28 오른쪽 그림과 같은 △ABC에서 ∠A의 이등분선과 $\overline{BC}$의 교점을 D라 하자. $\overline{AB}$=16 cm, $\overline{AC}$=12 cm이고 △ABD의 넓이가 48 cm²일 때, △ADC의 넓이는?

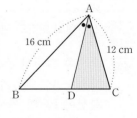

① 24 cm²   ② 28 cm²   ③ 32 cm²

④ 36 cm²   ⑤ 40 cm²

29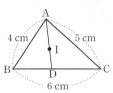

오른쪽 그림에서 점 I는 △ABC의 내심이다. $\overline{AD}$가 점 I를 지날 때, $\overline{BD}$의 길이를 구하여라.

출제율 85%

30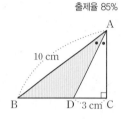

오른쪽 그림에서 △ABC는 ∠C=90°인 직각삼각형이고 $\overline{AD}$는 ∠A의 이등분선이다. $\overline{AB}$=10 cm, $\overline{CD}$=3 cm일 때, △ABD의 넓이는?

출제율 85%

① 10 cm²   ② 14 cm²   ③ 15 cm²
④ 18 cm²   ⑤ 20 cm²

31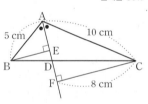

오른쪽 그림과 같은 △ABC에서 $\overline{AD}$는 ∠A의 이등분선이고 점 B, C에서 $\overline{AD}$ 또는 그 연장선 위에 내린 수선의 발을 각각 E, F라 할 때, $\overline{BE}$의 길이는?

출제율 80%

① 3 cm   ② 4 cm   ③ 5 cm
④ 6 cm   ⑤ 7 cm

대표유형 **삼각형의 외각의 이등분선**

32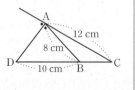

오른쪽 그림의 △ABC에서 ∠A의 외각의 이등분선이 $\overline{BC}$의 연장선과 만나는 점을 D라 할 때, $\overline{BC}$의 길이를 구하여라.

33

다음은 △ABC에서 ∠A의 외각의 이등분선이 $\overline{BC}$의 연장선과 만나는 점을 D라 할 때, $\overline{AB}:\overline{AC}=\overline{BD}:\overline{DC}$임을 설명하는 과정이다. ☐ 안에 알맞은 것을 써넣어라.

출제율 90%

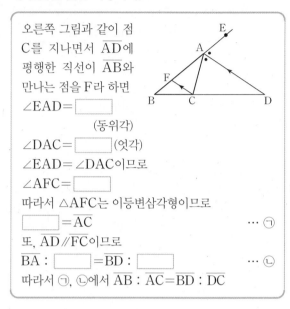

오른쪽 그림과 같이 점 C를 지나면서 $\overline{AD}$에 평행한 직선이 $\overline{AB}$와 만나는 점을 F라 하면
∠EAD=☐ (동위각)
∠DAC=☐ (엇각)
∠EAD=∠DAC이므로
∠AFC=☐
따라서 △AFC는 이등변삼각형이므로
☐=$\overline{AC}$ … ㉠
또, $\overline{AD}$∥$\overline{FC}$이므로
$\overline{BA}$:☐=$\overline{BD}$:☐   … ㉡
따라서 ㉠, ㉡에서 $\overline{AB}:\overline{AC}=\overline{BD}:\overline{DC}$

34

오른쪽 그림의 △ABC에서 점 D는 ∠A의 외각의 이등분선과 $\overline{BC}$의 연장선과의 교점이고 $\overline{AB}$=8 cm, $\overline{AC}$=6 cm, $\overline{BD}$=16 cm일 때, $\overline{BC}$의 길이를 구하여라.

출제율 95%

35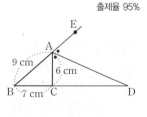

오른쪽 그림의 △ABC에서 점 D는 ∠A의 외각의 이등분선과 $\overline{BC}$의 연장선과의 교점이고 $\overline{AB}$=9 cm, $\overline{AC}$=6 cm, $\overline{BC}$=7 cm일 때, $\overline{CD}$의 길이는?

출제율 95%

① 10 cm   ② 11 cm   ③ 12 cm
④ 13 cm   ⑤ 14 cm

36 오른쪽 그림과 같은 △ABC에서 $\overline{\text{AD}}$가 ∠A의 외각의 이등분선이고 △ABC의 넓이가 9 cm² 일 때, △ABD의 넓이를 구하여라.

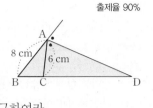

출제율 90%

37 오른쪽 그림의 △ABC에서 점 D는 ∠A의 외각의 이등분선과 $\overline{\text{BC}}$의 연장선과의 교점이고 ∠CAD＝∠EAD＝60° 일 때, $\overline{\text{AC}}$의 길이는?

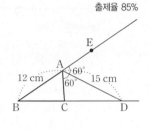

출제율 85%

① 6 cm   ② 5 cm   ③ $\dfrac{24}{5}$ cm

④ $\dfrac{15}{4}$ cm   ⑤ $\dfrac{20}{3}$ cm

38 오른쪽 그림의 △ABC에서 $\overline{\text{AD}}$는 ∠A의 이등분선이고 $\overline{\text{AE}}$는 ∠A의 외각의 이등분선이다. $\overline{\text{AB}}$＝8 cm, $\overline{\text{BC}}$＝7 cm, $\overline{\text{AC}}$＝6 cm일 때, $\overline{\text{DE}}$의 길이는?

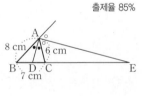

출제율 85%

① 21 cm   ② 22 cm   ③ 23 cm
④ 24 cm   ⑤ 25 cm

평행선 사이의 선분의 길이의 비

39 오른쪽 그림에서 $l /\!/ m /\!/ n$ 일 때, x의 값은?

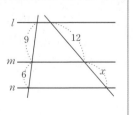

① 6   ② 7
③ 8   ④ 9
⑤ 10

---

40 다음 그림과 같은 약도에서 마트와 지하철역 사이의 거리를 구하여라. (단, $l /\!/ m /\!/ n$이다.)

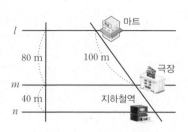

출제율 90%

41 오른쪽 그림에서 $l /\!/ m /\!/ n$일 때, x의 값은?

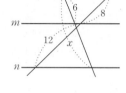

출제율 90%

① 12   ② 13
③ 14   ④ 15
⑤ 16

42 오른쪽 그림에 대한 설명 중 옳지 <u>않은</u> 것은?

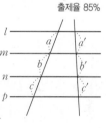

출제율 85%

① $l /\!/ m /\!/ n$이면 $\dfrac{a}{b}=\dfrac{a'}{b'}$

② $l /\!/ m /\!/ p$이면 $\dfrac{a}{b+c}=\dfrac{a'}{b'+c'}$

③ $l /\!/ n /\!/ p$이면 $(a+b):c=(a'+b'):c'$

④ $l /\!/ m /\!/ n /\!/ p$이면 $\dfrac{a'}{a}=\dfrac{b'}{b}=\dfrac{c'}{c}$

⑤ $a:a'=b:b'$이면 $l /\!/ m /\!/ n$

43 오른쪽 그림에서 $l /\!/ m /\!/ n$일 때, x와 y의 값을 각각 구하면?

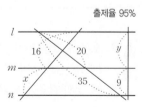

출제율 95%

① $x=8$, $y=12$
② $x=8$, $y=15$
③ $x=12$, $y=12$
④ $x=12$, $y=14$
⑤ $x=12$, $y=15$

출제율 95%

44
중

오른쪽 그림에서
$l /\!/ m /\!/ n$일 때, $x-y$의
값은?

① 6 　　② 7
③ 8 　　④ 9
⑤ 10

출제율 95%

45
중

오른쪽 그림에서
$l /\!/ m /\!/ n /\!/ p$일 때, $x+y$의
값을 구하여라.

출제율 95%

46
중

오른쪽 그림에서 $l /\!/ m /\!/ n /\!/ p$
일 때, $\dfrac{x}{y}$의 값을 구하여라.

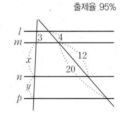

출제율 90%

47
상

오른쪽 그림에서
$l /\!/ m /\!/ n /\!/ p$일 때,
$y-x$의 값을 구하여라.

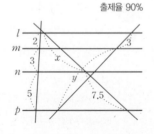

대표
유형 **사다리꼴에서의 평행선(1)**

48
오른쪽 그림과 같은 사다리꼴
ABCD에서 $\overline{AD} /\!/ \overline{EF} /\!/ \overline{BC}$
일 때, $\overline{PF}$의 길이는?

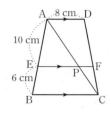

① 3 cm 　　② 4 cm
③ 5 cm 　　④ 6 cm
⑤ 7 cm

내신 **UP** POINT

$\overline{AD} /\!/ \overline{BC}$인 사다리꼴 ABCD에서
$\overline{AD} /\!/ \overline{EF} /\!/ \overline{BC}$이면
(1) $\overline{AE} : \overline{EB} = \overline{DF} : \overline{FC}$
(2) △ABC에서
　$\overline{EP} : \overline{BC} = \overline{AE} : \overline{AB}$
　⇒ $\overline{EP} = \dfrac{\overline{AE} \times \overline{BC}}{\overline{AB}} = \dfrac{bm}{m+n}$
　△CDA에서 $\overline{PF} : \overline{AD} = \overline{CF} : \overline{CD}$
　⇒ $\overline{PF} = \dfrac{\overline{AD} \times \overline{CF}}{\overline{CD}} = \dfrac{an}{m+n}$
(3) $\overline{EF} = \overline{EP} + \overline{PF} = \dfrac{bm+an}{m+n}$

출제율 90%

49
중

오른쪽 그림과 같은 사다리꼴
ABCD에서 $\overline{AD} /\!/ \overline{EF} /\!/ \overline{BC}$
일 때, $x+y$의 값을 구하여라.

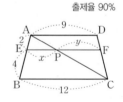

출제율 90%

50
중

오른쪽 그림과 같은 사다
리꼴 ABCD에서
$\overline{AD} /\!/ \overline{EF} /\!/ \overline{BC}$일 때,
$\overline{EF}$의 길이를 구하여라.

51 오른쪽 그림과 같은 사다리꼴
ABCD에서 $\overline{AD} /\!/ \overline{EF} /\!/ \overline{BC}$
일 때, $\overline{EO}$의 길이는?

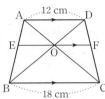

① 6.6 cm   ② 6.8 cm

③ 7 cm   ④ 7.2 cm

⑤ 7.4 cm

사다리꼴에서의 평행선(2)

52 오른쪽 그림과 같은 사다리꼴
ABCD에서 $\overline{AD} /\!/ \overline{EF} /\!/ \overline{BC}$,
$\overline{AB} /\!/ \overline{DH}$일 때, x, y의 값을 차례
로 구하여라.

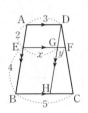

내신 UP POINT

$\overline{AD} /\!/ \overline{BC}$인 사다리꼴 ABCD에서
$\overline{AD} /\!/ \overline{EF} /\!/ \overline{BC}$, $\overline{AH} /\!/ \overline{DC}$이면

(1) △ABH에서

$\overline{EG} : \overline{BH} = \overline{AE} : \overline{AB}$

$\Rightarrow \overline{EG} = \dfrac{\overline{AE} \times \overline{BH}}{\overline{AB}} = \dfrac{m(b-a)}{m+n}$

(2) $\overline{GF} = \overline{AD} = a$

---

53 다음은 주어진 그림과 같은 사다리꼴 ABCD에서
$\overline{AD} /\!/ \overline{EF} /\!/ \overline{BC}$일 때, $\overline{EF}$의 길이를 구하는 과정이
다. ☐ 안에 알맞은 것을 써넣어라.

오른쪽 그림과 같이 점 A에
서 $\overline{DC}$에 평행한 선분을 그
어 $\overline{EF}$, $\overline{BC}$와 만나는 점을
각각 G, H라 하자.

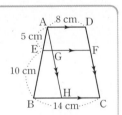

$\overline{GF} = \overline{HC} = \boxed{}$ (cm)

이므로

$\overline{BH} = \boxed{}$ (cm)

$\overline{EG} : \boxed{} = \overline{AE} : \overline{AB}$이므로

$\overline{EG} : 6 = 5 : 15$ $\therefore \overline{EG} = \boxed{}$ (cm)

$\therefore \overline{EF} = \overline{EG} + \overline{GF} = \boxed{}$ (cm)

---

54 오른쪽 그림과 같은 사다리꼴
ABCD에서 $\overline{AD} /\!/ \overline{EF} /\!/ \overline{BC}$일
때, $\overline{BC}$의 길이를 구하여라.

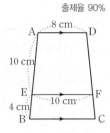

---

55 오른쪽 그림과 같은 사다리
꼴 ABCD에서
$\overline{AD} /\!/ \overline{EF} /\!/ \overline{BC}$일 때, $\overline{AE}$
의 길이는?

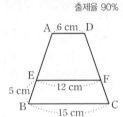

① 6 cm   ② 7 cm

③ 8 cm   ④ 9 cm

⑤ 10 cm

---

56 오른쪽 그림과 같은 사다리꼴
ABCD에서 $\overline{AD} /\!/ \overline{EF} /\!/ \overline{BC}$
이고 $\overline{AE} : \overline{EB} = 9 : 1$일 때,
$\overline{BC}$의 길이를 구하여라.

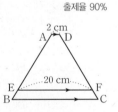

---

57 오른쪽 그림과 같은 사다리
꼴 ABCD에서
$\overline{AD} /\!/ \overline{EF} /\!/ \overline{BC}$일 때, $\overline{EF}$
의 길이를 구하여라.

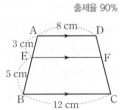

출제율 85%

58 오른쪽 그림과 같은 사다리꼴 ABCD에서 $\overline{AD}//\overline{EF}//\overline{BC}$ 이고 $\overline{AE}:\overline{BE}=2:3$일 때, $\overline{EF}$의 길이는?

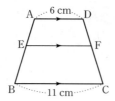

① 7 cm ② 8 cm

③ 9 cm ④ 10 cm

⑤ 11 cm

출제율 95%

61 오른쪽 그림에서 $\overline{AB}//\overline{EF}//\overline{DC}$일 때, $\overline{CF}$의 길이는?

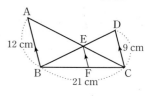

① 9 cm

② 10 cm

③ 11 cm

④ 12 cm

⑤ 13 cm

대표유형 **평행선과 선분의 길이의 비의 활용**

59 오른쪽 그림에서 $\overline{AB}//\overline{EF}//\overline{DC}$일 때, $\overline{EF}$의 길이는?

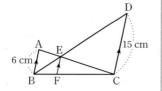

① 1.5 cm

② $\dfrac{20}{7}$ cm

③ 2 cm

④ $\dfrac{30}{7}$ cm

⑤ 3 cm

내신 **UP POINT**

$\overline{AB}//\overline{EF}//\overline{DC}$이고 $\overline{AB}=a$, $\overline{DC}=b$이면

(1) 서로 닮은 삼각형
① △ABE∽△CDE
② △BFE∽△BCD
③ △CEF∽△CAB

(2) $\overline{BF}:\overline{FC}=\overline{BE}:\overline{ED}$
$=a:b$

(3) $\overline{EF}:\overline{DC}=\overline{BE}:\overline{BD}$ ➡ $\overline{EF}=\dfrac{ab}{a+b}$

출제율 90%

62 오른쪽 그림에서 $\overline{AB}//\overline{EF}//\overline{DC}$일 때, $\overline{AB}$의 길이는?

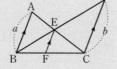

① 3 cm ② 4 cm

③ 5 cm ④ 6 cm

⑤ 7 cm

출제율 90%

63 오른쪽 그림에서 $\overline{AB}//\overline{EF}//\overline{DC}$이고 $\overline{AB}=10$ cm, $\overline{BC}=20$ cm, $\overline{CD}=15$ cm일 때, $x+y$의 값을 구하여라.

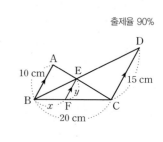

출제율 85%

60 오른쪽 그림에서 $\overline{AB}//\overline{EF}//\overline{DC}$일 때, $\overline{CE}:\overline{CA}$는?

① 1 : 2

② 2 : 3

③ 3 : 4

④ 2 : 5

⑤ 3 : 5

출제율 85%

64 오른쪽 그림에서 $x-y$의 값을 구하여라.

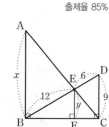

개념 UP 01 사다리꼴에서의 평행선과 두 대각선

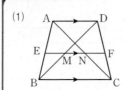

(1)

△ABC, △ABD,
△DBC, △ACD에서
$\overline{EN}$, $\overline{EM}$, $\overline{MF}$, $\overline{NF}$의
길이 구하기
➡ $\overline{MN}=\overline{EN}-\overline{EM}$
$=\overline{MF}-\overline{NF}$

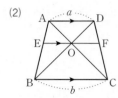

(2)

△AOD∽△COB(AA
닮음)이므로
$\overline{AO}:\overline{CO}=\overline{DO}:\overline{BO}$
$=a:b$
➡ $\overline{AE}:\overline{BE}$
$=\overline{DF}:\overline{CF}=a:b$

65 오른쪽 그림과 같은 사다리
(상) 꼴 ABCD에서
$\overline{AD}\,/\!/\,\overline{EF}\,/\!/\,\overline{BC}$이고
$2\overline{EG}=\overline{GH}$, $2\overline{AE}=3\overline{EB}$
일 때, $\overline{BC}$의 길이를 구하여라.

출제율 85%

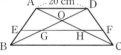

66 오른쪽 그림과 같은 사다리
(상) 꼴 ABCD에서
$\overline{AD}\,/\!/\,\overline{EF}\,/\!/\,\overline{BC}$이고
$\overline{DF}=2\overline{FC}$, $\overline{AD}=18$ cm,
$\overline{BC}=30$ cm일 때, $\overline{MN}$의
길이를 구하여라.

출제율 85%

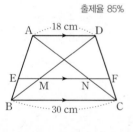

67 오른쪽 그림에서 $\overline{AD}\,/\!/\,\overline{EF}\,/\!/\,\overline{BC}$
(상) 이고 $\overline{AD}=6$ cm, $\overline{BC}=8$ cm일
때, $\overline{EF}$의 길이를 구하여라.

출제율 85%

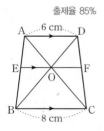

개념 UP 02 평행선과 선분의 길이의 비의 활용

오른쪽 그림에서
$\overline{BF}:\overline{FC}=\overline{BE}:\overline{ED}=a:b$이므로
$\overline{EF}:\overline{DC}=\overline{BE}:\overline{BD}=a:(a+b)$

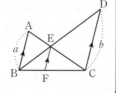

68 오른쪽 그림에서 $\overline{AB}$,
(상) $\overline{DC}$는 모두 $\overline{BC}$와 수직
일 때, △EBC의 넓이
는?

출제율 85%

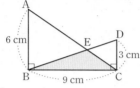

① 5 cm²   ② 6 cm²
③ 7 cm²   ④ 9 cm²
⑤ 10 cm²

69 오른쪽 그림에서 $\overline{AB}$,
(상) $\overline{EF}$, $\overline{DC}$는 모두 $\overline{BC}$와 수
직이고 △EBC의 넓이가
36 cm²일 때, $\overline{BC}$의 길이
를 구하여라.

출제율 85%

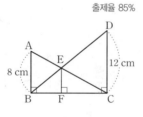

70 다음 그림에서 $\overline{AB}$, $\overline{EF}$, $\overline{DC}$는 모두 $\overline{BC}$와 수직이고
(상) △EBC=70 cm²일 때, $\overline{BF}$의 길이를 구하여라.

출제율 85%

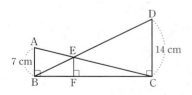

01 오른쪽 그림에서 $\overline{BC} /\!/ \overline{DE}$ 일 때, $\overline{DE}$의 길이는?

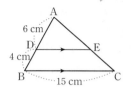

① 8 cm   ② 9 cm

③ 10 cm   ④ 11 cm

⑤ 12 cm

02 오른쪽 그림의 △ABC에서 $\overline{AD} : \overline{DB} = \overline{AE} : \overline{EC}$일 때, 다음 중 옳지 <u>않은</u> 것은?

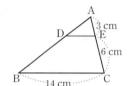

① △ABC∽△ADE
② $\overline{AD} : \overline{AB} = 1 : 3$
③ $\overline{DE} = 7$ cm
④ $\overline{BC} /\!/ \overline{DE}$
⑤ $\overline{AB} = 15$ cm일 때, $\overline{AD} = 5$ cm

03 다음 중 $\overline{BC} /\!/ \overline{DE}$인 것은?

① 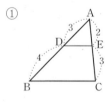   ②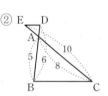

③ 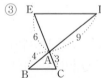   ④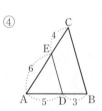

⑤

04 오른쪽 그림의 △ABC에서 $\overline{BC} /\!/ \overline{DE}$가 되도록 하는 $\overline{DB}$의 길이를 구하여라.

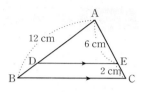

05 오른쪽 그림에서 $\overline{BC} /\!/ \overline{DE}$ 이고 $\overline{AD} = 12$ cm, $\overline{DB} = 8$ cm, $\overline{FC} = 20$ cm 일 때, $\overline{GE}$의 길이는?

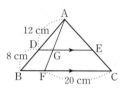

① 9 cm   ② 10 cm   ③ 11 cm
④ 12 cm   ⑤ 13 cm

06 오른쪽 그림에서 $\overline{BC} /\!/ \overline{DE}$일 때, $\overline{QC}$의 길이는?

① 4.5 cm   ② 5 cm
③ 5.5 cm   ④ 6 cm
⑤ 6.5 cm

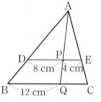

07 오른쪽 그림의 △ABC에서 $\overline{AD}$는 ∠A의 이등분선이다. $\overline{AB} = 12$ cm, $\overline{AC} = 10$ cm, $\overline{BC} = 11$ cm일 때, $\overline{DC}$의 길이는?

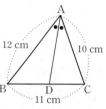

① 2 cm   ② 3 cm   ③ 4 cm
④ 5 cm   ⑤ 6 cm

08 오른쪽 그림에서 $\overline{AE}$는 ∠A의 이등분선이고, $\overline{DE}/\!\!/\overline{AC}$이다. $\overline{AB}$=10 cm, $\overline{AC}$=15 cm일 때, $\overline{DE}$의 길이는?

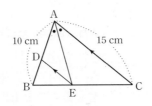

① 5 cm   ② 6 cm   ③ 7 cm
④ 8 cm   ⑤ 9 cm

09 오른쪽 그림과 같은 △ABC에서 $\overline{AD}$가 ∠A의 외각의 이등분선일 때, $\overline{AC}$의 길이는?

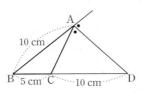

① 7 cm   ② $\dfrac{20}{3}$ cm   ③ 6 cm

④ $\dfrac{16}{3}$ cm   ⑤ 5 cm

10 오른쪽 그림에서 $l/\!\!/m/\!\!/n$일 때, x의 값은?

 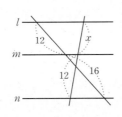

① 6   ② 7
③ 8   ④ 9
⑤ 10

11 오른쪽 그림에서 $l/\!\!/m/\!\!/n$일 때, $x+y$의 값은?

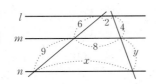

① 20   ② 21
③ 22   ④ 23
⑤ 24

12 오른쪽 그림에서 $l/\!\!/m/\!\!/n$일 때, xy의 값을 구하여라.

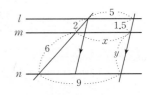

13 오른쪽 그림과 같은 사다리꼴 ABCD에서 $\overline{AD}/\!\!/\overline{EF}/\!\!/\overline{BC}$일 때, $x+y$의 값은?

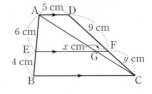

① 6   ② 7
③ 8   ④ 9
⑤ 10

14 오른쪽 그림과 같은 사다리꼴 ABCD에서 $\overline{AD}/\!\!/\overline{EF}/\!\!/\overline{BC}$일 때, $\overline{EF}$의 길이를 구하여라.

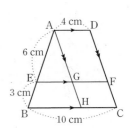

15 오른쪽 그림에서 $\overline{AB}/\!\!/\overline{EF}/\!\!/\overline{DC}$일 때, 다음 중 옳지 <u>않은</u> 것은?

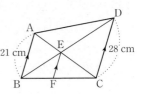

① △ABE∽△CDE
② △BFE∽△BCD
③ △ABC∽△EFC
④ △EBC∽△EAD
⑤ $\overline{EF}$=12 cm

16 오른쪽 그림에서
□DFCE가 마름모일 때,
$\overline{AE}$의 길이는?

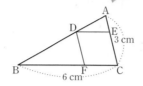

① $\dfrac{1}{3}$ cm

② $\dfrac{1}{2}$ cm

③ $\dfrac{2}{3}$ cm

④ 1 cm

⑤ $\dfrac{4}{3}$ cm

17 오른쪽 그림에서 $\overline{DE}/\!/\overline{BC}$,
$\overline{FE}/\!/\overline{DC}$일 때, $\overline{DB}$의 길이는?

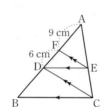

① 6 cm ② 7 cm

③ 8 cm ④ 9 cm

⑤ 10 cm

18 오른쪽 그림의 △ABC에
서 ∠BAD=∠ACB,
∠DAE=∠CAE일 때,
$\overline{DE}$의 길이는?

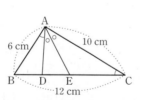

① 2 cm ② 2.5 cm ③ 3 cm

④ 4 cm ⑤ 5 cm

19 오른쪽 그림에서 □ABCD는
$\overline{AD}/\!/\overline{BC}$인 사다리꼴이고, 점
O는 □ABCD의 두 대각선
AC와 BD의 교점이다. $\overline{EF}$는
점 O를 지나고 $\overline{EF}/\!/\overline{BC}$일 때,
$\overline{EF}$의 길이를 구하여라.

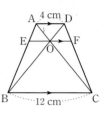

20 오른쪽 그림에서 $\overline{AE}/\!/\overline{DF}$,
$\overline{AC}/\!/\overline{DE}$이고
$\overline{BE}:\overline{EC}=3:2$일 때,
$\overline{FE}:\overline{EC}$를 구하여라.

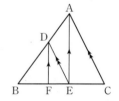

21 오른쪽 그림에서
$\overline{AB}=20$ cm, $\overline{AC}=12$ cm,
$\overline{AE}=4$ cm, $\overline{BD}=16$ cm일
때, $\overline{FG}$의 길이는?

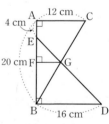

① 3 cm ② 4 cm

③ 5 cm ④ 6 cm

⑤ 7 cm

22 단계형

오른쪽 그림과 같은
△ABC에서
∠BAC=90°일 때,
△ABD의 넓이를 구하
여라. [6점]

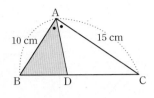

1단계 $\overline{BD} : \overline{DC}$의 비 구하기 [2점]

_____

_____

2단계 △ABC의 넓이 구하기 [2점]

_____

_____

3단계 △ABD의 넓이 구하기 [2점]

_____

_____

23 단계형

오른쪽 그림에서
$l /\!/ m /\!/ n /\!/ p$일 때, xy의
값을 구하여라. [5점]

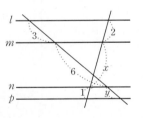

1단계 x의 값 구하기 [2점]

_____

_____

2단계 y의 값 구하기 [2점]

_____

_____

3단계 xy의 값 구하기 [1점]

_____

_____

24 사고력

오른쪽 그림에서
$\overline{GF} /\!/ \overline{BC} /\!/ \overline{DE}$일 때, $x+y$
의 값을 구하여라. [5점]

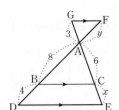

25 사고력

다음 그림에서 $\overline{AB} /\!/ \overline{EF} /\!/ \overline{DC}$일 때, $\overline{BF}$의 길이를
구하여라. [6점]

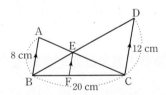

01 삼각형에서 평행선과 선분의 길이의 비의 활용(1)

삼각형의 두 변의 중점을 연결한 선분은 나머지 변과 평행하

고, 그 길이는 평행한 변의 길이의 $\frac{1}{2}$과 같다.

즉, △ABC에서 점 M, N이 각각 $\overline{AB}$, $\overline{AC}$의 중점이면

$\overline{MN} /\!/ \overline{BC}$, $\overline{MN} = \frac{1}{2}\overline{BC}$

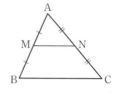

예 오른쪽 그림에서 점 M, N이 각각 $\overline{AB}$, $\overline{AC}$의 중점이고

$\overline{BC} = 10$ cm일 때, $\overline{MN} /\!/ \overline{BC}$이고,

$\overline{MN} = \frac{1}{2}\overline{BC} = \frac{1}{2} \times 10 = 5$(cm)

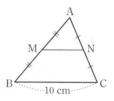

포인트개념

△ABC와 △AMN에서

$\overline{AB} : \overline{AM} = \overline{AC} : \overline{AN} = 2 : 1$, ∠A는 공통이므로

△ABC∽△AMN(SAS 닮음)

따라서 ∠ABC = ∠AMN(동위각)이고, 닮음비가 2 : 1이므로

$\overline{MN} /\!/ \overline{BC}$, $\overline{MN} = \frac{1}{2}\overline{BC}$

예제 1

다음 그림에서 점 D, E는 각각 $\overline{AC}$, $\overline{BC}$

의 중점일 때, $\overline{DE}$의 길이를 구하여라.

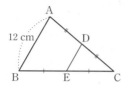

02 삼각형에서 평행선과 선분의 길이의 비의 활용(2)

삼각형의 한 변의 중점을 지나고, 다른 한 변에 평행한 직선

은 나머지 변의 중점을 지난다.

즉, △ABC에서 $\overline{AM} = \overline{MB}$이고 $\overline{MN} /\!/ \overline{BC}$이면

$\overline{AN} = \overline{NC}$, $\overline{MN} = \frac{1}{2}\overline{BC}$

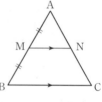

예 오른쪽 그림에서 점 M은 $\overline{AB}$의 중점이고 $\overline{MN} /\!/ \overline{BC}$일 때,

$\overline{MN} = 4$ cm, $\overline{AN} = 6$ cm이면

$\overline{BC} = 2\overline{MN} = 2 \times 4 = 8$(cm), $\overline{CN} = \overline{AN} = 6$(cm)

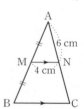

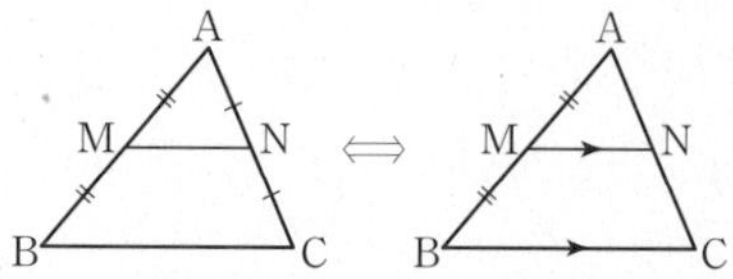

예제 2

오른쪽 그림과

같은 △ABC에

서 점 N이 $\overline{AC}$

의 중점이고

$\overline{MN} /\!/ \overline{BC}$일 때,

$\overline{AM}$의 길이를 구하여라.

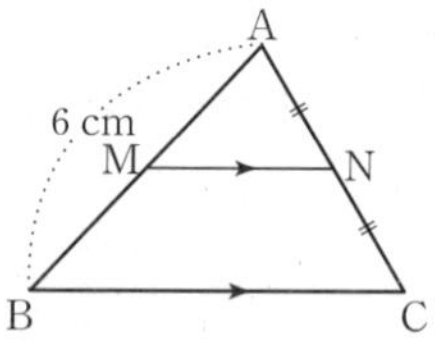

포인트개념

$$\text{(M, N의 중점 표시)} \iff \text{(평행선 표시)}$$

03 사다리꼴에서의 평행선의 활용

사다리꼴 ABCD에서 점 M, N이 각각 $\overline{AB}$, $\overline{DC}$의 중점일 때

(1) $\overline{AD}$ // $\overline{MN}$ // $\overline{BC}$

(2) $\overline{MN} = \dfrac{1}{2}(\overline{AD} + \overline{BC})$

(3) $\overline{PQ} = \dfrac{1}{2}(\overline{BC} - \overline{AD})$ (단, $\overline{BC} > \overline{AD}$)

예 오른쪽 그림에서 점 M, N이 각각 $\overline{AB}$, $\overline{DC}$의 중점이고
$\overline{AD} = 4\ cm$, $\overline{BC} = 8\ cm$일 때,
$\overline{MN} = \dfrac{1}{2} \times (4+8) = 6(cm)$, $\overline{PQ} = \dfrac{1}{2} \times (8-4) = 2(cm)$

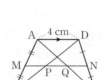

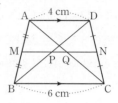

포인트 개념

• (2)의 설명

△ABD에서 $\overline{MP} = \dfrac{1}{2}\overline{AD}$

△DBC에서 $\overline{PN} = \dfrac{1}{2}\overline{BC}$

∴ $\overline{MN} = \overline{MP} + \overline{PN} = \dfrac{1}{2}(\overline{AD} + \overline{BC})$

---

04 삼각형의 중선

(1) **삼각형의 중선** : 삼각형의 한 꼭짓점과 그 대변의 중점을 이은 선분

(2) **삼각형의 중선의 성질**

① 삼각형의 중선은 그 삼각형의 넓이를 이등분한다.
   ➡ △ABD = △ACD

② 중선 AD 위에 임의의 한 점 P를 잡으면
   △ABP = △ACP, △PBD = △PCD

③ △ABD = △ACD이면 $\overline{AD}$는 △ABC의 중선이고, $\overline{BD} = \overline{CD}$이다.

예 오른쪽 그림에서 $\overline{AD}$는 △ABC의 중선이고
△ABC = 18 cm²일 때, △ABD = △ACD이므로
$\triangle ACD = \dfrac{1}{2} \times 18 = 9(cm^2)$

포인트 개념

• 오른쪽 그림에서 △ABD와 △ACD의 높이가 h이고
$\overline{BD} = \overline{DC}$일 때,

$\triangle ABD = \dfrac{1}{2}h\overline{BD}$, $\triangle ACD = \dfrac{1}{2}h\overline{DC}$

∴ △ABD = △ACD

예제 3

다음 그림과 같이 $\overline{AD}$ // $\overline{BC}$인 사다리꼴 ABCD에서 $\overline{AB}$, $\overline{DC}$의 중점을 각각 M, N이라 할 때, 다음을 구하여라.

(1) $\overline{MN}$의 길이
(2) $\overline{PQ}$의 길이

예제 4

다음 그림에서 $\overline{BD}$는 △ABC의 한 중선일 때, $\overline{AD}$의 길이를 구하여라.

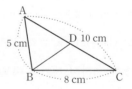

05 삼각형의 무게중심

(1) 삼각형의 무게중심 : 삼각형의 세 중선의 교점

(2) 삼각형의 무게중심의 성질 : 삼각형의 무게중심은 세 중선의 길이를 각 꼭짓점으로부터 2 : 1로 나눈다.
   즉, $\overline{AG} : \overline{GD} = \overline{BG} : \overline{GE} = \overline{CG} : \overline{GF} = 2 : 1$

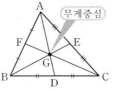

예 오른쪽 그림에서 점 G는 △ABC의 무게중심이고
   $\overline{AD} = 18$ cm일 때, $\overline{AG}$의 길이는 $\dfrac{2}{3} \times 18 = 12$(cm)

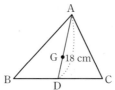

포인트개념

• 삼각형의 무게중심의 성질의 설명
  오른쪽 그림에서 $\overline{EF} /\!/ \overline{BC}$이고 $\overline{EF} = \dfrac{1}{2}\overline{BC}$이므로
  △GBC∽△GEF(AA 닮음)이고, 닮음비는 2 : 1이다.
  ∴ $\overline{BG} : \overline{GE} = \overline{CG} : \overline{GF} = 2 : 1$
  마찬가지 방법으로 $\overline{AG} : \overline{GD} = 2 : 1$

06 삼각형의 무게중심과 넓이

(1) 삼각형의 무게중심과 세 꼭짓점을 연결하였을 때 생기는 세 삼각형의 넓이는 모두 같다.
   ➡ $\triangle GAB = \triangle GBC = \triangle GCA = \dfrac{1}{3}\triangle ABC$

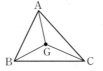

(2) 세 중선에 의하여 생기는 여섯 개의 삼각형의 넓이는 모두 같다.
   ➡ $\triangle GAF = \triangle GBF = \triangle GBD = \triangle GCD$
   $= \triangle GCE = \triangle GAE = \dfrac{1}{6}\triangle ABC$

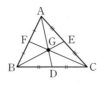

예 오른쪽 그림에서 점 G는 △ABC의 무게중심이고
   $\triangle ABC = 24$ cm²일 때,
   $\triangle GAF = \dfrac{1}{6} \times 24 = 4$(cm²)

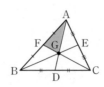

포인트개념

$$S_1 = S_2 = S_3 = S_4 = S_5 = S_6$$

오른쪽 그림에서 점 G가 △ABC의 무게중심일 때, $\overline{GD}$의 길이를 구하여라.

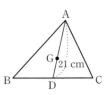

오른쪽 그림에서 점 G는 △ABC의 무게중심이고 △ABC의 넓이가 42 cm²일 때, △AGC의 넓이를 구하여라.

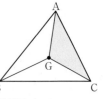

07 닮은 평면도형의 넓이의 비

서로 닮은 두 평면도형의 닮음비가 $m : n$이면

(1) 둘레의 길이의 비는 $m : n$

(2) 넓이의 비는 $m^2 : n^2$

⑩ 오른쪽 그림에서 두 정사각형의 닮음비가 2 : 3이면 둘레의 길이
의 비는 2 : 3이고, 넓이의 비는 $2^2 : 3^2 = 4 : 9$이다.

포인트개념

- 넓이 구하기
  ① 닮음비 구하기 ➡ $a : b$
  ② 넓이의 비 구하기 ➡ $a^2 : b^2$
  ③ 넓이 구하기

08 닮은 입체도형의 부피의 비

서로 닮은 두 입체도형의 닮음비가 $m : n$이면

(1) 겉넓이의 비는 $m^2 : n^2$

(2) 부피의 비는 $m^3 : n^3$

⑩ 오른쪽 그림에서 두 정육면체의 닮음비가 2 : 3이면 겉넓이의
비는 $2^2 : 3^2 = 4 : 9$이고, 부피의 비는 $2^3 : 3^3 = 8 : 27$이다.

포인트개념

- 부피 구하기
  ① 닮음비 구하기 ➡ $a : b$
  ② 부피의 비 구하기 ➡ $a^3 : b^3$
  ③ 부피 구하기

09 닮음의 활용

직접 측정하기 어려운 거리나 높이 등은 도형의 닮음을 이용한 축도를 그려서 구할
수 있다.

(1) **축도** : 어떤 도형을 일정한 비율로 줄인 그림

(2) **축척** : 축도에서 실제 도형을 줄인 비율

$$(축척) = \frac{(축도에서의 길이)}{(실제 길이)}$$

⑩ 축척이 $\dfrac{1}{50000}$인 지도에서의 거리가 2 cm이면 실제 거리는

$2 \times 50000 = 100000(\text{cm}) = 1(\text{km})$

포인트개념

- (축도에서의 길이)=(실제 길이)×(축척)
- (실제 길이)=$\dfrac{(축도에서의 길이)}{(축척)}$

예제 7

다음 그림에서 $\triangle ABC \backsim \triangle DEF$이고
$\triangle ABC$의 넓이가 24 cm²일 때, $\triangle DEF$
의 넓이를 구하여라.

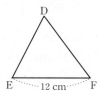

예제 8

다음 그림의 서로 닮은 두 사각기둥 P와 Q
의 닮음비가 5 : 2이다. 사각기둥 P의 겉넓
이와 부피가 각각 150 cm², 125 cm³일 때,
사각기둥 Q의 겉넓이와 부피를 각각 구하여
라.

예제 9

실제 거리가 3 km인 두 지점 사이의 거리
를 축척이 $\dfrac{1}{20000}$인 지도에 나타낼 때, 지
도에서 두 지점 사이의 거리는 몇 cm인지
구하여라.

출제율 95%

대표유형 삼각형에서 평행선과 선분의 길이의 비의 활용(1)

01 오른쪽 그림과 같은 △ABC에서 $\overline{AB}$, $\overline{AC}$의 중점을 각각 M, N이라 할 때, $\overline{BC}$의 길이는?

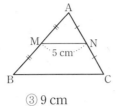

① 7 cm ② 8 cm ③ 9 cm
④ 10 cm ⑤ 11 cm

출제율 90%

02 오른쪽 그림과 같은 사각형 ABCD에서 $\overline{AB} /\!/ \overline{DC}$이고 점 M, P, N이 각각 $\overline{AD}$, $\overline{AC}$, $\overline{BC}$의 중점일 때, $a+b$의 값은?

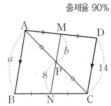

① 19 ② 20 ③ 21
④ 22 ⑤ 23

출제율 90%

03 오른쪽 그림의 △ABC에서 점 D, E는 각각 $\overline{AB}$, $\overline{AC}$의 중점일 때, x, y의 값을 각각 구하면?

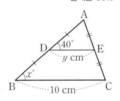

① $x=30$, $y=5$
② $x=35$, $y=7$
③ $x=40$, $y=5$
④ $x=40$, $y=7$
⑤ $x=45$, $y=7$

출제율 95%

04 오른쪽 그림에서 △ABC의 세 변의 중점을 각각 D, E, F라 할 때, △DEF의 둘레의 길이를 구하여라.

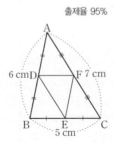

출제율 95%

05 오른쪽 그림의 △ABC에서 점 D, E, F는 각각 $\overline{AB}$, $\overline{BC}$, $\overline{CA}$의 중점이다. △DEF의 둘레의 길이가 12 cm일 때, △ABC의 둘레의 길이는?

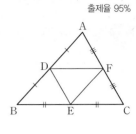

① 16 cm ② 20 cm ③ 24 cm
④ 28 cm ⑤ 32 cm

출제율 90%

06 오른쪽 그림에서 네 점 M, N, P, Q는 각각 $\overline{AB}$, $\overline{AC}$, $\overline{DB}$, $\overline{DC}$의 중점이다. $\overline{BC}=10$일 때, $\overline{MN}+\overline{PQ}$의 길이는?

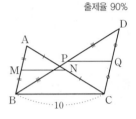

① 7 ② 8 ③ 9
④ 10 ⑤ 11

출제율 85%

07 오른쪽 그림과 같은 △ABC에서 $\overline{BC}$, $\overline{CA}$의 중점을 각각 M, N이라 할 때, $x+y$의 값을 구하여라.

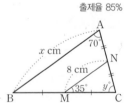

대표유형 삼각형에서 평행선과 선분의 길이의 비의 활용(2)

08 오른쪽 그림과 같은 △ABC에서 $\overline{AM}=\overline{MB}$, $\overline{MN} /\!/ \overline{BC}$일 때, $\overline{NC}$의 길이는?

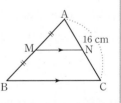

① 8 cm ② 9 cm
③ 10 cm ④ 11 cm
⑤ 12 cm

09 오른쪽 그림의 △ABC에서 점 E는 $\overline{AC}$의 중점이고 $\overline{DE} /\!/ \overline{BC}$일 때, $x+y$의 값은?

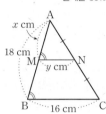

출제율 90%

① 12 ② 15
③ 18 ④ 20
⑤ 22

10 오른쪽 그림과 같은 △ABC에서 $\overline{AN}=\overline{NC}$, $\angle AMN=\angle ABC$일 때, $x-y$의 값을 구하여라.

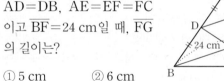

출제율 85%

대표유형 삼등분점과 보조선의 이용

11 오른쪽 그림의 △ABC에서 $\overline{AD}=\overline{DB}$, $\overline{AE}=\overline{EF}=\overline{FC}$이고 $\overline{BF}=24$ cm일 때, $\overline{FG}$의 길이는?

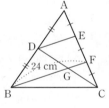

① 5 cm ② 6 cm
③ 7 cm ④ 8 cm
⑤ 9 cm

12 오른쪽 그림의 △ABC에서 점 E, F는 $\overline{AB}$의 삼등분점이고 $\overline{AP}=\overline{PD}$일 때, $\overline{PC}$의 길이는?

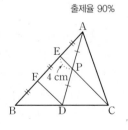

출제율 90%

① 8 cm ② 10 cm
③ 11 cm ④ 12 cm
⑤ 14 cm

13 오른쪽 그림의 △ABC에서 점 D는 $\overline{BC}$의 중점이고 $\overline{AE}=\overline{ED}$, $\overline{BF} /\!/ \overline{DG}$일 때, $\overline{BE}$의 길이는?

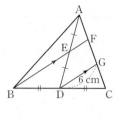

출제율 90%

① 9 cm ② 10 cm
③ 11 cm ④ 12 cm
⑤ 13 cm

14 오른쪽 그림과 같은 △ABC에서 점 E, F는 $\overline{AB}$의 삼등분점이고 점 D는 $\overline{BC}$의 중점일 때, $\overline{EP}$의 길이는?

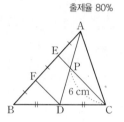

출제율 80%

① 1 cm ② 1.5 cm
③ 2 cm ④ 2.5 cm
⑤ 3 cm

대표유형 평행한 보조선의 이용

15 오른쪽 그림에서 $\overline{AB}=\overline{AD}$, $\overline{AE}=\overline{EC}$일 때, $\overline{FC}$의 길이는?

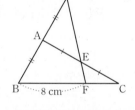

① 2 cm ② 3 cm
③ 4 cm ④ 5 cm
⑤ 6 cm

내신 UP POINT

$\overline{AB}=\overline{AD}$, $\overline{AE}=\overline{EC}$, $\overline{AG} /\!/ \overline{BC}$일 때,

(1) △AEG≡△CEF(ASA 합동)
(2) $\overline{BF}=2\overline{AG}=2\overline{CF}$

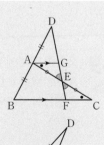

$\overline{AB}=\overline{AD}$, $\overline{AG} /\!/ \overline{BC}$일 때,

(1) △AEG∽△CEF(AA 닮음)
(2) $\overline{AG}=\dfrac{1}{2}\overline{BF}$

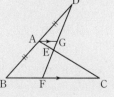

출제율 90%

16 오른쪽 그림에서 $\overline{AD}=\overline{DC}$, $\overline{EF}=\overline{FD}$일 때, $\overline{EB}$의 길이를 구하여라.

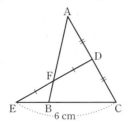

출제율 90%

17 오른쪽 그림에서 $\overline{AB}=\overline{AD}$, $\overline{AE}=\overline{EC}$일 때, $\overline{EF}$의 길이는?

① 2 cm ② 3 cm
③ 4 cm ④ 5 cm
⑤ 6 cm

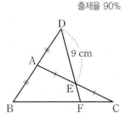

출제율 85%

18 오른쪽 그림과 같은 △ABC에서 점 D와 점 E는 각각 $\overline{EF}$와 $\overline{AC}$의 중점이고 $\overline{DB}=2$ cm이 다. 이때 $\overline{AB}$의 길이를 구하여라.

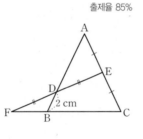

출제율 80%

19 오른쪽 그림에서 $\overline{AD}\,/\!/\,\overline{MN}\,/\!/\,\overline{BC}$이고 점 M 은 $\overline{BD}$의 중점일 때, $\overline{BC}$의 길 이는?

① 4 cm ② 5 cm
③ 6 cm ④ 7 cm
⑤ 8 cm

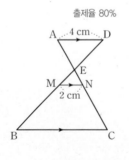

대표 유형 사다리꼴에서의 평행선의 활용

20 오른쪽 그림과 같이 $\overline{AD}\,/\!/\,\overline{BC}$인 사다리꼴 ABCD에서 두 점 M, N은 각각 $\overline{AB}$, $\overline{DC}$의 중점일 때, $\overline{MN}$의 길이는?

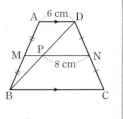

① 7 cm ② 8 cm ③ 9 cm
④ 10 cm ⑤ 11 cm

출제율 95%

21 오른쪽 그림과 같이 $\overline{AD}\,/\!/\,\overline{BC}$ 인 사다리꼴 ABCD에서 점 M은 $\overline{AB}$의 중점이고 $\overline{MN}\,/\!/\,\overline{BC}$일 때, $\overline{BC}$의 길이를 구하여라.

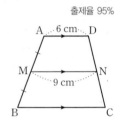

출제율 95%

22 오른쪽 그림과 같이 $\overline{AD}\,/\!/\,\overline{BC}$인 사다리꼴 ABCD에서 점 M, N은 각 각 $\overline{AB}$, $\overline{DC}$의 중점일 때, $\overline{PQ}$의 길이는?

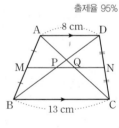

① 1 cm ② 1.5 cm ③ 2 cm
④ 2.5 cm ⑤ 3 cm

출제율 95%

23 오른쪽 그림과 같이 $\overline{AD}\,/\!/\,\overline{BC}$인 사다리꼴 ABCD에서 $\overline{AB}$, $\overline{DC}$의 중 점을 각각 M, N이라 할 때, $\overline{AD}$의 길이는?

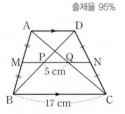

① 7 cm ② 8 cm ③ 9 cm
④ 10 cm ⑤ 11 cm

24 오른쪽 그림과 같이 $\overline{AD}\,/\!/\,\overline{BC}$
인 사다리꼴 ABCD에서 점
M, N은 각각 $\overline{AB}$, $\overline{DC}$의 중
점이고 $\overline{PQ}:\overline{QN}=2:3$일 때,
$\overline{BC}$의 길이는?

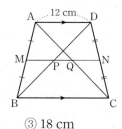

① 14 cm   ② 16 cm   ③ 18 cm

④ 20 cm   ⑤ 24 cm

25 오른쪽 그림과 같이
$\overline{AD}\,/\!/\,\overline{BC}$인 사다리꼴
ABCD에서 점 M, N은 각
각 $\overline{AB}$, $\overline{DC}$의 중점이고
$\overline{MP}=\overline{PQ}=\overline{QN}$일 때,
$\overline{BC}$의 길이를 구하여라.

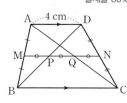

대표 유형 사각형의 각 변의 중점을 연결하여 만든 사각형

26 오른쪽 그림과 같은 사
각형 ABCD에서 $\overline{AB}$,
$\overline{BC}$, $\overline{CD}$, $\overline{DA}$의 중점을
각각 P, Q, R, S라 할
때, □PQRS는 어떤 사
각형인가?

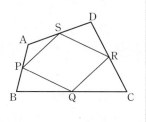

① 마름모   ② 직사각형   ③ 정사각형

④ 평행사변형   ⑤ 등변사다리꼴

27 오른쪽 그림과 같은
□ABCD에서 각 변의 중점을
각각 P, Q, R, S라 할 때,
$\overline{PS}+\overline{QR}$의 길이를 구하여라.

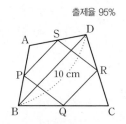

---

28 오른쪽 그림의 □ABCD에서
$\overline{AB}=\overline{CD}$이고 점 E, F, G는
각각 $\overline{AD}$, $\overline{BD}$, $\overline{BC}$의 중점일
때, △EFG는 어떤 삼각형인
지 말하여라.

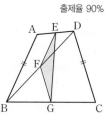

29 오른쪽 그림과 같은 직사각
형 ABCD에서 네 변의 중점
을 각각 E, F, G, H라 하자.
$\overline{BD}=16$ cm일 때,
□EFGH의 둘레의 길이는?

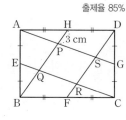

① 24 cm   ② 26 cm   ③ 28 cm

④ 30 cm   ⑤ 32 cm

30 오른쪽 그림과 같이 직사각
형 ABCD의 네 변의 중점을
각각 E, F, G, H라 하자.
$\overline{HP}=3$ cm일 때, $\overline{FD}$의 길
이는?

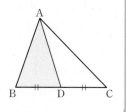

① 14 cm   ② 15 cm   ③ 16 cm

④ 17 cm   ⑤ 18 cm

대표 유형 삼각형의 중선

31 오른쪽 그림에서 $\overline{AD}$는
△ABC의 한 중선이다.
△ABC의 넓이가 36 cm²
일 때, △ABD의 넓이를 구
하여라.

32 오른쪽 그림에서 $\overline{AD}$는
△ABC의 한 중선이고 점 P
는 중선 위의 한 점이다.
△ABC의 넓이가 24 cm²,
△PDC의 넓이가 4 cm²일 때,
△ABP의 넓이는?

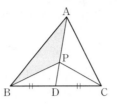

① 8 cm²　　② 10 cm²　　③ 12 cm²

④ 14 cm²　　⑤ 16 cm²

출제율 95%

33 오른쪽 그림에서 $\overline{AM}$은
△ABC의 한 중선이고, $\overline{MN}$
은 △AMC의 한 중선이다.
△NMC의 넓이가 6 cm²일
때, △ABC의 넓이는?

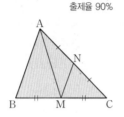

① 21 cm²　　② 22 cm²　　③ 23 cm²

④ 24 cm²　　⑤ 20 cm²

출제율 90%

34 오른쪽 그림에서 점 M은 $\overline{BC}$
의 중점이고, 점 N은 $\overline{AM}$의
중점이다. △ABC의 넓이가
48 cm²일 때, △ABN의 넓
이는?

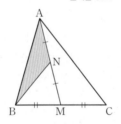

① 10 cm²　　② 12 cm²

③ 16 cm²　　④ 20 cm²

⑤ 24 cm²

출제율 90%

35 오른쪽 그림과 같은 △ABC
에서 $\overline{AD}=\overline{DC}$,
$\overline{BE}:\overline{EC}=1:3$이다.
△DBE의 넓이가 4 cm²일
때, △ABC의 넓이는?

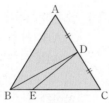

① 16 cm²　　② 20 cm²　　③ 24 cm²

④ 28 cm²　　⑤ 32 cm²

출제율 85%

36 오른쪽 그림과 같이 △ABC
에서 $\overline{BC}$의 중점을 M, $\overline{AM}$
의 삼등분점을 각각 D, E라
하자. △ABC=30 cm²일
때, 색칠한 부분의 넓이를 구
하여라.

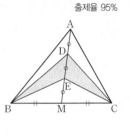

출제율 95%

대표 유형 삼각형의 무게중심

37 오른쪽 그림과 같은
△ABC에서 점 D, E는
각각 $\overline{AB}$, $\overline{AC}$의 중점일
때, $\overline{BG}$의 길이는?

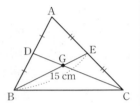

① 8 cm

② 9 cm

③ 10 cm

④ 11 cm

⑤ 12 cm

38 오른쪽 그림에서 점 G가
△ABC의 무게중심일 때,
$x-y$의 값은?

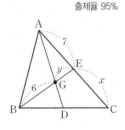

① 2　　　　② 3

③ 4　　　　④ 5

⑤ 6

출제율 95%

39 오른쪽 그림에서 점 G는
△ABC의 무게중심이고
∠B=90°일 때, $\overline{GD}$의 길
이는?

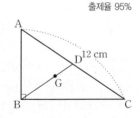

① 1 cm　　② 2 cm

③ 3 cm　　④ 4 cm

⑤ 5 cm

출제율 95%

40 오른쪽 그림에서 두 점 G, G'은 각각 △ABC, △GBC의 무게중심일 때, $\overline{GG'}$의 길이는?

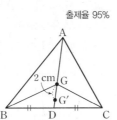

① 2 cm ② 3 cm
③ 4 cm ④ 5 cm
⑤ 6 cm

출제율 95%

41 오른쪽 그림에서 두 점 G, G'은 각각 △ABC, △GBC의 무게중심이다. $\overline{GG'}=2$ cm일 때, $\overline{AD}$의 길이는?

① 8 cm ② 9 cm
③ 10 cm ④ 11 cm
⑤ 12 cm

출제율 95%

42 오른쪽 그림에서 두 점 G, G'은 각각 △ABC, △AGC의 무게중심일 때, $\overline{G'D}$의 길이를 구하여라.

출제율 95%

43 오른쪽 그림에서 점 G는 △ABC의 무게중심이다. ∠BGC=90°, $\overline{BC}=30$ cm일 때, $\overline{AM}$의 길이는?

① 41 cm ② 42 cm
③ 43 cm ④ 44 cm
⑤ 45 cm

출제율 85%

대표 유형 **삼각형의 무게중심의 활용**

44 오른쪽 그림에서 점 G는 △ABC의 무게중심이고 $\overline{DG}\,/\!/\,\overline{BC}$일 때, $\overline{DG}$의 길이는?

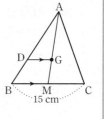

① 3 cm ② 4 cm
③ 5 cm ④ 6 cm
⑤ 7 cm

내신 **UP POINT**

점 G가 △ABC의 무게중심일 때

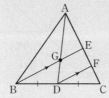

(1) $\overline{BG}=2\overline{GE}$
(2) $\overline{DF}=\dfrac{1}{2}\overline{BE}$
    $=\dfrac{3}{2}\overline{GE}$

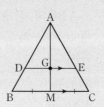

(1) △AGE∽△AMC
    (AA 닮음)
(2) △AGE와 △AMC의 닮음비는 2 : 3이다.

출제율 85%

45 오른쪽 그림에서 점 G는 △ABC의 무게중심이고 $\overline{BE}\,/\!/\,\overline{DF}$, $\overline{BG}=16$ cm일 때, $\overline{DF}$의 길이는?

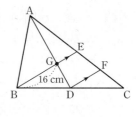

① 12 cm ② 11 cm
③ 10 cm ④ 9 cm
⑤ 8 cm

출제율 90%

46 오른쪽 그림에서 점 G는 △ABC의 무게중심이고 $\overline{MN}\,/\!/\,\overline{BC}$, $\overline{GD}=10$ cm일 때, $\overline{NG}$의 길이는?

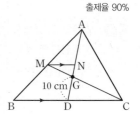

① 4 cm ② 5 cm
③ 6 cm ④ 7 cm
⑤ 8 cm

출제율 90%

47 오른쪽 그림에서 점 G는
△ABC의 무게중심이고
$\overline{BE} /\!/ \overline{DF}$일 때, xy의 값을 구하여라.

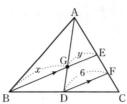

출제율 85%

48 오른쪽 그림에서 점 G가
△ABC의 무게중심일
때, △DEF의 둘레의 길이는?

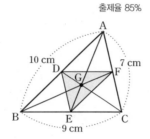

① 9 cm
② 10 cm
③ 11 cm
④ 12 cm
⑤ 13 cm

출제율 85%

49 오른쪽 그림에서 점 G가 △ABC의 무게중심일 때, △GDE의 둘레의 길이는?

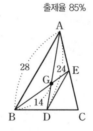

① 21
② 23
③ 25
④ 27
⑤ 29

출제율 80%

50 오른쪽 그림에서 점 G가
△ABC의 무게중심일 때,
$x+y$의 값은?

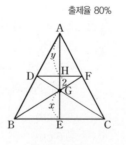

① 4
② 6
③ 8
④ 10
⑤ 12

출제율 90%

51 오른쪽 그림에서 점 G와
G′은 각각 △ABD와
△ADC의 무게중심이고
$\overline{BD}=8$ cm, $\overline{DC}=10$ cm
일 때, $\overline{GG'}$의 길이를 구하여라.

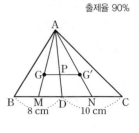

출제율 85%

52 오른쪽 그림에서 두 점 G, G′은 각각 △ABC, △DBC의 무게중심이다. $\overline{GG'}=2$ cm일 때, $\overline{AD}$의 길이는?

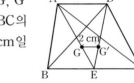

① 5 cm
② 6 cm
③ 7 cm
④ 8 cm
⑤ 9 cm

대표유형 삼각형의 무게중심과 넓이

53 오른쪽 그림에서 점 G는
△ABC의 무게중심이고
△GDC=5 cm²일 때,
△ABC의 넓이는?

① 24 cm²
② 26 cm²
③ 28 cm²
④ 30 cm²
⑤ 32 cm²

출제율 95%

54 오른쪽 그림에서 △ABC의
두 중선 BD, CE의 교점을 G
라 하자. △ABC의 넓이가
57 cm²일 때, □AEGD의 넓이는?

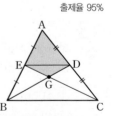

① 13 cm²
② 15 cm²
③ 17 cm²
④ 19 cm²
⑤ 21 cm²

55 오른쪽 그림에서 점 G는
∠B=90°인 직각삼각형 ABC
의 무게중심이다. $\overline{AB}$=12 cm,
$\overline{BC}$=10 cm일 때, △BGD의
넓이는?

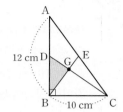

① 10 cm²   ② 12 cm²

③ 14 cm²   ④ 16 cm²

⑤ 18 cm²

56 오른쪽 그림에서 점 G는
△ABC의 무게중심이고
$\overline{BD}=\overline{DG}$, $\overline{GE}=\overline{EC}$,
△ABC=36 cm²일 때, 색
칠한 부분의 넓이를 구하여
라.

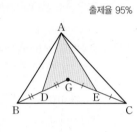

57 오른쪽 그림에서 점 G는
△ABC의 무게중심이고, 점
G′은 △GBC의 무게중심이
다. △G′BM의 넓이가 7 cm²
일 때, △ABG의 넓이는?

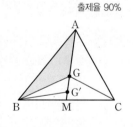

① 28 cm²   ② 32 cm²

③ 36 cm²   ④ 40 cm²

⑤ 42 cm²

58 오른쪽 그림에서 △ABC의
무게중심을 G, △GBC의 무
게중심을 G′이라 하자.
△ABC의 넓이가 27 cm²일
때, 색칠한 부분의 넓이를 구
하여라.

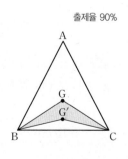

59 오른쪽 그림에서 세 점 G, E,
F는 각각 △ABC, △ABG,
△AGC의 무게중심이고
△AGC=33 cm²일 때,
□AEGF의 넓이는?

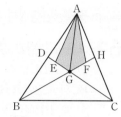

① 15 cm²   ② 16 cm²

③ 18 cm²   ④ 22 cm²

⑤ 25 cm²

60 오른쪽 그림에서 △ABC의
두 중선 BD, CE의 교점을 G
라 하자. △ABC=72 cm²일
때, △EGD의 넓이는?

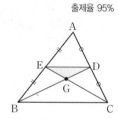

① 2 cm²   ② 4 cm²

③ 6 cm²   ④ 8 cm²

⑤ 10 cm²

61 오른쪽 그림에서 점 G는
△ABC의 무게중심이고
△GDF의 넓이가 2 cm²일
때, △ABC의 넓이는?

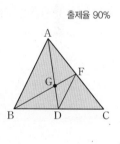

① 12 cm²   ② 16 cm²

③ 20 cm²   ④ 24 cm²

⑤ 28 cm²

62 오른쪽 그림에서 점 G는
△ABC의 무게중심이고
$\overline{EF} /\!/ \overline{BC}$, △ABC=36 cm²
일 때, □EBDG의 넓이를
구하여라.

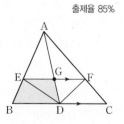

대표 유형 평행사변형에서 삼각형의 무게중심

63 오른쪽 그림과 같은 평행사변형 ABCD에서 점 M은 $\overline{BC}$의 중점이고 $\overline{BD}=12$ cm 일 때, $\overline{BP}$의 길이는?

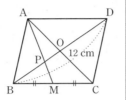

① 4 cm　　② 5 cm

③ 6 cm　　④ 7 cm

⑤ 8 cm

오른쪽 그림의 평행사변형 ABCD에서 점 P는 △ABC의 무게중심이므로 $\overline{BP}=2\overline{PO}$, 점 Q는 △ACD의 무게중심이므로 $\overline{DQ}=2\overline{QO}$
따라서 $\overline{BO}=\overline{DO}$이므로 $\overline{BP}=\overline{PQ}=\overline{QD}$

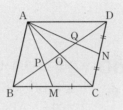

64 오른쪽 그림과 같은 평행사변형 ABCD에서 $\overline{BC}$, $\overline{CD}$의 중점을 각각 M, N이라 하고 $\overline{BD}$와 $\overline{AM}$, $\overline{AN}$의 교점을 각각 P, Q라 할 때, $\overline{MN}$의 길이는?

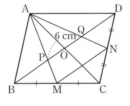

① 5 cm　　② 6 cm　　③ 7 cm

④ 8 cm　　⑤ 9 cm

65 오른쪽 그림과 같은 평행사변형 ABCD에서 $\overline{AB}$, $\overline{BC}$의 중점을 각각 M, N이라 하고 $\overline{AC}$와 $\overline{DM}$, $\overline{DN}$의 교점을 각각 P, Q라 할 때, $\overline{AQ}$의 길이는?

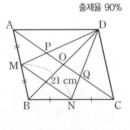

① 21 cm　　② 24 cm　　③ 28 cm

④ 32 cm　　⑤ 35 cm

출제율 90%

66 오른쪽 그림과 같은 평행사변형 ABCD에서 $\overline{AD}$, $\overline{BC}$의 중점이 각각 M, N이고 $\overline{AC}=10$ cm일 때, $\overline{PQ}$의 길이를 구하여라.

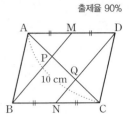

출제율 85%

67 오른쪽 그림과 같은 평행사변형 ABCD에서 $\overline{BC}$의 중점을 M, $\overline{BD}$와 $\overline{AM}$의 교점을 P라 하자. △BMP=6 cm²일 때, □ABCD의 넓이는?

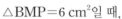

① 24 cm²　　② 36 cm²　　③ 48 cm²

④ 60 cm²　　⑤ 72 cm²

대표 유형 닮은 평면도형의 넓이의 비

68 오른쪽 그림의 △ABC에서 점 M, N은 각각 $\overline{AB}$, $\overline{AC}$의 중점이다. △ABC의 넓이가 32 cm²일 때, △AMN의 넓이는?

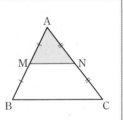

① 6 cm²　　② 8 cm²　　③ $\frac{17}{2}$ cm²

④ 9 cm²　　⑤ 10 cm²

출제율 90%

69 반지름의 길이의 비가 2 : 3인 두 원의 넓이의 합이 117π cm²일 때, 작은 원의 반지름의 길이는?

① 4 cm　　② 6 cm　　③ 8 cm

④ 10 cm　　⑤ 12 cm

70 출제율 95%

오른쪽 그림에서
$\overline{AC}\,/\!/\,\overline{DE}$이고 △DBE
의 넓이가 75 cm²일 때,
□ACED의 넓이는?

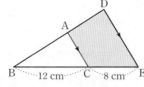

① 44 cm²　　② 46 cm²　　③ 48 cm²

④ 50 cm²　　⑤ 52 cm²

71 출제율 95%

오른쪽 그림과 같이 $\overline{AD}\,/\!/\,\overline{BC}$
인 사다리꼴 ABCD에서
△ODA=54 cm²일 때,
△OBC의 넓이는?

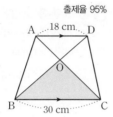

① 150 cm²　　② 175 cm²

③ 180 cm²　　④ 195 cm²

⑤ 200 cm²

72 출제율 85%

오른쪽 그림에서 A, B, C, D
각 영역의 넓이의 비는?

① 1 : 2 : 3 : 4

② 1 : 3 : 5 : 7

③ 1 : 4 : 9 : 16

④ 1 : 8 : 27 : 64

⑤ 1 : 9 : 25 : 49

73 출제율 85%

오른쪽 그림에서 $\overline{AB}\,/\!/\,\overline{ED}$,
$\overline{BD} : \overline{DC}=2 : 3$,
△ODE=18 cm²일 때,
△OAB의 넓이는?

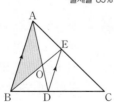

① 48 cm²　　② 50 cm²

③ 54 cm²　　④ 60 cm²

⑤ 65 cm²

대표
유형 **닮은 입체도형의 부피의 비**

74

오른쪽 그림에서 닮은
두 삼각기둥의 높이의
비가 3 : 4일 때, 다음
설명 중 옳지 <u>않은</u> 것
은?

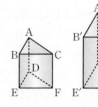

① 닮음비는 3 : 4이다.

② 겉넓이의 비는 9 : 16이다.

③ 부피의 비는 27 : 64이다.

④ 밑면의 둘레의 길이의 비는 3 : 4이다.

⑤ 대응하는 각의 크기의 비는 3 : 4이다.

75 출제율 95%

구 모양의 배구공과 농구공의 지름의 길이가 각각
21 cm, 24 cm일 때, 배구공과 농구공의 부피의 비를
구하여라.

76 출제율 95%

큰 쇠구슬을 녹여서 반지름의 길이가 큰 쇠구슬의 반
지름의 길이의 $\frac{1}{4}$인 작은 쇠구슬 여러 개를 만들려고
한다. 이때 작은 쇠구슬은 모두 몇 개를 만들 수 있는
가?

① 4개　　　　② 16개　　　　③ 36개

④ 48개　　　　⑤ 64개

77 출제율 95%

높이가 9 cm인 원뿔 모양의
그릇에 일정한 속도로 물을
넣기 시작한 지 5초 후에 그
릇에 채워진 물의 높이가
3 cm였다. 그릇에 물을 가득
채우려면 몇 초 동안 물을 더
넣어야 하는지 구하여라.

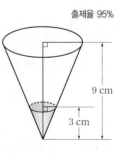

78 오른쪽 그림과 같이 원뿔을 밑
(상) 면에 평행한 평면으로 모선이
삼등분이 되도록 잘랐을 때 생
기는 도형의 부피를 각각 V_1,
V_2, V_3이라 할 때,
$V_1 : V_2 : V_3$를 가장 간단한 정
수의 비로 나타내어라.

출제율 90%

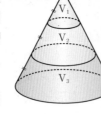

대표
유형 **축도에서의 활용**

79 실제 거리가 7 km인 두 지점 사이의 거리를 축척
이 $\dfrac{1}{100000}$인 지도에 나타낼 때, 지도에서 두 지점
사이의 거리는 몇 cm인지 구하여라.

출제율 95%

80 연못의 양 끝에 있는 두 나무 A와 B 사이의 거리를
(중) 알아보기 위하여 축도를 그렸더니 [그림 1]과 같았다.
두 나무 사이의 실제 거리인 $\overline{AB}$의 길이를 구하여라.

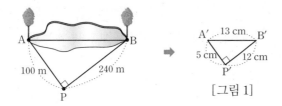

[그림 1]

출제율 90%

81 한 변의 길이가 200 m인 정사각형 모양의 땅이 있다.
(상) 이 땅을 축척이 $\dfrac{1}{500}$인 축도로 나타낼 때, 이 정사각
형 모양의 땅의 축도에서의 넓이는?

① 100 cm² ② 400 cm² ③ 500 cm²
④ 1600 cm² ⑤ 2500 cm²

출제율 85%

82 축척이 $\dfrac{1}{400000}$인 지도에서 거리가 12 cm인 두 지점
(상) 사이의 실제 거리를 시속 40 km로 왕복하는 데 걸리
는 시간은?

① 2시간 ② 2시간 24분 ③ 2시간 30분
④ 2시간 40분 ⑤ 3시간

대표
유형 **실생활에서의 활용**

83 오른쪽 그림은 강의 양쪽
에 있는 두 지점 A, P 사
이의 거리를 구하기 위해
측량하여 나타낸 축도이
다. 축척이 $\dfrac{1}{10000}$일 때,
강의 실제 폭은 몇 km인지 구하여라.

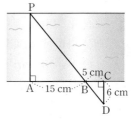

출제율 95%

84 같은 시각에 길이가 20 cm인 막대기와 농구대의 그림
(중) 자의 길이를 재었더니 각각 10 cm, 1.5 m이었다. 이
때 농구대의 높이는 몇 m인지 구하여라.

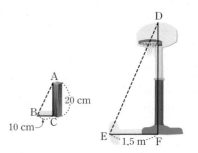

출제율 80%

85 오른쪽 그림과 같이 나
(상) 무의 그림자가 나무에
서 6 m만큼 떨어진 건
물의 벽면에 2 m 높이
까지 올라갔을 때, 나무
의 높이를 구하여라.
(단, 같은 시각에 길이가 1 m인 막대의 그림자의 길
이가 1.2 m이다.)

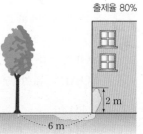

개념UP 01 삼등분점과 보조선의 이용

△ABC에서
$\overline{AE}=\overline{EF}=\overline{FB}$, $\overline{BD}=\overline{DC}$,
$\overline{AG}=\overline{GD}$, $\overline{EG}=a$일 때,
(1) △AFD에서 $\overline{FD}=2a$
(2) △BCE에서 $\overline{CE}=4a$
(3) $\overline{CG}=4a-a=3a$

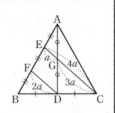

개념UP 02 평행사변형에서 삼각형의 무게중심

오른쪽 그림의 평행사변형 ABCD
에서
(1) 점 P는 △ABC의 무게중심
(2) 점 Q는 △ACD의 무게중심
➡ $\overline{BP}=\overline{PQ}=\overline{QD}$

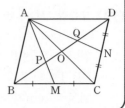

---

86 ^{출제율 85%}

⟨상⟩ 오른쪽 그림의 △ABC에서 점 D는 $\overline{AC}$의 중점이고, 점 E, F는 $\overline{BC}$의 삼등분점이다. $\overline{BD}$와 $\overline{AE}$, $\overline{BD}$와 $\overline{AF}$가 만나는 점을 각각 P, Q라 할 때, 다음 중 옳은 것은?

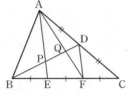

① $\overline{BP} : \overline{PD}=2 : 3$ ② $\overline{DF} : \overline{AE}=2 : 3$
③ $\overline{PQ} : \overline{QD}=4 : 3$ ④ $\overline{AP} : \overline{PE}=2 : 1$
⑤ $\overline{AQ} : \overline{QF}=3 : 2$

---

89 ^{출제율 85%}

⟨상⟩ 오른쪽 그림과 같은 평행사변형 ABCD에서 점 M, N은 각각 $\overline{AD}$, $\overline{BC}$의 중점이다. □ABCD의 넓이가 12 cm²일 때, □APQM의 넓이를 구하여라.

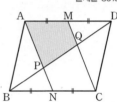

---

87 ^{출제율 80%}

⟨상⟩ 오른쪽 그림과 같은 △ABC에서 $\overline{BC}$의 삼등분점을 각각 D, E라 하고, $\overline{AC}$의 중점을 F, $\overline{AD}$, $\overline{AE}$와 $\overline{BF}$의 교점을 각각 P, Q라 하자. $\overline{BF}=30$ cm일 때, $\overline{PQ}$의 길이를 구하여라.

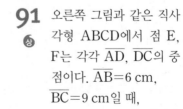

---

90 ^{출제율 85%}

⟨상⟩ 오른쪽 그림과 같은 평행사변형 ABCD에서 $\overline{AD}$, $\overline{BC}$의 중점이 각각 M, N이고 □ABCD=72 cm²일 때, △PBO의 넓이를 구하여라.

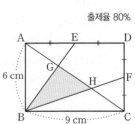

---

88 ^{출제율 80%}

⟨상⟩ 오른쪽 그림과 같은 △ABC에서 $\overline{BE} : \overline{EA}=2 : 1$, $\overline{BD}=\overline{DC}$이다. $\overline{EC}=12$ cm일 때, $\overline{PC}$의 길이를 구하여라.

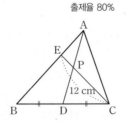

---

91 ^{출제율 80%}

⟨상⟩ 오른쪽 그림과 같은 직사각형 ABCD에서 점 E, F는 각각 $\overline{AD}$, $\overline{DC}$의 중점이다. $\overline{AB}=6$ cm, $\overline{BC}=9$ cm일 때, △GBH의 넓이를 구하여라.

이것만 봐도 **70점!**

01 오른쪽 그림에서 두 점 M, N은 각각 $\overline{AB}$, $\overline{AC}$의 중점이고, 두 점 P, Q는 각각 $\overline{DB}$, $\overline{DC}$의 중점이다. $\overline{MN}=7$ cm일 때, $\overline{PQ}$의 길이는?

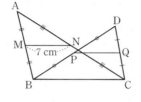

① 5 cm ② 6 cm ③ 7 cm
④ 8 cm ⑤ 9 cm

02 오른쪽 그림과 같은 △ABC에서 $\overline{AM}=\overline{MB}$, $\overline{MN}/\!/\overline{BC}$이고 $\overline{AN}=\overline{MN}=7$ cm일 때, $x+y$의 값은?

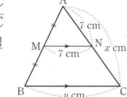

① 14 ② 20
③ 24 ④ 28
⑤ 32

03 오른쪽 그림과 같이 $\overline{AD}/\!/\overline{BC}$인 사다리꼴 ABCD에서 $\overline{AB}$, $\overline{DC}$의 중점을 각각 M, N이라 하고 $\overline{MN}=14$ cm, $\overline{BC}=16$ cm일 때, $\overline{AD}$의 길이는?

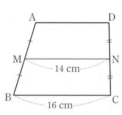

① 12 cm ② 13 cm ③ 14 cm
④ 15 cm ⑤ 16 cm

04 오른쪽 그림에서 $\overline{AD}/\!/\overline{BC}$이고 점 M, N은 각각 $\overline{AB}$, $\overline{DC}$의 중점일 때, $\overline{BC}$의 길이는?

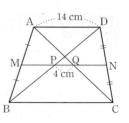

① 16 cm ② 18 cm
③ 20 cm ④ 22 cm
⑤ 24 cm

05 오른쪽 그림에서 □ABCD는 평행사변형이고 $\overline{AB}$, $\overline{BC}$, $\overline{CD}$, $\overline{DA}$의 중점을 각각 E, F, G, H라 할 때, □EFGH의 둘레의 길이는?

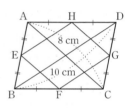

① 16 cm ② 18 cm ③ 20 cm
④ 22 cm ⑤ 24 cm

06 오른쪽 그림에서 점 G가 △ABC의 무게중심일 때, 다음 중 옳지 <u>않은</u> 것은?

① △GBD=△GBF
② $\overline{FG}:\overline{GC}=1:2$
③ $\overline{AF}=\overline{BF}$
④ $\overline{AG}:\overline{GF}=2:1$
⑤ $\triangle GBD=\dfrac{1}{6}\triangle ABC$

07 오른쪽 그림에서 두 점 G, G′은 각각 △ABC, △GBC의 무게중심이다. $\overline{AD}=27$ cm일 때, $\overline{GG'}$의 길이를 구하여라.

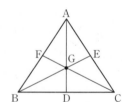

08 오른쪽 그림과 같이 $\angle C = 90°$인 직각삼각형 ABC에서 점 G가 △ABC의 무게중심이고 $\overline{DG} = 4$일 때, $x+y$의 값을 구하여라.

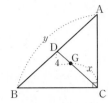

09 오른쪽 그림에서 점 G는 △ABC의 무게중심이고 △ABC의 넓이가 24 cm²일 때, 색칠한 부분의 넓이는?

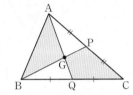

① 14 cm²　　② 16 cm²
③ 18 cm²　　④ 20 cm²
⑤ 22 cm²

10 오른쪽 그림과 같은 평행사변형 ABCD에서 두 대각선의 교점을 O, $\overline{BC}$의 중점을 E라 하자. $\overline{BF} = 4$ cm일 때, $\overline{BD}$의 길이는?

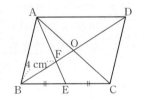

① 8 cm　　② 10 cm　　③ 12 cm
④ 16 cm　　⑤ 20 cm

11 오른쪽 그림에서 $\overline{AD} /\!/ \overline{BC}$, $\overline{AO} : \overline{OC} = 2 : 3$이고 △ODA의 넓이가 8 cm²일 때, △OBC의 넓이를 구하여라.

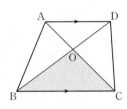

12 오른쪽 그림과 같이 밑면의 반지름의 길이가 9 cm, 높이가 27 cm인 원뿔 모양의 그릇에 높이의 $\frac{1}{3}$까지 물을 부었다. 이 때 수면의 넓이는?

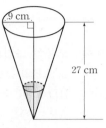

① 3π cm²　　② 6π cm²　　③ 9π cm²
④ 12π cm²　　⑤ 15π cm²

13 오른쪽 그림과 같은 두 종류의 닮은 모양의 용기에 커피를 담아 판매하는데 가격은 용기의 부피에 정비례한다고 한다. A 용기의 커피 값은 4000원일 때, B 용기의 커피는 얼마인가?

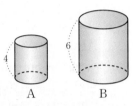

① 6000원　　② 12000원　　③ 13500원
④ 15000원　　⑤ 18000원

14 차도의 폭을 측정하기 위하여 △ABC와 닮음인 △DEF를 그렸더니 다음 그림과 같았다. A와 C 사이의 거리는?

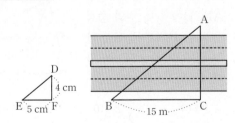

① 10 m　　② 12 m　　③ 14 m
④ 16 m　　⑤ 18 m

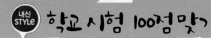

15 오른쪽 그림의 △ABC에서 $\overline{AB}$의 중점을 E라 하고 $\overline{BD} : \overline{DC} = 2 : 3$일 때, $\overline{AP} : \overline{PD}$를 구하여라.

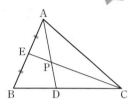

16 오른쪽 그림과 같은 마름모 ABCD에서 두 대각선의 길이가 각각 6 cm, 8 cm일 때, 네 변의 중점을 연결하여 만든 □EFGH의 넓이는?

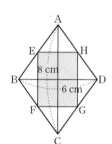

① 8 cm²   ② 10 cm²
③ 12 cm²   ④ 14 cm²
⑤ 16 cm²

17 오른쪽 그림의 평행사변형 ABCD에서 네 변의 중점을 각각 P, Q, R, S라 하고 □ABCD=24 cm²일 때, □AECF의 넓이는?

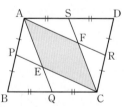

① 6 cm²   ② 8 cm²   ③ 10 cm²
④ 12 cm²   ⑤ 14 cm²

18 다음 그림의 원뿔 모양의 두 그릇 A, B는 서로 닮은 도형이다. A에 전체 높이의 $\frac{1}{2}$만큼 물을 채우는 데 5초가 걸린다면 B에 전체 높이의 $\frac{1}{2}$만큼 물을 채우는 데 몇 초가 걸리겠는가? (단, 물은 일정한 속도로 넣는다고 한다.)

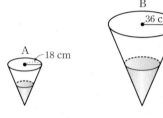

① 30초   ② 35초   ③ 40초
④ 45초   ⑤ 50초

19 오른쪽 그림과 같은 평행사변형 ABCD에서 $\overline{BC}$, $\overline{CD}$의 중점을 각각 E, F라 하고 $\overline{AE}$와 $\overline{BD}$의 교점을 P, $\overline{AF}$와 $\overline{BD}$의 교점을 Q라 하자. △APQ=8 cm²일 때, □PEFQ의 넓이는?

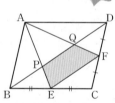

① 8 cm²   ② 10 cm²   ③ 12 cm²
④ 15 cm²   ⑤ 16 cm²

20 오른쪽 그림과 같이 $\overline{AD} /\!/ \overline{BC}$인 사다리꼴 ABCD에서 $\overline{AD}=8$ cm, $\overline{BC}=12$ cm이다. △AOD의 넓이가 12 cm²일 때, □ABCD의 넓이를 구하여라.

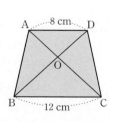

단계형

21 오른쪽 그림과 같이 △ABC
에서 $\overline{BC}$의 중점을 D, $\overline{AD}$
의 삼등분점을 각각 E, F
라 하자. △ABC=42 cm²
일 때, 색칠한 부분의 넓이
를 구하여라. [7점]

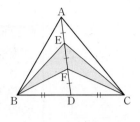

1단계 △ABD의 넓이 구하기 [2점]

_____

_____

2단계 △EBF, △EFC의 넓이를 각각 구하기 [각 2점]

_____

_____

3단계 색칠한 부분의 넓이 구하기 [1점]

_____

_____

단계형

22 오른쪽 그림과 같은 원뿔 P₁의
모선의 길이를 2 : 1이 되도록 밑
면과 평행하게 자르고, 잘려진
작은 원뿔을 P₂, 원뿔대를 P₃라
하자. P₂의 부피가 32 cm³일 때,
P₃의 부피를 구하여라. [6점]

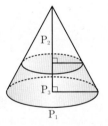

1단계 P₁과 P₂의 부피의 비 구하기 [2점]

_____

_____

2단계 P₁의 부피 구하기 [2점]

_____

_____

3단계 P₃의 부피 구하기 [2점]

_____

_____

사고력

23 오른쪽 그림에서 △ABC
의 세 변의 중점을 각각
D, E, F라 할 때,
△DEF의 둘레의 길이를
구하여라. [7점]

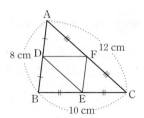

사고력

24 오른쪽 그림에서 점 G가
△ABC의 무게중심일 때,
△ADE와 △GBC의 넓
이의 비를 구하여라. [6점]

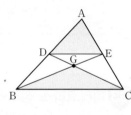

01 피타고라스 정리

직각삼각형에서 직각을 낀 두 변의 길이를 각각 a, b라 하고, 빗변의 길이를 c라 하면 $a^2+b^2=c^2$이 성립한다.

포인트개념

• 빗변의 길이의 제곱은 나머지 두 변의 길이의 제곱의 합과 같다.

02 피타고라스 정리의 이해(1)

직각삼각형에서 빗변을 한 변으로 하는 정사각형의 넓이는 나머지 두 변을 각각 한 변으로 하는 두 정사각형의 넓이의 합과 같다.

즉, 오른쪽 그림에서

$\square AFGB = \square BHIC + \square CDEA$

$\therefore c^2 = a^2 + b^2$

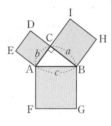

포인트개념

➡ $\square CDEA = \square AFKJ$
$\square BHIC = \square JKGB$

03 피타고라스 정리의 이해(2)

오른쪽 그림과 같이 $\angle C = 90°$인 직각삼각형 ABC의 두 변의 길이 a, b의 합 $a+b$를 한 변의 길이로 하는 정사각형 CDEF를 만들면

(1) $\triangle ABC \equiv \triangle GAD \equiv \triangle HGE \equiv \triangle BHF$(SAS 합동)
(2) $\square AGHB$는 한 변의 길이가 c인 정사각형이다.
(3) $\square CDEF = 4 \triangle ABC + \square AGHB$

$$(a+b)^2 = 4 \times \frac{1}{2}ab + c^2 \qquad \therefore a^2+b^2=c^2$$

참고 $(a+b)^2=(a+b)(a+b)=a^2+2ab+b^2$이 성립한다.

포인트개념

• $\square AGHB = \overline{AB}^2 = \overline{BC}^2 + \overline{CA}^2$

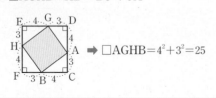

➡ $\square AGHB = 4^2 + 3^2 = 25$

오른쪽 그림과 같이 $\angle B = 90°$인 직각삼각형 ABC에서 x의 값을 구하여라.

예제 2

오른쪽 그림은 $\angle C = 90°$인 직각삼각형 ABC에서 각 변을 한 변으로 하는 정사각형을 그린 것이다. 두 정사각형 ACDE, CBHI의 넓이가 각각 $5\ cm^2$, $4\ cm^2$일 때, $\overline{AB}$의 길이를 구하여라.

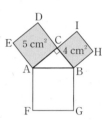

예제 3

오른쪽 그림에서 $\square ABCD$는 정사각형이고 4개의 직각삼각형은 모두 합동일 때, $\square EFGH$의 넓이를 구하여라.

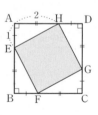

04 피타고라스 정리의 이해(3)

오른쪽 그림과 같이 ∠C=90°인 직각삼각형 ABC와 이와 합동인 삼각형 3개를 이용하여 정사각형 ABDE를 만들면

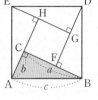

(1) △ABC≡△BDF≡△DEG≡△EAH
(2) □CFGH는 한 변의 길이가 $a-b$인 정사각형이다.
(3) □ABDE=4△ABC+□CFGH

$$c^2=4\times\frac{1}{2}ab+(a-b)^2 \quad \therefore a^2+b^2=c^2$$

참고 $(a-b)^2=(a-b)(a-b)=a^2-2ab+b^2$이 성립한다.

포인트 개념

• □CFGH=$\overline{GH}^2=(\overline{EH}-\overline{EG})^2$

➡ $\overline{AH}^2=5^2-4^2=9$ ∴ $\overline{AH}=\overline{EG}=3$
∴ □CFGH=$(4-3)^2=1$

---

05 직각삼각형이 될 조건

세 변의 길이가 각각 a, b, c인 △ABC에서 $a^2+b^2=c^2$이면 △ABC는 빗변의 길이가 c인 직각삼각형이다.

포인트 개념

• 직각삼각형의 세 변의 길이가 될 수 있는 세 자연수
➡ (3, 4, 5), (5, 12, 13), (6, 8, 10), (8, 15, 17), (9, 12, 15), ⋯ ← 피타고라스 수라 한다.

---

06 삼각형의 각의 크기에 대한 변의 길이

△ABC에서 $\overline{AB}=c$, $\overline{BC}=a$, $\overline{CA}=b$일 때

(1) ∠C<90°이면 $c^2<a^2+b^2$
(2) ∠C=90°이면 $c^2=a^2+b^2$ ← 피타고라스 정리
(3) ∠C>90°이면 $c^2>a^2+b^2$

포인트 개념

(1) ∠C<90°일 때,

➡ $c<c'(=\sqrt{a^2+b^2})$
∴ $c^2<a^2+b^2$

(2) ∠C>90°일 때,

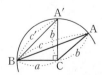

➡ $c>c'(=\sqrt{a^2+b^2})$
∴ $c^2>a^2+b^2$

예제 4

오른쪽 그림에서 □ABDE는 정사각형이고 $\overline{AB}=13$, $\overline{AC}=\overline{BF}=\overline{DG}=\overline{EH}=5$일 때, 다음을 구하여라.

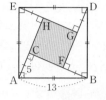

(1) $\overline{BC}$의 길이
(2) $\overline{CF}$의 길이
(3) □CFGH의 넓이

예제 5

삼각형의 세 변의 길이가 다음과 같을 때, 직각삼각형인 것을 모두 고르면? (정답 2개)

① 2 cm, 3 cm, 4 cm
② 3 cm, 4 cm, 5 cm
③ 4 cm, 5 cm, 6 cm
④ 7 cm, 7 cm, 10 cm
⑤ 8 cm, 15 cm, 17 cm

예제 6

세 변의 길이가 3, 4, x인 삼각형이 둔각삼각형일 때, x의 값의 범위를 구하여라.
(단, $x>4$)

07 삼각형의 변의 길이에 대한 각의 크기

△ABC에서 $\overline{AB}=c$, $\overline{BC}=a$, $\overline{CA}=b$이고, c가 가장 긴 변의 길이일 때

(1) $c^2<a^2+b^2$이면 ∠C<90°(예각삼각형)

(2) $c^2=a^2+b^2$이면 ∠C=90°(직각삼각형)

(3) $c^2>a^2+b^2$이면 ∠C>90°(둔각삼각형)

포인트 개념

- 세 변의 길이가 7, 5, 5인 삼각형
  ➡ $7^2<5^2+5^2$이므로 예각삼각형
- 세 변의 길이가 5, 4, 3인 삼각형
  ➡ $5^2=4^2+3^2$이므로 직각삼각형
- 세 변의 길이가 6, 4, 3인 삼각형
  ➡ $6^2>4^2+3^2$이므로 둔각삼각형

예제 7

세 변의 길이가 다음과 같은 삼각형 중에서 예각삼각형인 것은?

① 2 cm, 3 cm, 4 cm

② 5 cm, 12 cm, 13 cm

③ 4 cm, 6 cm, 7 cm

④ 6 cm, 8 cm, 10 cm

⑤ 5 cm, 8 cm, 11 cm

08 두 대각선이 직교하는 사각형의 성질

사각형 ABCD에서 두 대각선이 직교할 때, 두 쌍의 대변끼리의 제곱의 합은 서로 같다.

➡ $\overline{AB}^2+\overline{CD}^2=\overline{AD}^2+\overline{BC}^2$

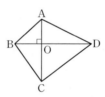

포인트 개념

- $\overline{AB}^2+\overline{CD}^2=(\overline{AO}^2+\overline{BO}^2)+(\overline{CO}^2+\overline{DO}^2)=(\overline{AO}^2+\overline{DO}^2)+(\overline{BO}^2+\overline{CO}^2)=\overline{AD}^2+\overline{BC}^2$

예제 8

오른쪽 그림의 □ABCD에서 $\overline{AC}\perp\overline{BD}$이고 $\overline{AD}=6$, $\overline{BC}=5$, $\overline{CD}=6$ 일 때, x의 값을 구하여라.

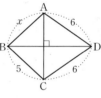

09 내부에 임의의 한 점이 있는 직사각형의 성질

직사각형 ABCD의 내부의 임의의 한 점 P에 대하여 다음이 성립한다.

$$\overline{AP}^2+\overline{CP}^2=\overline{BP}^2+\overline{DP}^2$$

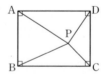

포인트 개념

- 오른쪽 그림과 같이 $\overline{AB}/\!/\overline{HF}$, $\overline{AD}/\!/\overline{EG}$가 되도록 $\overline{HF}$, $\overline{EG}$를 그으면

  △APH에서
  $\overline{AP}^2=\overline{AH}^2+\overline{HP}^2$

  △PCG에서
  $\overline{CP}^2=\overline{PG}^2+\overline{GC}^2$

  $\therefore \overline{AP}^2+\overline{CP}^2=(\overline{AH}^2+\overline{HP}^2)+(\overline{PG}^2+\overline{GC}^2)$
  $=(\overline{AH}^2+\overline{GC}^2)+(\overline{HP}^2+\overline{PG}^2)$
  $=(\overline{BF}^2+\overline{PF}^2)+(\overline{HP}^2+\overline{HD}^2)$
  $=\overline{BP}^2+\overline{DP}^2$

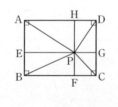

예제 9

오른쪽 그림과 같이 직사각형 ABCD의 내부에 한 점 P가 있다. $\overline{AP}=3$, $\overline{CP}=5$, $\overline{DP}=4$일 때, $\overline{BP}^2$의 값을 구하여라.

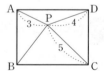

10 직각삼각형의 닮음을 이용한 성질

$\triangle ABC$에서 $\angle A = 90°$, $\overline{AD} \perp \overline{BC}$일 때,

(1) 피타고라스 정리에 의하여 $b^2 + c^2 = a^2$

(2) 삼각형의 닮음에 의하여

  ① $c^2 = ax$

  ② $b^2 = ay$

  ③ $h^2 = xy$

(3) 넓이의 관계에 의하여 $ah = bc$

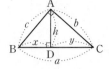

포인트 개념

- $\triangle ABC \backsim \triangle DBA$(AA 닮음) $\Rightarrow c : x = a : c$ $\therefore c^2 = ax$

  $\triangle ABC \backsim \triangle DAC$(AA 닮음) $\Rightarrow b : y = a : b$ $\therefore b^2 = ay$

  $\triangle ABD \backsim \triangle CAD$(AA 닮음) $\Rightarrow x : h = h : y$ $\therefore h^2 = xy$

- $\triangle ABC = \dfrac{1}{2}ah = \dfrac{1}{2}bc \Rightarrow ah = bc$

예제 10

오른쪽 그림에서 $\angle A = 90°$, $\overline{AD} \perp \overline{BC}$일 때, $x + y$의 값을 구하여라.

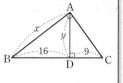

11 피타고라스 정리를 이용한 직각삼각형의 성질

$\angle A = 90°$인 직각삼각형 ABC에서 두 점 D, E가 각각 $\overline{AB}$, $\overline{AC}$ 위의 점일 때, 다음이 성립한다.

$$\overline{BE}^2 + \overline{CD}^2 = \overline{DE}^2 + \overline{BC}^2$$

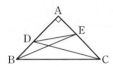

포인트 개념

- $\overline{BE}^2 + \overline{CD}^2 = (\overline{AB}^2 + \overline{AE}^2) + (\overline{AC}^2 + \overline{AD}^2)$

  $= (\overline{AE}^2 + \overline{AD}^2) + (\overline{AB}^2 + \overline{AC}^2)$

  $= \overline{DE}^2 + \overline{BC}^2$

예제 11

오른쪽 그림의 $\triangle ABC$에서 $\angle A = 90°$이고 $\overline{BE} = 6$, $\overline{CD} = 5$, $\overline{BC}^2 = 52$일 때, $\overline{DE}$의 길이를 구하여라.

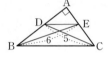

12 직각삼각형과 반원으로 이루어진 도형의 성질

(1) **직각삼각형의 세 반원 사이의 관계** : 오른쪽 그림과 같이 $\angle A = 90°$인 직각삼각형 ABC의 각 변을 지름으로 하는 세 반원의 넓이를 각각 S_1, S_2, S_3라 할 때, 다음이 성립한다.

$$S_1 + S_2 = S_3$$

(2) **원과 직각삼각형 사이의 관계** : 오른쪽 그림과 같이 $\angle A = 90°$인 직각삼각형 ABC의 각 변을 지름으로 하는 반원에서 다음이 성립한다.

  (색칠한 부분의 넓이)$= \triangle ABC = \dfrac{1}{2}bc$

포인트 개념

(2)의 설명

직각삼각형 ABC에서 $\overline{AB}$, $\overline{AC}$, $\overline{BC}$를 지름으로 하는 반원의 넓이를 각각 S_1, S_2, S_3라 하면

(색칠한 부분의 넓이)$= S_1 + S_2 + \triangle ABC - S_3 = S_3 + \triangle ABC - S_3 = \triangle ABC = \dfrac{1}{2}bc$

예제 12

오른쪽 그림의 직각삼각형 ABC에서 $\overline{AB}$, $\overline{AC}$를 지름으로 하는 반원의 넓이가 각각 8π, 6π일 때, $\overline{BC}$를 지름으로 하는 반원의 넓이 S를 구하여라.

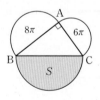

대표유형 피타고라스 정리

01 오른쪽 그림의 직각삼각형 ABC에서 x^2의 값은?

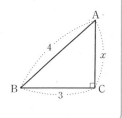

① 7　　　② 11
③ 24　　　④ 25
⑤ 28

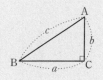
02 오른쪽 그림의 직각삼각형 ABC에서 x의 값은? 　출제율 95%

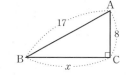

① 15　　　② 16
③ 17　　　④ 19
⑤ 18

03 오른쪽 그림과 같이 ∠A=90°인 직각삼각형 ABC에서 $\overline{AB}$를 지름으로 하는 반원의 넓이가 18π일 때, x의 값은? 　출제율 80%

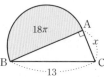

① 2　　　② 3　　　③ 4
④ 5　　　⑤ 6

04 오른쪽 그림과 같이 대나무의 어느 한 지점에서 대나무를 꺾었더니 위쪽 끝이 땅에 닿았다. 땅에 닿은 위치가 대나무 뿌리에서 4 m 떨어진 곳이고, 부러진 대나무의 길이가 $\dfrac{29}{5}$ m일 때, x의 값은? 　출제율 90%

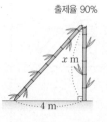

① 3.8　　　② 4　　　③ 4.2
④ 4.4　　　⑤ 4.6

출제율 90%

05 오른쪽 그림의 삼각형 ABC에서 x의 값은?

① 16　　　② 17
③ 18　　　④ 19
⑤ 20

출제율 95%

06 오른쪽 그림의 삼각형 ABC에서 ∠C=90°, $\overline{DC}=4$, $\overline{AC}=3$, $\overline{AD}=\overline{BD}$일 때, $\overline{AB}^2$의 값을 구하여라.

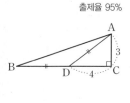

출제율 85%

07 오른쪽 그림과 같이 두 대각선의 길이가 각각 12 cm, 16 cm인 마름모의 한 변의 길이는?

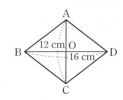

① 10 cm　　　② 12 cm
③ 15 cm　　　④ 17 cm
⑤ 18 cm

출제율 85%

08 오른쪽 그림과 같이 ∠C=90°인 직각삼각형 ABC에서 $\overline{AD}$는 ∠A의 이등분선이다. $\overline{AB}=20$, $\overline{AC}=12$일 때, $\dfrac{y^2}{x^2}$의 값은?

① 4　　　② 5　　　③ 6
④ 7　　　⑤ 8

09 오른쪽 그림에서 사각형 ABCD는 한 변의 길이가 8인 정사각형이고, 점 F는 $\overline{BE}$와 $\overline{AD}$의 연장선의 교점이다. $\overline{BE}=10$일 때, $\triangle DEF$의 넓이는?

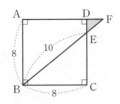

출제율 85%

① $\dfrac{5}{7}$ ② $\dfrac{8}{3}$ ③ $\dfrac{5}{9}$

④ $\dfrac{5}{11}$ ⑤ $\dfrac{5}{12}$

대표
유형 **피타고라스 정리의 연속 이용**

10 오른쪽 그림에서 $\overline{OF}^2=96$일 때, x의 값은?

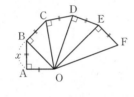

① 3 ② 4
③ 5 ④ 6
⑤ 7

---

11 오른쪽 그림에서 □ABB′A′은 정사각형이고, $\overline{AC}=\overline{AB'}$, $\overline{AD}=\overline{AC'}$, $\overline{AE}=\overline{AD'}$ 이다. $\overline{AE}=6$일 때, $\overline{AB}$의 길이를 구하여라.

출제율 90%

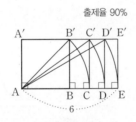

---

12 오른쪽 그림과 같은 □ABCD에서 $\dfrac{\overline{BC}^2}{\overline{AD}^2}$의 값은?

출제율 85%

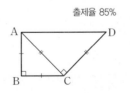

① $\dfrac{1}{4}$ ② $\dfrac{1}{2}$ ③ 1

④ 2 ⑤ 4

대표
유형 **피타고라스 정리의 이해(1)**

13 오른쪽 그림은 ∠C=90°인 직각삼각형 ABC에서 각 변을 한 변으로 하는 정사각형을 그린 것이다. 두 정사각형 ACDE, CBHI의 넓이가 각각 16 cm², 9 cm² 일 때, $\overline{AB}$의 길이를 구하여라.

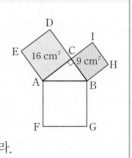

---

14 오른쪽 그림과 같이 ∠A=90° 인 직각삼각형 ABC에서 각 변을 한 변으로 하는 정사각형을 만들었다. 다음 (보기) 중 △EBC와 넓이가 같은 것을 모두 골라라.

출제율 95%

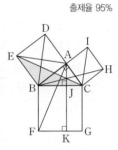

─ 보기 ─
ㄱ. △ABF ㄴ. △HCI
ㄷ. △BCH ㄹ. △ABC
ㅁ. △EDA ㅂ. $\dfrac{1}{2}$□BFKJ

---

15 오른쪽 그림에서 □AFGB, □ACDE, □BHIC는 각각 직각삼각형 ABC의 각 변을 한 변으로 하는 정사각형이다. $\overline{AB}=13$, $\overline{BC}=5$일 때, △CAF의 넓이를 구하여라.

출제율 95%

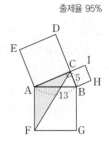

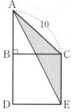
16 오른쪽 그림과 같이 ∠B=90°인 직각삼각형 ABC의 변 BC를 한 변으로 하는 정사각형 BDEC가 있다. $\overline{AC}$=10이고 △AEC의 넓이가 32일 때, $\overline{AB}$의 길이는?

출제율 85%

① 4 ② 5
③ 6 ④ 7
⑤ 8

17 오른쪽 그림은 ∠C=90°인 직각삼각형 ABC의 세 변을 각각 한 변으로 하는 정사각형을 그린 것이다. $\overline{AB}$=10 cm, $\overline{BC}$=6 cm일 때, 다음 중 옳지 <u>않은</u> 것은?

출제율 85%

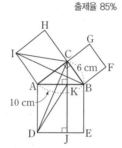

① △CAD=32 cm²
② △KDJ=32 cm²
③ △IBC=32 cm²
④ □KJEB=36 cm²
⑤ □HIAC=64 cm²

대표유형 **피타고라스 정리의 이해(2), (3)**

18 오른쪽 그림과 같은 정사각형 ABCD에서 △AEH, △BFE, △CGF, △DHG가 서로 합동일 때, □EFGH의 둘레의 길이와 넓이를 각각 구하여라.

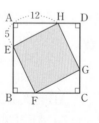

19 오른쪽 그림의 정사각형 ABCD에서 $\overline{AF}=\overline{BG}=\overline{CH}=\overline{DE}$=5 cm 이다. □EFGH=34 cm²일 때, □ABCD의 넓이는?

출제율 90%

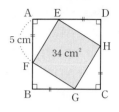

① 45 cm² ② 49 cm² ③ 54 cm²
④ 64 cm² ⑤ 72 cm²

20 오른쪽 그림과 같이 한 변의 길이가 17인 정사각형 ABCD 안에 합동인 직각삼각형 4개를 그렸다. $\overline{AE}$=8일 때, □EFGH의 둘레의 길이를 구하여라.

출제율 90%

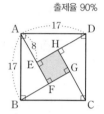

대표유형 **직각삼각형이 될 조건**

21 오른쪽 그림의 △ABC에서 ∠C=90°가 되도록 x의 값을 정하면?

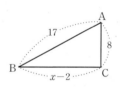

① 13 ② 14
③ 15 ④ 16
⑤ 17

내신 UP POINT

직각삼각형이 될 조건
세 변의 길이가 각각 a, b, c인 △ABC에서 $a^2+b^2=c^2$이면 △ABC는 빗변의 길이가 c인 직각삼각형이다.

22 세 변의 길이가 5, 13, a인 삼각형이 직각삼각형이 되도록 하는 a의 값은? (단, $a<13$)

출제율 95%

① 12 ② 11 ③ 10
④ 9 ⑤ 8

23 세 변의 길이가 10 cm, 8 cm, x cm인 삼각형이 직각삼각형이 되도록 하는 x의 값은? (단, $x \leq 10$)

① 5   ② 6   ③ 7

④ 8   ⑤ 9

대표유형 **삼각형의 각의 크기에 대한 변의 길이**

24 세 변의 길이가 x, 6, 8인 삼각형이 둔각삼각형일 때, x의 값의 범위는? (단, $x > 8$)

① $x > 8$ ② $2 < x < 8$ ③ $8 < x < 14$

④ $4 < x < 12$ ⑤ $10 < x < 14$

> **내신 UP POINT**
>
> 삼각형에서 각의 크기에 대한 변의 길이
> $\triangle ABC$에서 $\overline{AB} = c$, $\overline{BC} = a$, $\overline{CA} = b$일 때
> (1) ($a-b$의 절댓값)$< c < a+b$ ← 삼각형의 변의 길이
> (2) $\angle C < 90°$이면 $c^2 < a^2 + b^2$
> $\angle C = 90°$이면 $c^2 = a^2 + b^2$ ← 피타고라스 정리
> $\angle C > 90°$이면 $c^2 > a^2 + b^2$
> (3) (1), (2)의 공통 범위를 구한다.

출제율 95%

25 세 변의 길이가 다음과 같을 때, 예각삼각형인 것은?

① 3, 4, 5   ② 3, 3, 4   ③ 6, 8, 12

④ 5, 6, 9   ⑤ 8, 15, 17

출제율 90%

26 $\triangle ABC$의 세 변의 길이가 $\overline{AB} = 3$ cm, $\overline{BC} = 6$ cm, $\overline{CA} = 5$ cm일 때, $\triangle ABC$는 어떤 삼각형인가?

① $\angle A = 90°$인 직각삼각형
② $\angle A > 90°$인 둔각삼각형
③ $\angle B > 90°$인 둔각삼각형
④ $\angle C = 90°$인 직각삼각형
⑤ 예각삼각형

출제율 90%

27 세 변의 길이가 6, 10, x인 삼각형에 대하여 x의 값과 삼각형의 모양이 <u>잘못</u> 짝지어진 것은?

	x의 값	삼각형의 모양
①	14	둔각삼각형
②	9	예각삼각형
③	8	직각삼각형
④	6	예각삼각형
⑤	5	둔각삼각형

대표유형 **두 대각선이 직교하는 사각형의 성질**

28 오른쪽 그림의 $\square ABCD$에서 $\overline{AC} \perp \overline{BD}$이고 $\overline{AB} = 6$, $\overline{BC} = 4$, $\overline{AD} = 5$일 때, x^2의 값을 구하여라.

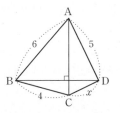

> **내신 UP POINT**
>
> 두 대각선이 직교하는 사각형의 성질
> 사각형 ABCD에서 두 대각선이 직교할 때, 두 쌍의 대변끼리의 제곱의 합은 서로 같다.
>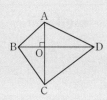
> ➡ $\overline{AB}^2 + \overline{CD}^2 = \overline{AD}^2 + \overline{BC}^2$

출제율 80%

29 다음은 $\square ABCD$에서 두 대각선 AC, BD가 직교할 때, $\overline{AB}^2 + \overline{CD}^2 = \overline{AD}^2 + \overline{BC}^2$임을 설명하는 과정을 나타낸 것이다. $\square$ 안에 알맞은 것을 써넣어라.

> 오른쪽 그림과 같이 두 대각선 AC, BD의 교점을 O라 하면
> $\overline{AB}^2 + \overline{CD}^2$
> $= (\boxed{} + \overline{OB}^2)$
> $+ (\overline{OC}^2 + \boxed{})$
> $= (\overline{OA}^2 + \boxed{}) + (\boxed{} + \overline{OC}^2)$
> $= \overline{AD}^2 + \boxed{}$

출제율 90%

30 오른쪽 그림의 □ABCD에서 $\overline{AC} \perp \overline{BD}$일 때, $\overline{CD}^2 - \overline{BC}^2$ 의 값은?

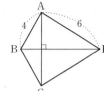

① 21   ② 20
③ 19   ④ 18
⑤ 17

대표유형 내부에 임의의 한 점이 있는 직사각형의 성질

31 오른쪽 그림과 같이 직사각형 ABCD의 내부에 한 점 P가 있다. $\overline{AP}=6$, $\overline{BP}=5$, $\overline{CP}=3$일 때, $\overline{DP}^2$의 값은?

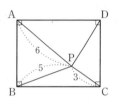

① 16   ② 18
③ 20   ④ 22
⑤ 24

내신 UP POINT

내부에 임의의 한 점이 있는 직사각형의 성질
직사각형 ABCD의 내부의 임의의 한 점 P에 대하여 다음이 성립한다.
$$\overline{AP}^2 + \overline{CP}^2 = \overline{BP}^2 + \overline{DP}^2$$

출제율 90%

32 오른쪽 그림과 같이 직사각형 ABCD의 내부에 한 점 P가 있다. $\overline{AP}=8$, $\overline{CP}=5$일 때, $\overline{BP}^2 + \overline{DP}^2$의 값은?

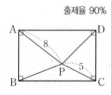

① 79   ② 81   ③ 85
④ 89   ⑤ 90

출제율 80%

33 오른쪽 그림과 같이 직사각형 ABCD의 내부에 두 점 P, Q를 잡았다. $\overline{AP}=9$ cm, $\overline{PB}=8$ cm, $\overline{QD}=7$ cm, $\overline{QC}=x$ cm일 때, $2x^2$의 값을 구하여라. (단, $\overleftrightarrow{AB} \perp \overleftrightarrow{PQ}$)

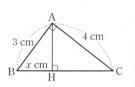

대표유형 직각삼각형의 닮음을 이용한 성질

34 오른쪽 그림에서 $\angle A = 90°$, $\overline{AH} \perp \overline{BC}$일 때, x의 값을 구하여라.

출제율 85%

35 오른쪽 그림의 △ABC에서 $\angle A = 90°$, $\overline{AD} \perp \overline{BC}$일 때, 다음 중 옳지 <u>않은</u> 것은?

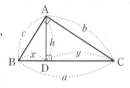

① $b^2 + c^2 = a^2$ ② $b^2 = ay$
③ $c^2 = ab$ ④ $h^2 = xy$
⑤ $y^2 = b^2 - h^2$

출제율 85%

36 오른쪽 그림의 직각삼각형 ABC에서 $\overline{AH} \perp \overline{BC}$, $\overline{AH}=6$ cm, $\overline{BH}=\dfrac{9}{2}$ cm 일 때, x의 값을 구하여라.

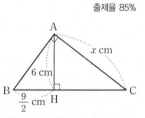

37 오른쪽 그림의 △ABC에서 ∠A=90°, $\overline{AH}\perp\overline{BC}$일 때, x의 값을 구하여라.

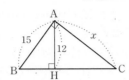

대표유형 직각삼각형의 넓이를 이용한 성질

38 오른쪽 그림의 직각삼각형 ABC에서 $\overline{AB}=6$ cm, $\overline{AC}=8$ cm일 때, $\overline{AH}$의 길이는?

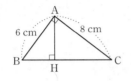

① 4.5 cm ② 4.6 cm ③ 4.7 cm
④ 4.8 cm ⑤ 4.9 cm

39 오른쪽 그림과 같이 좌표평면 위의 원점 O에서 일차방정식 $15x+8y-120=0$의 그래프에 내린 수선의 발을 H라 할 때, $\overline{OH}$의 길이를 구하여라.

출제율 90%

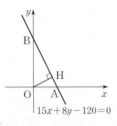

40 오른쪽 그림의 직각삼각형 ABC에서 ∠A=90°이고, $\overline{BH}=2$, $\overline{HC}=8$이다. 점 M이 $\overline{BC}$의 중점이고 $\overline{AH}\perp\overline{BC}$, $\overline{AM}\perp\overline{HP}$일 때, $\overline{HP}$의 길이를 구하여라.

출제율 85%

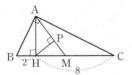

대표유형 피타고라스 정리를 이용한 직각삼각형의 성질

41 오른쪽 그림의 △ABC에서 ∠A=90°이고, $\overline{BE}=6$, $\overline{CD}=8$, $\overline{BC}=9$일 때, $\overline{DE}^2$의 값은?

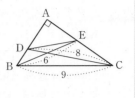

① 9 ② 16 ③ 17
④ 19 ⑤ 20

내신 UP POINT

∠A=90°인 직각삼각형 ABC에서 두 점 D, E가 각각 $\overline{AB}$, $\overline{AC}$ 위의 점일 때, 다음이 성립한다.
$$\overline{BE}^2+\overline{CD}^2=\overline{DE}^2+\overline{BC}^2$$

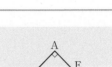
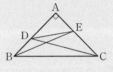

42 오른쪽 그림의 직각삼각형 ABC에서 $\overline{AB}=10$, $\overline{DE}=4$일 때, $\dfrac{1}{2}(\overline{AE}^2+\overline{BD}^2)$의 값은?

출제율 85%

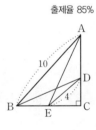

① 21 ② 26
③ 35 ④ 42
⑤ 58

43 오른쪽 그림과 같이 ∠A=90°인 직각삼각형 ABC에서 $\overline{AD}=3$, $\overline{AE}=4$, $\overline{EC}=6$일 때, $\overline{BC}^2-\overline{BE}^2$의 값은?

출제율 85%

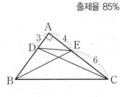

① 79 ② 82 ③ 84
④ 88 ⑤ 91

대표유형 직각삼각형과 반원으로 이루어진 도형의 성질(1)

44 오른쪽 그림의 직각삼각형 ABC에서 $\overline{AB}$, $\overline{AC}$를 지름으로 하는 반원의 넓이가 각각 24π, 18π일 때, $\overline{BC}$를 지름으로 하는 반원의 넓이 S를 구하여라.

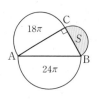

대표유형 직각삼각형과 반원으로 이루어진 도형의 성질(2)

48 오른쪽 그림과 같이 $\angle A = 90°$ 인 직각삼각형 ABC에서 $\overline{AB}$, $\overline{AC}$, $\overline{BC}$를 지름으로 하는 반원을 각각 그렸을 때, 색칠한 부분의 넓이는?

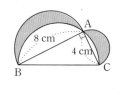

① 16 cm²   ② 18 cm²   ③ 20 cm²

④ 24 cm²   ⑤ 32 cm²

45 오른쪽 그림의 직각삼각형 ABC에서 각 변을 지름으로 하는 세 반원의 넓이를 각각 P, Q, R라 할 때, $P+Q+R$의 값을 구하여라.

출제율 95%

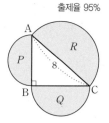

49 오른쪽 그림과 같이 $\angle A = 90°$ 인 직각삼각형 ABC에서 $\overline{AB}$, $\overline{AC}$, $\overline{BC}$를 지름으로 하는 반원을 각각 그렸을 때, 색칠한 부분의 넓이는?

출제율 95%

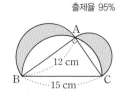

① 48 cm²   ② 50 cm²   ③ 52 cm²

④ 54 cm²   ⑤ 60 cm²

46 오른쪽 그림은 직각삼각형 ABC의 각 변을 지름으로 하는 세 반원을 그린 것이다. $\overline{BC}=12$일 때, 색칠한 부분의 넓이를 구하여라.

출제율 90%

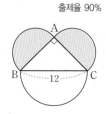

50 오른쪽 그림은 직각삼각형 ABC에서 세 변을 각각 지름으로 하는 반원을 그린 것이다. 색칠한 부분의 넓이가 12 일 때, $\overline{AB} \times \overline{AC}$의 값을 구하여라.

출제율 85%

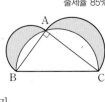

47 오른쪽 그림의 직각삼각형 ABC에서 $\overline{AB}$, $\overline{AC}$를 지름으로 하는 반원의 넓이가 각각 48π, 24π일 때, $\overline{BC}$의 길이를 구하여라.

출제율 90%

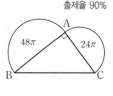

51 오른쪽 그림과 같이 원에 내접하는 직사각형 ABCD에서 각 변을 지름으로 하는 반원을 그렸을 때, 색칠한 부분의 넓이는?

출제율 85%

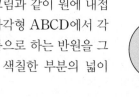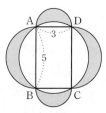

① 13   ② 14   ③ 15

④ 16   ⑤ 30

개념 UP ▶ 01 피타고라스 정리의 이용

피타고라스 정리와 여러 가지 도형의 성질을 이용하여 여러 가지 문제를 해결할 수 있다.

52 출제율 85%

오른쪽 그림과 같이 $\overline{AB}=\overline{BC}=13$인 직각이등변삼각형 ABC가 있다. 두 점 A, C에서 꼭짓점 B를 지나는 직선 l 위에 내린 수선의 발을 각각 D, E라 하고 $\overline{AD}=5$일 때, $\overline{DE}$의 길이를 구하여라.

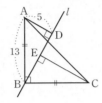

53 출제율 80%

오른쪽 그림과 같이 $\angle C=90°$인 직각삼각형 ABC에서 두 점 A와 B를 중심으로 각각 반지름이 $\overline{AC}$, $\overline{BC}$인 원을 그려 $\overline{AB}$와 만나는 점을 각각 D, E라 하자. $\overline{AC}=8$, $\overline{BC}=15$일 때, $\overline{DE}$의 길이는?

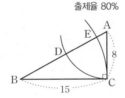

① 3 ② 4 ③ 5
④ 6 ⑤ 7

54 출제율 80%

오른쪽 그림과 같이 $\overline{AB}=12$, $\overline{BC}=16$인 $\triangle ABC$에서 $\overline{AB}$, $\overline{BC}$의 중점을 각각 M, N이라 하자. $\overline{AN}\perp\overline{CM}$일 때, $\overline{AC}^2$의 값은?

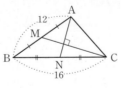

① 60 ② 70 ③ 80
④ 90 ⑤ 100

개념 UP ▶ 02 피타고라스 정리의 이해

오른쪽 그림과 같이 $\angle C=90°$인 직각삼각형 ABC와 합동인 삼각형 EAD를 이용하여 사다리꼴 BCDE를 만들면

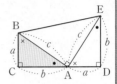

(1) $\triangle BAE$는 직각이등변삼각형이다.

(2) (사다리꼴 BCDE의 넓이)
$$= \triangle ABC + \triangle EAD + \triangle BAE$$
$$\Rightarrow \frac{(a+b)^2}{2} = \frac{1}{2}ab + \frac{1}{2}ab + \frac{1}{2}c^2$$
$$\therefore a^2+b^2=c^2$$

55 출제율 85%

오른쪽 그림의 □ABDE에서 $\overline{AB}=\overline{CD}=8$, $\overline{BC}=\overline{DE}=6$이고 $\angle B=\angle D=90°$일 때, $\overline{AE}^2$의 값은?

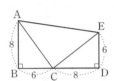

① 100 ② 121 ③ 144
④ 200 ⑤ 225

56 출제율 85%

오른쪽 그림에서 두 직각삼각형 ABE와 CDB는 서로 합동이고, 세 점 A, B, C는 일직선 위에 있다. $\overline{AB}=4$ cm, $\triangle BDE=10$ cm²일 때, 사다리꼴 ACDE의 넓이는?

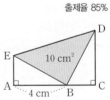

① 12 cm² ② 18 cm² ③ 20 cm²
④ 24 cm² ⑤ 36 cm²

이것만 봐도 **70점!**

01 오른쪽 그림의 두 직각삼각형에서 x, y의 값을 각각 구하여라.

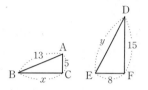

02 형식이와 보라는 학교에서 공원까지 가려고 하는데 다음 그림과 같이 서로 다른 길을 이용하여 걸어간 후 공원에서 만나기로 하였다. 형식이는 보라보다 몇 m 더 걸었는지 구하여라.

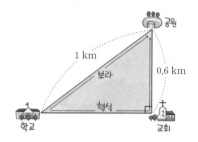

03 오른쪽 그림과 같이 $\angle B = 90°$인 직각삼각형 ABC에서 x^2의 값은?

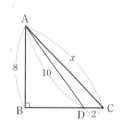

① 100   ② 121
③ 128   ④ 169
⑤ 192

04 오른쪽 그림과 같이 $\angle A = 90°$인 직각삼각형 ABC에서 점 G는 무게중심이다. $\overline{AC} = 9$ cm, $\overline{AG} = 5$ cm일 때, $\overline{AB}$의 길이는?

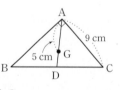

① 16 cm   ② 15 cm   ③ 14 cm
④ 12 cm   ⑤ 9 cm

05 오른쪽 그림에서 $\overline{OA} = \overline{AB} = \overline{BC} = \overline{CD} = \overline{DE} = \overline{EF}$이고, $\overline{OF}^2 = 24$일 때, $\overline{OA}$의 길이는?

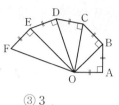

① 1   ② 2   ③ 3
④ 4   ⑤ 5

06 오른쪽 그림에서 $x+y$의 값은?

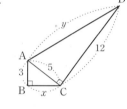

① 16   ② 17
③ 18   ④ 19
⑤ 20

07 오른쪽 그림과 같은 정사각형 ABCD에서 $\overline{AE} = \overline{BF} = \overline{CG} = \overline{DH} = 2$ cm이고 □EFGH의 넓이가 29 cm²일 때, □ABCD의 넓이를 구하여라.

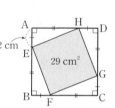

08 오른쪽 그림은 $\angle A = 90°$이고, $\overline{AB} = 8$, $\overline{BC} = 17$인 직각삼각형 ABC와 그와 합동인 삼각형 3개를 맞추어 정사각형 BCFG를 만든 것이다. △ABC의 넓이를 a, □ADEH의 넓이를 b라 할 때, $a-b$의 값은?

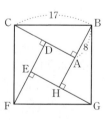

① 9   ② 10   ③ 11
④ 12   ⑤ 13

09 오른쪽 그림과 같이 $\angle A=90°$, $\overline{AB}=9$, $\overline{AC}=6$인 직각삼각형 ABC의 각 변을 한 변으로 하는 정사각형을 그렸다. △JFK의 넓이를 a, △JKG의 넓이를 b라 할 때, $\dfrac{a}{b}$의 값을 구하여라.

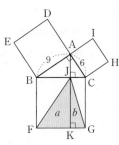

10 세 변의 길이가 보기 와 같은 삼각형 중에서 예각삼각형은 모두 몇 개인가?

보기
ㄱ. 7 cm, 8 cm, 10 cm
ㄴ. 9 cm, 12 cm, 15 cm
ㄷ. 2 cm, 3 cm, 4 cm
ㄹ. 5 cm, 12 cm, 13 cm
ㅁ. 4 cm, 7 cm, 9 cm

① 1개　　　② 2개　　　③ 3개
④ 4개　　　⑤ 5개

11 △ABC에 대한 다음 설명 중 옳지 <u>않은</u> 것은?
(단, $\overline{AB}=c$, $\overline{BC}=a$, $\overline{CA}=b$)

① $a^2+b^2=c^2$이면 △ABC는 직각삼각형이다.
② $a^2+b^2<c^2$이면 △ABC는 둔각삼각형이다.
③ $a^2+b^2>c^2$이면 △ABC는 예각삼각형이다.
④ $\angle C>90°$이면 $a^2+b^2<c^2$이다.
⑤ $\angle C<90°$이면 $a^2+b^2>c^2$이다.

12 오른쪽 그림과 같이 직사각형 모양으로 서연, 준희, 예나, 민경이의 집이 위치하고 있다. 점 O에 위치한 마트에서 서연, 준희, 예나, 민경이네 집까지의 거리가 각각 8 km, 7 km, 6 km, x km일 때, x^2의 값은?

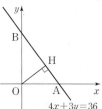

① 49　　　② 50　　　③ 51
④ 52　　　⑤ 53

13 오른쪽 그림과 같이 좌표평면 위의 원점 O에서 일차방정식 $4x+3y=36$의 그래프에 내린 수선의 발을 H라 할 때, $\overline{OH}$의 길이는?

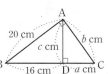

① 7.1　　　② 7.2
③ 7.3　　　④ 7.4
⑤ 7.5

14 오른쪽 그림과 같이 $\angle A=90°$인 직각삼각형 ABC에서 $\overline{AD}\perp\overline{BC}$이고 $\overline{AB}=20$ cm, $\overline{BD}=16$ cm 일 때, $a+b+c$의 값은?

① 24　　　② 36　　　③ 40
④ 45　　　⑤ 48

15 오른쪽 그림과 같이 $\angle B=90°$인 직각삼각형 ABC의 각 변을 지름으로 하는 세 반원의 넓이를 각각 P, Q, R라 하자. $Q=18\pi$ cm², $R=50\pi$ cm²일 때, $\overline{BC}$의 길이를 구하여라.

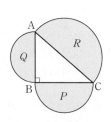

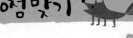

꼭! 맞고 상위권 진입 **90점!**

16 오른쪽 그림과 같이
∠A=90°인 △ABC에서
$\overline{AB}:\overline{BC}=4:5$이고,
$\overline{AC}=15$일 때, $\overline{AB}$, $\overline{BC}$의
길이의 합은?

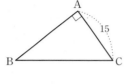

① 35   ② 40   ③ 42
④ 45   ⑤ 54

17 오른쪽 그림과 같이 한 변의
길이가 20인 정사각형
ABCD에서 점 E는 $\overline{DC}$ 위의
점이고, 점 F는 $\overline{BE}$의 연장선
과 $\overline{AD}$의 연장선의 교점이다.
$\overline{BE}=25$일 때, △DEF의 둘레의 길이는?

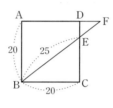

① 10   ② 15   ③ 20
④ 23   ⑤ 25

18 오른쪽 그림과 같이 직각
삼각형 ABC의 직각을
낀 두 변 AB, AC 위에
각각 점 D, E가 있다.
$\overline{BE}^2=72$, $\overline{AE}=3$, $\overline{EC}=6$일 때, $\dfrac{1}{6}(\overline{DC}^2-\overline{DE}^2)$의
값은?

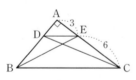

① 8   ② 9   ③ 10
④ 11   ⑤ 12

19 오른쪽 그림과 같이 넓이가 각
각 36 cm²와 4 cm²인 두 개의
정사각형을 붙여놓았을 때,
x의 값은?

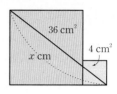

① 10   ② 12
③ 15
④ 20   ⑤ 25

1등급 만점도전 **100점!**

20 오른쪽 그림에서 $\overline{AD}=6$ cm,
$\overline{AB}=17$ cm, $\overline{BC}=14$ cm인
사다리꼴 ABCD의 넓이는?

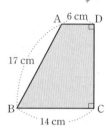

① 90 cm²   ② 100 cm²
③ 120 cm²   ④ 150 cm²
⑤ 175 cm²

21 오른쪽 그림과 같이 직각삼각
형 ABC의 각 변을 지름으로
하는 반원을 그렸다. $\overline{AB}$를 지
름으로 하는 반원의 넓이가
8π cm², $\overline{AC}$를 지름으로 하는 반원의 넓이가
$\dfrac{9}{8}\pi$ cm²일 때, 색칠한 부분의 넓이를 구하여라.

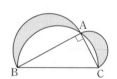

단계형

22 오른쪽 그림과 같이 ∠C=90°인 □ABCD에서 대각선 BD를 그었더니 ∠ABD=90°이었다. $\overline{AB}=25$ cm, $\overline{BC}=36$ cm, $\overline{CD}=48$ cm일 때, $x+y$의 값을 구하여라. [5점]

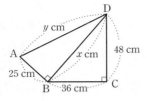

　（1단계） x의 값 구하기 [2점]

　（2단계） y의 값 구하기 [2점]

　（3단계） $x+y$의 값 구하기 [1점]

단계형

23 오른쪽 그림의 □ABCD에서 두 대각선 AC, BD가 직교한다. $\overline{AB}=5$ cm, $\overline{BC}=7$ cm, $\overline{AD}=4$ cm, $\overline{CO}=6$ cm일 때, △CDO의 넓이를 구하여라. [5점]

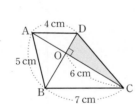

　（1단계） $\overline{CD}^2$의 값 구하기 [2점]

　（2단계） $\overline{DO}$의 길이 구하기 [2점]

　（3단계） △CDO의 넓이 구하기 [1점]

사고력

24 오른쪽 그림과 같은 직사각형 ABCD의 두 꼭짓점 A, C에서 대각선 BD 위에 내린 수선의 발을 각각 E, F라 할 때, $\overline{EF}$의 길이를 구하여라. (단, $\overline{AD}=16$ cm, $\overline{AB}=12$ cm) [6점]

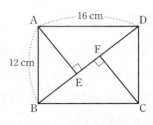

사고력

25 길이가 각각 8 cm, 17 cm, a cm인 3개의 막대를 이용하여 직각삼각형을 만들려고 한다. 가능한 a^2의 값의 합을 구하여라. [7점]

시험에 꼭 나오는 핵심개념

01 사건과 경우의 수

(1) 사건 : 실험이나 관찰에 의하여 일어나는 결과
(2) 경우의 수 : 어떤 사건이 일어날 수 있는 모든 가지의 수

예 한 개의 동전을 던질 때, '앞면이 나온다.' 는 사건이고, 그 경우의 수는 1가지이다.

포인트개념

- 한 개의 동전을 던질 때, 일어나는 모든 경우의 수 ➡ 2가지
- 한 개의 주사위를 던질 때, 일어나는 모든 경우의 수 ➡ 6가지

예제 1

주머니 속에 1부터 10까지의 수가 각각 적힌 10개의 공이 들어 있다. 이 주머니에서 한 개의 공을 꺼낼 때, 다음을 구하여라.

(1) 소수가 적힌 공이 나오는 경우의 수
(2) 짝수가 적힌 공이 나오는 경우의 수

02 사건 A 또는 사건 B가 일어나는 경우의 수 – 합의 법칙

두 사건 A, B가 동시에 일어나지 않을 때, 사건 A가 일어나는 경우의 수가 m가지이고, 사건 B가 일어나는 경우의 수가 n가지이면 사건 A 또는 사건 B가 일어나는 경우의 수는 $m+n$(가지)

예 한 개의 주사위를 던질 때, 2보다 작거나 4보다 큰 수의 눈이 나올 경우의 수는
$$1+2=3(가지)$$

포인트개념

- 일반적으로 '~ 또는', '~이거나' 등의 표현이 있으면 합의 법칙을 이용한다.

예제 2

1개의 주사위를 던질 때, 다음을 구하여라.

(1) 3보다 작은 수의 눈 또는 5 이상의 눈이 나오는 경우의 수
(2) 2의 배수의 눈 또는 5의 약수의 눈이 나오는 경우의 수

03 두 사건 A, B가 동시에 일어나는 경우의 수 – 곱의 법칙

사건 A가 일어나는 경우의 수가 m가지이고, 그 각각의 경우에 대하여 사건 B가 일어나는 경우의 수가 n가지이면 두 사건 A, B가 동시에 일어나는 경우의 수는 $m \times n$(가지)

예 티셔츠 3종류와 바지 4종류 중에서 티셔츠와 바지를 각각 1종류씩 짝지어 입을 수 있는 경우의 수는 $3 \times 4 = 12$(가지)

포인트개념

- 일반적으로 '~이고', '동시에' 등의 표현이 있으면 곱의 법칙을 이용한다.

예제 3

재석이네 학교에서 야구 동아리를 만들었다. 5명이 투수에, 2명이 포수에 지원하였을 때, 투수와 포수를 구성하는 경우의 수를 구하여라.

04 동전, 주사위 던지기

(1) 서로 다른 m개의 동전을 동시에 던질 때, 일어날 수 있는 모든 경우의 수는 2^m(가지)

  예 서로 다른 3개의 동전을 동시에 던질 때, 일어날 수 있는 모든 경우의 수는 $2^3=8$(가지)

(2) 서로 다른 n개의 주사위를 동시에 던질 때, 일어날 수 있는 모든 경우의 수는 6^n(가지)

  예 서로 다른 2개의 주사위를 동시에 던질 때, 일어날 수 있는 모든 경우의 수는 $6^2=36$(가지)

(3) 서로 다른 m개의 동전과 n개의 주사위를 동시에 던질 때, 일어날 수 있는 모든 경우의 수는 $2^m \times 6^n$(가지)

  예 서로 다른 3개의 동전과 2개의 주사위를 동시에 던질 때, 일어날 수 있는 모든 경우의 수는 $2^3 \times 6^2 = 8 \times 36 = 288$(가지)

포인트개념

• (서로 다른 동전 2개를 동시에 던진다.)
  =(서로 다른 동전 2개를 하나씩 던진다.)
  =(동전 1개를 두 번 연속하여 던진다.)

예제 4

다음 사건이 일어나는 경우의 수를 구하여라.

(1) 서로 다른 동전 2개를 동시에 던질 때
(2) 서로 다른 주사위 2개를 동시에 던질 때
(3) 서로 다른 동전 2개와 주사위 2개를 동시에 던질 때

05 한 줄로 세우는 경우의 수

(1) n명을 한 줄로 세우는 경우의 수는 $n \times (n-1) \times (n-2) \times \cdots \times 2 \times 1$(가지)

  예 A, B, C, D 4명을 한 줄로 세우는 경우의 수는 $4 \times 3 \times 2 \times 1 = 24$(가지)

(2) n명 중에서 2명을 뽑아 한 줄로 세우는 경우의 수는 $n \times (n-1)$(가지)

  예 A, B, C, D 4명 중에서 2명을 뽑아 한 줄로 세우는 경우의 수는 $4 \times 3 = 12$(가지)

(3) n명 중에서 3명을 뽑아 한 줄로 세우는 경우의 수는 $n \times (n-1) \times (n-2)$(가지)

  예 A, B, C, D 4명 중에서 3명을 뽑아 한 줄로 세우는 경우의 수는 $4 \times 3 \times 2 = 24$(가지)

포인트개념

• n명을 한 줄로 세우는 경우의 수
  ➡ $n \times (n-1) \times (n-2) \times \cdots \times 2 \times 1$(가지)
    └ 2명을 뽑고 남은 $(n-2)$명 중에서 1명을 뽑는 경우의 수
    └ 1명을 뽑고 남은 $(n-1)$명 중에서 1명을 뽑는 경우의 수
    └ n명 중에서 1명을 뽑는 경우의 수

• n명 중 k명을 뽑아 한 줄로 세우는 경우의 수
  ➡ $n \times (n-1) \times (n-2) \times \cdots \times (n-k+1)$(가지)

예제 5

다음을 구하여라.

(1) A, B, C, D, E 5명을 한 줄로 세우는 경우의 수
(2) A, B, C, D, E 5명 중에서 2명을 뽑아 한 줄로 세우는 경우의 수

06 일부를 고정하고 한 줄로 세우는 경우의 수

① 자리가 정해진 사람을 먼저 고정시킨다.
② 나머지를 한 줄로 세우는 경우의 수를 구한다.

예 A, B, C, D 4명을 일렬로 세울 때
  (i) C가 맨 마지막에 서는 경우의 수는

$$
\left.\begin{array}{l}
ABDC \\
ADBC \\
BADC \\
BDAC \\
DABC \\
DBAC
\end{array}\right\} 6가지
$$

  (ii) C가 맨 마지막에 서는 경우의 수는
    $3 \times 2 \times 1 = 6$(가지)

포인트개념

- n명 중에서 A가 특정한 위치에 서는 경우의 수
  ➡ A를 특정한 위치에 고정시킨 후, $(n-1)$명을 한 줄로 세우는 경우의 수와 같다.
  ➡ $(n-1) \times (n-2) \times (n-3) \times \cdots \times 2 \times 1$(가지)
- n명 중에서 A, B가 특정한 위치에 서는 경우의 수
  ➡ A, B를 특정한 위치에 고정시킨 후, $(n-2)$명을 한 줄로 세우는 경우의 수와 같다.
  ➡ $(n-2) \times (n-3) \times (n-4) \times \cdots \times 2 \times 1$(가지)

예제 6

A, B, C, D, E 5명을 한 줄로 세울 때, 다음을 구하여라.

(1) A가 맨 앞에 서는 경우의 수
(2) C가 맨 앞에, D가 맨 뒤에 서는 경우의 수

07 한 줄로 세울 때, 이웃하여 서는 경우의 수

① 이웃하는 것을 하나로 묶어서 한 줄로 세우는 경우의 수를 구한다.
② 묶음 안(이웃하는 것)에서 한 줄로 세우는 경우의 수를 구한다.
③ ①에서 구한 경우의 수와 ②에서 구한 경우의 수를 곱한다.

예 A, B, C, D를 한 줄로 세울 때, A, B 두 사람이 이웃하여 서는 경우의 수는 다음과 같다.

① A, B를 묶어서 한 사람으로 생각하여 (A, B), C, D를 한 줄로 세우는 경우의 수는
  $3 \times 2 \times 1 = 6$(가지)
② A, B를 한 줄로 세우는 경우의 수는 $2 \times 1 = 2$(가지)
③ 구하는 경우의 수는 ①, ②에서 $6 \times 2 = 12$(가지)

포인트개념

- (한 줄로 세울 때, 이웃하여 서는 경우의 수)
  ➡ (이웃하는 것을 하나로 묶어서 한 줄로 세우는 경우의 수)
    × (묶음 안에서 한 줄로 세우는 경우의 수)

예제 7

다음을 구하여라.

(1) A, B, C, D 4명을 한 줄로 세울 때, A, B, C가 이웃하여 서는 경우의 수
(2) A, B, C, D, E 5명을 한 줄로 세울 때, D, E가 이웃하여 서는 경우의 수

08 정수 만들기

(1) 0이 아닌 서로 다른 한 자리 숫자가 각각 적힌 n장의 카드 중에서 2장을 뽑아 만들 수 있는 두 자리 정수의 개수는 $n \times (n-1)$(개)

> **예** 1에서 4까지의 자연수가 각각 적힌 4장의 카드 중에서 2장을 뽑아 만들 수 있는 두 자리 정수의 개수는 다음과 같다.
> ① 십의 자리에 올 수 있는 숫자는 4가지
> ② 일의 자리에 올 수 있는 숫자는 십의 자리에 사용한 숫자를 제외한 3가지
> ③ 구하는 개수는 ①, ②에서 $4 \times 3 = 12$(개)

(2) 0을 포함한 서로 다른 한 자리 숫자가 각각 적힌 n장의 카드 중에서 2장을 뽑아 만들 수 있는 두 자리 정수의 개수는 $(n-1) \times (n-1)$(개)

> **주의!** 맨 앞 자리에는 0이 올 수 없다.

> **예** 0에서 2까지의 숫자가 각각 적힌 3장의 카드 중에서 2장을 뽑아 만들 수 있는 두 자리 정수의 개수는 다음과 같다.
> ① 십의 자리에 올 수 있는 숫자는 0을 제외한 2가지
> ② 일의 자리에 올 수 있는 숫자는 십의 자리에 사용한 숫자를 제외한 2가지
> ③ 구하는 개수는 ①, ②에서 $2 \times 2 = 4$(개)

포인트개념
- 서로 다른 한 자리 숫자가 각각 적힌 n장의 카드 중에서 3장을 뽑아 만들 수 있는 세 자리 정수의 개수
  ① 0이 포함되지 않은 경우 ➡ $n \times (n-1) \times (n-2)$(개)
  ② 0이 포함된 경우 ➡ $(n-1) \times (n-1) \times (n-2)$(개)

예제 8
다음을 구하여라.
(1) 1에서 5까지의 자연수가 각각 적힌 5장의 카드 중에서 2장을 뽑아 만들 수 있는 두 자리 정수의 개수
(2) 0에서 4까지의 숫자가 각각 적힌 5장의 카드 중에서 2장을 뽑아 만들 수 있는 두 자리 정수의 개수

09 대표 뽑기

(1) n명 중에서 자격이 다른 2명의 대표를 뽑는 경우의 수는 $n \times (n-1)$(가지)

> **예** 3명 중에서 회장 1명, 부회장 1명을 뽑는 경우의 수는 $3 \times 2 = 6$(가지)

(2) n명 중에서 자격이 같은 2명의 대표를 뽑는 경우의 수는 $\dfrac{n \times (n-1)}{2}$(가지)

> **예** 3명 중에서 대의원 2명을 뽑는 경우의 수는 $\dfrac{3 \times 2}{2} = 3$(가지)

포인트개념
- n명 중에서 3명의 대표를 뽑는 경우의 수
  ① 자격이 다른 대표일 때 ➡ $n \times (n-1) \times (n-2)$(가지)
  ② 자격이 같은 대표일 때 ➡ $\dfrac{n \times (n-1) \times (n-2)}{6}$(가지)
- 자격이 다른 대표를 뽑는 경우의 수는 한 줄로 세우는 경우의 수와 동일한 방법으로 구한다.
- 자격이 같은 대표를 뽑을 때에는 순서를 생각하지 않으므로 동일한 경우의 수만큼 나누어 준다.

예제 9
다음을 구하여라.
(1) 지은, 수지, 재경, 은지, 나은 5명의 학생 중에서 회장 1명, 부회장 1명을 뽑는 경우의 수
(2) 정국, 선호, 기현, 민호 4명의 학생 중에서 대표 2명을 뽑는 경우의 수

대표유형 사건과 경우의 수

01 서로 다른 세 개의 동전을 동시에 던질 때, 한 개의 동전만 앞면이 나오는 경우의 수는?

① 2가지   ② 3가지   ③ 4가지
④ 5가지   ⑤ 6가지

출제율 95%

02 (하) 주머니 속에 1부터 15까지의 수가 각각 적힌 15개의 공이 있다. 이 중 한 개의 공을 꺼낼 때, 소수가 적힌 공이 나오는 경우의 수는?

① 2가지   ② 3가지   ③ 4가지
④ 5가지   ⑤ 6가지

출제율 95%

03 (중) 두 개의 주사위 A, B를 동시에 던질 때, 나오는 두 눈의 수의 합이 6인 경우의 수는?

① 2가지   ② 3가지   ③ 4가지
④ 5가지   ⑤ 6가지

출제율 90%

04 (중) 한 개의 주사위를 두 번 던져서 처음에 나온 눈의 수를 x, 나중에 나온 눈의 수를 y라 할 때, $2x+y=9$일 경우의 수는?

① 1가지   ② 2가지   ③ 3가지
④ 4가지   ⑤ 5가지

대표유형 돈을 지불하는 방법의 수

05 민지는 가게에서 800원짜리 음료수를 사려고 한다. 50원짜리 동전 8개와 100원짜리 동전 7개를 가지고 있을 때, 음료수의 값을 지불하는 방법은 모두 몇 가지인가?

① 2가지   ② 3가지   ③ 4가지
④ 5가지   ⑤ 6가지

내신 UP POINT
동전으로 값을 지불하는 방법의 수를 구할 때에는 액수가 큰 동전의 개수를 먼저 정한다.

출제율 95%

06 (중) 50원, 100원, 500원짜리 동전이 각각 5개씩 있다. 이 동전을 사용하여 2150원을 지불하는 방법은 모두 몇 가지인가?

① 2가지   ② 3가지   ③ 4가지
④ 5가지   ⑤ 6가지

출제율 90%

07 (상) 500원, 50원, 10원짜리 동전이 각각 2개씩 있을 때, 세 가지 동전을 하나 이상씩 사용하여 지불할 수 있는 금액은 모두 몇 가지인가?

① 4가지   ② 5가지   ③ 6가지
④ 7가지   ⑤ 8가지

출제율 95%

대표유형 사건 A 또는 사건 B가 일어나는 경우의 수

08 1에서 10까지의 수가 각각 적힌 10장의 카드 중에서 한 장을 뽑을 때, 그 카드의 수가 3의 배수 또는 4의 배수일 경우의 수는?

① 2가지   ② 3가지   ③ 5가지
④ 6가지   ⑤ 10가지

12 모양과 색깔이 서로 다른 윗옷 5가지와 바지 3가지가 있을 때, 윗옷과 바지를 짝지어 입는 방법은 모두 몇 가지인가?

① 2가지   ② 4가지   ③ 8가지
④ 10가지   ⑤ 15가지

출제율 95%

09 주머니 속에 빨간 공 2개, 파란 공 4개, 노란 공 6개가 들어 있다. 공을 하나 꺼낼 때, 빨간 공이거나 노란 공일 경우의 수는?

① 5가지   ② 6가지   ③ 7가지
④ 8가지   ⑤ 10가지

출제율 95%

13 수빈이와 수현이가 가위바위보를 할 때, 일어날 수 있는 모든 경우의 수는?

① 5가지   ② 6가지   ③ 7가지
④ 8가지   ⑤ 9가지

출제율 95%

10 두 개의 주사위 A, B를 동시에 던질 때, 나오는 두 눈의 수의 합이 4 또는 5인 경우의 수를 구하여라.

A   B

출제율 95%

14 서로 다른 두 개의 주사위를 동시에 던질 때, 나오는 두 눈의 수의 곱이 홀수가 되는 경우의 수는?

① 1가지   ② 2가지   ③ 3가지
④ 6가지   ⑤ 9가지

대표유형 두 사건 A, B가 동시에 일어나는 경우의 수

11 자음 ㄱ, ㄴ, ㄷ이 각각 적힌 카드 3장과 모음 ㅏ, ㅓ, ㅗ, ㅜ가 각각 적힌 카드 4장이 있다. 자음 카드와 모음 카드 중 각각 1장의 카드를 뽑아 만들 수 있는 글자는 모두 몇 가지인가?

① 3가지   ② 4가지   ③ 8가지
④ 12가지   ⑤ 24가지

대표유형 교통수단 또는 길 선택하기

15 현진이네 집에서 병규네 집으로 가는 버스 노선은 3가지, 지하철 노선은 2가지가 있다. 현진이네 집에서 병규네 집까지 갈 때, 버스 또는 지하철을 타고 가는 방법은 모두 몇 가지인지 구하여라.

출제율 95%

16 혜성이네 집에서 할머니 댁에 가는 버스 노선이 4가지, 지하철 노선이 3가지일 때, 혜성이가 할머니 댁에 버스 또는 지하철을 타고 가는 방법은 모두 몇 가지인지 구하여라.

출제율 95%

20 따뜻한 음료수 5종류와 차가운 음료수 6종류가 있는 자동판매기에서 음료수 한 종류를 선택하는 방법은 모두 몇 가지인지 구하여라.

출제율 95%

17 정상까지의 등산로가 5가지인 어떤 산에서 올라갈 때와 내려올 때의 길을 다르게 하여 등산하는 방법은 모두 몇 가지인가?

① 8가지　　　② 10가지　　　③ 12가지
④ 16가지　　　⑤ 20가지

출제율 95%

21 과자 8종류와 음료수 9종류 중에서 과자와 음료수를 각각 1종류씩 사는 경우의 수는?

① 17가지　　　② 18가지　　　③ 64가지
④ 70가지　　　⑤ 72가지

출제율 90%

18 오른쪽 그림과 같이 네 마을 A, B, C, D를 연결하는 길이 있다. A 마을에서 C 마을로 가는 방법은 모두 몇 가지인가? (단, 한 번 지나간 마을은 다시 지나가지 않는다.)

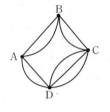

① 4가지　　　② 6가지　　　③ 10가지
④ 12가지　　　⑤ 16가지

대표유형 동전, 주사위 던지기

22 서로 다른 주사위 3개를 동시에 던질 때, 일어날 수 있는 모든 경우의 수를 구하여라.

대표유형 물건 선택하기

19 서로 다른 국어 참고서 6권과 서로 다른 수학 참고서 7권이 있다. 이 중에서 국어 참고서와 수학 참고서를 각각 한 권씩 선택하는 방법은 모두 몇 가지인지 구하여라.

출제율 95%

23 서로 다른 동전 4개와 주사위 1개를 동시에 던질 때, 일어날 수 있는 모든 경우의 수를 구하여라.

24 두 개의 동전 A, B와 한 개의 주사위를 동시에 던질
때, 두 개의 동전은 앞면과 뒷면이 한 개씩 나오고 주
사위는 6의 약수가 나오는 경우의 수는?

① 1가지   ② 2가지   ③ 3가지

④ 8가지   ⑤ 9가지

**대표
유형** **한 줄로 세우는 경우의 수**

25 민아, 윤서, 정인, 동욱 네 사람을 한 줄로 세우는
경우의 수를 구하여라.

---

26 종류가 다른 음료수 5개 중에서 3개를 골라 한 줄로
세우는 경우의 수를 구하여라.

**대표
유형** **일부를 고정하고 한 줄로 세우는 경우의 수**

27 A, B, C, D, E 다섯 명을 일렬로 세울 때, C가 한
가운데에 서게 하는 경우의 수는?

① 5가지   ② 6가지   ③ 12가지

④ 15가지   ⑤ 24가지

---

28 아버지, 어머니, 형, 나, 동생 모두 5명이 일렬로 설
때, 아버지, 어머니가 양 끝에 서는 경우의 수는?

① 5가지   ② 6가지   ③ 12가지

④ 15가지   ⑤ 60가지

---

29 알파벳 f, a, m, i, l, y가 각각 적혀 있는 6개의 카드
를 일렬로 배열할 때, a 또는 i가 적혀 있는 카드가 맨
앞에 오는 경우의 수를 구하여라.

**대표
유형** **한 줄로 세울 때, 이웃하여 서는 경우의 수**

30 아버지, 어머니, 민경, 동생이 한 줄로 서서 가족사
진을 찍을 때, 부모가 서로 이웃하여 서는 경우의
수는?

① 4가지   ② 6가지   ③ 10가지

④ 12가지   ⑤ 24가지

> **내신 UP POINT**
> (한 줄로 세울 때, A, B가 이웃하여 서는 경우의 수)
> =(A, B를 한 사람으로 보고 한 줄로 세우는 경우의 수)
>   ×(A, B가 한 줄로 서는 경우의 수)

---

31 A, B, C, D, E 5명이 한 줄로 설 때, B, C, E 세 사
람이 이웃하여 서는 경우의 수는?

① 6가지   ② 20가지   ③ 36가지

④ 60가지   ⑤ 120가지

32 (상)

출제율 85%

남학생 3명, 여학생 3명이 일렬로 설 때, 남학생은 남학생끼리 여학생은 여학생끼리 이웃하여 서는 경우의 수는?

① 24가지 ② 36가지 ③ 48가지
④ 60가지 ⑤ 72가지

대표유형 정수 만들기 – 0이 포함되지 않은 경우

33

1, 2, 3, 4, 5, 6의 숫자가 각각 적힌 6장의 숫자 카드 중에서 2장을 뽑아 만들 수 있는 두 자리 정수의 개수를 구하여라.

내신 UP POINT
0이 아닌 서로 다른 한 자리 숫자가 각각 적힌 n장의 카드 중에서 2장을 뽑아 만들 수 있는 두 자리 정수의 개수는 n명 중 2명을 뽑아서 한 줄로 세우는 경우의 수와 같다.

---

34 (중)

출제율 90%

1, 2, 3, 4의 숫자가 각각 적힌 4장의 숫자 카드 중에서 2장을 뽑아 만들 수 있는 두 자리 정수 중 24보다 작은 수의 개수는?

① 4개 ② 5개 ③ 6개
④ 7개 ⑤ 8개

---

35 (상)

출제율 85%

1에서 5까지의 숫자가 각각 하나씩 적힌 숫자 카드 5장 중에서 3장을 뽑아 세 자리 정수를 만들 때, 짝수의 개수를 구하여라.

대표유형 정수 만들기 – 0이 포함된 경우

36

0, 1, 2, 3의 숫자가 각각 적힌 4장의 숫자 카드 중에서 2장을 뽑아 만들 수 있는 두 자리 정수의 개수를 구하여라.

내신 UP POINT
0이 포함된 경우에는 맨 앞 자리에 0이 올 수 없다.

---

37 (중)

출제율 95%

0, 1, 2, 3, 4의 숫자가 각각 적힌 5장의 숫자 카드 중에서 2장을 뽑아 만들 수 있는 두 자리 정수 중 31보다 큰 수의 개수는?

① 4개 ② 5개 ③ 6개
④ 7개 ⑤ 8개

---

38 (상)

출제율 80%

0, 1, 2, 3, 4의 숫자 중에서 3개의 숫자를 선택하여 세 자리 정수를 만들려고 한다. 같은 숫자를 여러 번 사용해도 될 때, 만들 수 있는 세 자리 정수의 개수는?

① 60개 ② 70개 ③ 80개
④ 90개 ⑤ 100개

대표유형 자격이 다른 대표 뽑기

39

동현이네 학교에서 올해 학생회장 선거에 5명의 후보가 출마하였다. 회장 1명, 부회장 1명, 총무 1명을 뽑는 경우의 수는?

① 8가지 ② 12가지 ③ 16가지
④ 24가지 ⑤ 60가지

40
상

교내 육상 대회에 참가할 선수 3명을 뽑는데 남자 4명, 여자 3명이 지원하였다. 이 중 이어달리기 선수는 남자 중에서 1명, 높이뛰기 선수는 남녀 중에서 각각 1명씩 뽑는 경우의 수는?

① 6가지　② 12가지　③ 18가지
④ 24가지　⑤ 36가지

출제율 85%

대표유형 자격이 같은 대표 뽑기

41

교내 토론 대회에서 입상한 5명의 학생 중 3명의 학생을 뽑아 학교 대표로 전국 토론 대회에 참가시키려고 한다. 이때 3명의 학생을 뽑는 경우의 수는?

① 2가지　② 3가지　③ 6가지
④ 9가지　⑤ 10가지

출제율 95%

42
중

연정이를 포함하여 8명으로 구성된 어떤 동아리에서 역사 탐방 답사를 떠날 3명을 뽑으려고 한다. 이때 연정이가 답사를 가게 되는 경우의 수는?

① 15가지　② 18가지　③ 21가지
④ 24가지　⑤ 27가지

출제율 90%

43
상

남학생 3명, 여학생 3명인 어느 모임에서 남학생 1명과 여학생 2명을 대표로 뽑는 방법은 모두 몇 가지인가?

① 2가지　② 3가지　③ 6가지
④ 9가지　⑤ 18가지

대표유형 대표 뽑기의 활용

44

여섯 팀이 출전한 축구 대회에서 각각 서로 한 번씩 시합을 하려고 한다. 모두 몇 번의 경기가 치뤄지는지 구하여라.

내신 UP POINT

(1) n개의 축구팀이 각각 서로 한 번씩 경기를 할 때, 치뤄지는 총 경기 수
(2) n명의 사람이 한 사람도 빠짐없이 서로 악수를 할 때, 이뤄지는 악수의 총 횟수
➡ (1), (2)는 n명 중에서 자격이 같은 2명의 대표를 뽑는 경우의 수와 같으므로 $\dfrac{n \times (n-1)}{2}$ (가지)

출제율 95%

45
중

다섯 명의 사람이 서로 빠짐없이 한 번씩 악수를 할 때, 악수를 모두 몇 번 하게 되는지 구하여라.

대표유형 색칠하기

46

오른쪽 그림과 같은 원 모양의 판에 빨강, 파랑, 주황의 3가지 색을 칠하려고 한다. A, B, C 세 부분에 서로 다른 색을 칠하는 방법은 모두 몇 가지인지 구하여라.

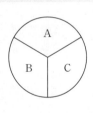

출제율 90%

47
중

오른쪽 그림과 같이 A, B, C, D 네 부분으로 나누어진 종이에 서로 다른 4가지 색을 칠할 때, 서로 이웃한 부분은 다른 색을 칠하는 경우의 수는? (단, 같은 색을 여러 번 사용해도 된다.)

① 8가지　② 16가지　③ 24가지
④ 40가지　⑤ 48가지

출제율 80%

48 오른쪽 그림의 A, B, C, D에 빨
강, 주황, 노랑, 초록, 파랑의 5가
지 색 중 4가지 색을 골라 서로
다른 색을 칠할 때, 노란색을 반
드시 칠하는 경우의 수는?

① 64가지　　② 76가지　　③ 84가지

④ 96가지　　⑤ 102가지

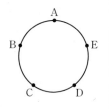

대표유형 **윷놀이하기**

49 4개의 윷짝을 동시에 던질 때, 걸이 나오는 경우의
수는?

① 2가지　　② 3가지　　③ 4가지

④ 5가지　　⑤ 6가지

내신 UP POINT

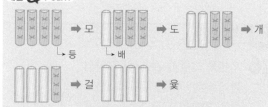

윷놀이에서의 경우의 수는 4개의 윷짝 중 배가 나오는 윷짝을
뽑는 경우의 수와 같다.

출제율 95%

50 4개의 윷짝을 동시에 던질 때, 개가 나오는 경우의 수
는?

① 6가지　　② 8가지　　③ 10가지

④ 12가지　　⑤ 14가지

대표유형 **선분, 삼각형의 개수 구하기**

51 오른쪽 그림과 같이 원 위에
5개의 점이 있다. 이 점들 중
세 점을 꼭짓점으로 하는 삼
각형은 모두 몇 개인가?

① 5개　　② 10개

③ 20개　　④ 30개

⑤ 60개

내신 UP POINT

한 원 위에 있는 서로 다른 n개의 점 중에서
(1) 두 점을 이어 만든 선분의 개수는

$$\frac{n\times(n-1)}{2}(개)$$

(2) 세 점을 이어 만든 삼각형의 개수는

$$\frac{n\times(n-1)\times(n-2)}{3\times2\times1}(개)$$

출제율 95%

52 오른쪽 그림의 원 위의 4개의
점 중에서 2개의 점을 선택하
여 만들 수 있는 선분의 총 개
수는?

① 5개　　② 6개

③ 7개　　④ 8개

⑤ 9개

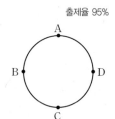

출제율 85%

53 오른쪽 그림과 같이 반원 위에
5개의 점 A, B, C, D, E가 있
다. 이들 중 세 점을 이어서 만
들 수 있는 삼각형의 개수를 구
하여라.

개념 UP > 01 기타 경우의 수

합의 법칙 또는 곱의 법칙을 이용하여 복잡한 경우의 수를 구한다.

출제율 85%

54 토너먼트로 진행되는 어느 축구 대회에 총 16개의 팀
(상) 이 출전하였다. 우승하는 팀이 결정될 때까지 모두 몇 번의 경기를 해야 하는지 구하여라. (단, 토너먼트는 경기 때마다 진 팀을 제외시켜 마지막에 남는 두 팀이 우승을 결정하게 하는 경기 방식이다.)

출제율 85%

55 서로 다른 종류의 수학 참고서 4권과 영어 참고서
(상) 3권 중에서 수학 참고서와 영어 참고서를 각각 2권씩 고르는 경우의 수는?

① 9가지   ② 12가지   ③ 18가지
④ 36가지   ⑤ 72가지

출제율 85%

56 세 사람이 가위바위보를 하여 승부가 결정되는 경우
(상) 의 수는?
① 9가지   ② 15가지   ③ 18가지
④ 21가지   ⑤ 27가지

개념 UP > 02 최단 거리로 가는 방법의 수 구하기

A 지점에서 B 지점을 거쳐 C 지점으로 갈 때, 최단 거리로 가는 방법의 수 구하기
➡ (A 지점에서 B 지점까지의 최단 거리의 수)
　×(B 지점에서 C 지점까지의 최단 거리의 수)

출제율 90%

57 다음 그림과 같은 도로가 있다. 혜진이는 학교에서 출
(상) 발하여 서점에 들러 책을 산 후 집에 가려고 한다. 이때 최단 거리로 가는 방법의 수는?

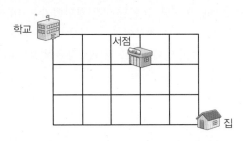

① 10가지   ② 16가지   ③ 18가지
④ 20가지   ⑤ 24가지

출제율 90%

58 다음 그림과 같은 길이 있을 때, A 지점에서 B 지점
(상) 을 거쳐 C 지점으로 길을 따라 최단 거리로 가는 방법은 모두 몇 가지인가?

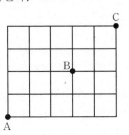

① 30가지   ② 45가지   ③ 60가지
④ 80가지   ⑤ 120가지

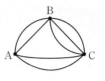

01 다음 중 경우의 수를 옳게 구한 것은?

① 서로 다른 종류의 와이셔츠 3벌과 양복 3벌 중 와이셔츠와 양복을 각각 하나씩 골라 짝지어 입는 경우의 수는 6가지이다.

② 두 사람이 가위바위보를 할 때, 승부가 나는 경우의 수는 9가지이다.

③ 서로 다른 노트 4권 중에서 2권을 고르는 경우의 수는 6가지이다.

④ 서로 다른 동전 2개와 주사위 1개를 동시에 던질 때, 일어날 수 있는 모든 경우의 수는 10가지이다.

⑤ 서로 다른 종류의 한국 영화 2편과 외국 영화 3편 중에서 영화 1편을 고르는 경우의 수는 6가지이다.

02 1부터 20까지의 자연수가 각각 적힌 20장의 카드가 들어 있는 주머니에서 한 장을 꺼낼 때, 20의 약수가 적힌 카드가 나오는 경우의 수는?

① 2가지   ② 6가지   ③ 10가지
④ 12가지   ⑤ 14가지

03 서로 다른 두 개의 주사위를 동시에 던질 때, 나오는 두 눈의 수의 합이 8 이상이 되는 경우의 수는?

① 10가지   ② 12가지   ③ 14가지
④ 15가지   ⑤ 17가지

04 오른쪽 그림과 같이 A, B, C 세 지점이 연결되어 있을 때, A 지점에서 C 지점까지 가는 방법은 모두 몇 가지인가? (단, 같은 지점은 두 번 이상 지나지 않는다.)

① 6가지   ② 8가지   ③ 10가지
④ 14가지   ⑤ 20가지

05 서로 다른 종류의 소설책 3권과 시집 4권이 있다. 이 중에서 소설책 1권과 시집 1권을 선택하는 방법은 모두 몇 가지인가?

① 3가지   ② 4가지   ③ 7가지
④ 12가지   ⑤ 15가지

06 어느 학교의 체육 대회 종목 중 하나인 100 m 달리기에 A, B, C, D 4명의 선수가 출전하였다. 이 4명의 선수가 4개의 레인의 출발선에 서는 방법은 모두 몇 가지인가?

① 4가지   ② 6가지   ③ 12가지
④ 18가지   ⑤ 24가지

07 재석, 동훈, 종국, 석진 4명이 한 줄로 설 때, 재석이와 종국이가 이웃하여 서는 경우의 수는?

① 2가지   ② 6가지   ③ 8가지
④ 12가지   ⑤ 16가지

08 1에서 5까지의 숫자가 각각 적힌 5장의 카드 중에서 2장의 카드를 뽑아 만들 수 있는 두 자리 자연수는 모두 몇 개인가?

① 12개   ② 16개   ③ 20개
④ 24개   ⑤ 28개

09 동현이가 네 자리 수로 휴대폰의 비밀번호를 정하려고 하는 데 첫 번째 자리에는 0이 올 수 없고 각 자리의 숫자는 서로 달라야 한다. 동현이가 뒤의 두 자리 수를 19로 정할 때, 앞의 두 자리 수를 정하는 경우의 수는?

① 30가지   ② 36가지   ③ 42가지
④ 49가지   ⑤ 50가지

10 남학생 3명, 여학생 2명 중에서 대표 3명을 뽑는 경우의 수는?

① 6가지   ② 10가지   ③ 15가지
④ 20가지   ⑤ 30가지

11 어떤 모임에서 각 회원이 나머지 회원들과 빠짐없이 한 번씩 악수를 하였다. 그 결과 모두 21번의 악수를 하였다면 이 모임의 회원은 모두 몇 명인가?

① 7명   ② 8명   ③ 9명
④ 10명   ⑤ 11명

12 오른쪽 그림과 같이 A, B, C 세 부분으로 나누어진 깃발에 빨강, 노랑, 파랑의 3가지 색을 칠하려고 한다. A, B, C에 서로 다른 색을 칠하는 경우의 수는?

① 3가지   ② 6가지   ③ 9가지
④ 12가지   ⑤ 15가지

13 오른쪽 그림과 같이 한 원 위에 있는 6개의 점 중에서 두 점을 연결하여 만들 수 있는 선분의 개수는?

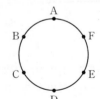

① 12개   ② 13개
③ 14개   ④ 15개
⑤ 16개

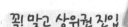

14 1에서 20까지의 수가 각각 적힌 20장의 카드 중에서 임의로 한 장을 뽑을 때, 그 수를 3으로 나눈 나머지가 1 또는 2인 경우는 모두 몇 가지인가?

① 10가지　　② 11가지　　③ 12가지
④ 13가지　　⑤ 14가지

15 오른쪽 그림과 같이 세 도시를 연결하는 도로가 있다. 출근길과 퇴근길을 다르게 하여 A 도시에서 C 도시로 출퇴근하는 경로는 모두 몇 가지인가?

① 14가지　　② 24가지　　③ 72가지
④ 84가지　　⑤ 96가지

16 아버지, 어머니 그리고 3명의 자녀가 일렬로 설 때, 아버지와 어머니가 이웃하지 않게 서는 경우의 수는?

① 36가지　　② 48가지　　③ 60가지
④ 72가지　　⑤ 84가지

17 오른쪽 그림과 같이 평행한 두 직선 위에 각각 3개의 점이 일정한 간격으로 놓여 있다. 이 중 3개의 점을 이어서 만들 수 있는 삼각형은 모두 몇 개인가?

① 15개　　② 16개　　③ 17개
④ 18개　　⑤ 20개

18 오른쪽 그림과 같은 정오각형에서 점 P는 꼭짓점 A에서 출발하여 서로 다른 두 개의 주사위를 던져 나오는 두 눈의 수의 합만큼 시계 반대 방향으로 움직인다고 한다. 서로 다른 두 개의 주사위를 동시에 한 번 던져서 점 P가 점 C에 오게 되는 경우의 수를 구하여라.

19 5개의 의자가 있는 고사실에서 5명의 수험생이 무심코 의자에 앉을 때, 2명만이 자기 수험 번호가 적힌 의자에 앉고, 나머지 3명은 다른 수험 번호가 적힌 의자에 앉는 경우의 수를 구하여라.

단계형

20 각 면에 1에서 12까지의 수가 각각 적혀 있는 정십이면체 모양의 주사위를 1개 던질 때, 3의 배수 또는 5의 배수의 눈이 나오는 경우의 수를 구하여라. [6점]

1단계 3의 배수의 눈이 나오는 경우의 수 구하기 [2점]

2단계 5의 배수의 눈이 나오는 경우의 수 구하기 [2점]

3단계 3의 배수 또는 5의 배수의 눈이 나오는 경우의 수 구하기 [2점]

단계형

21 진희는 볼펜 3종류와 연필 2종류, 자 3종류를 가지고 있을 때, 필기도구 1종류와 자 1종류를 선택하는 경우의 수를 구하여라. [6점]

1단계 필기도구 1종류를 선택하는 경우의 수 구하기 [2점]

2단계 자 1종류를 선택하는 경우의 수 구하기 [1점]

3단계 필기도구 1종류와 자 1종류를 선택하는 경우의 수 구하기 [3점]

사고력

22 0에서 6까지의 숫자가 각각 적힌 7장의 숫자 카드 중에서 3장의 숫자 카드를 뽑아 세 자리 정수를 만들 때, 5의 배수가 되는 경우의 수를 구하여라. [8점]

사고력

23 A, B, C, D, E 5명의 후보 중에서 회장 1명과 부회장 1명을 뽑는 경우의 수는 a가지이고, 대표 2명을 뽑는 경우의 수는 b가지일 때, $a+b$의 값을 구하여라. [5점]

01 확률의 뜻

(1) 확률 : 같은 조건 아래에서 많은 횟수의 실험이나 관찰을 반복할 때, 어떤 사건 A가 일어나는 상대도수가 일정한 값에 가까워지면 이 일정한 값을 사건 A가 일어날 확률이라 한다.

(2) 모든 경우의 수가 n가지이고 어떤 사건 A가 일어나는 경우의 수가 a가지이면 사건 A가 일어날 확률 p는 $p = \dfrac{(\text{사건 } A \text{가 일어나는 경우의 수})}{(\text{모든 경우의 수})} = \dfrac{a}{n}$

　예 한 개의 주사위를 던질 때, 짝수의 눈이 나올 확률은 $\dfrac{3}{6} = \dfrac{1}{2}$

> **포인트 개념**
> • 사건 A가 일어날 확률 p 구하기
> ① 모든 경우의 수 n가지 구하기
> ② 사건 A가 일어나는 경우의 수 a가지 구하기
> ③ $p = \dfrac{a}{n}$

예제 1

상자 속에 1에서 10까지의 숫자가 각각 적힌 카드 10장이 들어 있다. 이 상자에서 한 장의 카드를 꺼낼 때, 4의 배수가 적힌 카드가 나올 확률을 구하여라.

02 확률의 성질

(1) 어떤 사건이 일어날 확률을 p라 하면 $0 \le p \le 1$이다.

(2) 반드시 일어나는 사건의 확률은 1이다.

(3) 절대로 일어날 수 없는 사건의 확률은 0이다.

　예 3개의 파란 공이 들어 있는 주머니에서 임의로 한 개의 공을 꺼낼 때, 파란 공이 나올 확률은 1, 빨간 공이 나올 확률은 0이다.

> **포인트 개념**
> • 확률 p의 값의 범위 ➡ $0 \le p \le 1$

예제 2

1개의 주사위를 던질 때, 다음을 구하여라.

(1) 짝수의 눈이 나올 확률

(2) 1 이상의 눈이 나올 확률

(3) 7의 눈이 나올 확률

03 어떤 사건이 일어나지 않을 확률

(1) 사건 A가 일어날 확률을 p라 하면 (사건 A가 일어나지 않을 확률)$=1-p$

　예 한 개의 주사위를 던질 때, 6의 눈이 나오지 않을 확률은 $1 - \dfrac{1}{6} = \dfrac{5}{6}$

(2) '적어도~'의 확률 : (적어도 하나는 A일 확률)$=1-$(모두 A가 아닐 확률)

　예 서로 다른 2개의 동전을 동시에 던질 때, 적어도 1개는 앞면이 나올 확률은 모두 뒷면이 나올 확률이 $\dfrac{1}{4}$이므로 $1 - \dfrac{1}{4} = \dfrac{3}{4}$

> **포인트 개념**
> • (사건 A가 일어날 확률)$+$(사건 A가 일어나지 않을 확률)$=1$

예제 3

서로 다른 2개의 주사위를 동시에 던질 때, 다음을 구하여라.

(1) 나오는 두 눈의 수가 서로 다를 확률

(2) 적어도 1개의 주사위에서 홀수의 눈이 나올 확률

04 확률의 덧셈

두 사건 A, B가 동시에 일어나지 않을 때, 사건 A가 일어날 확률을 p, 사건 B가 일어날 확률을 q라 하면 (사건 A 또는 사건 B가 일어날 확률)$=p+q$

예 한 개의 주사위를 던질 때, 3 이하 또는 5 이상의 눈이 나올 확률은 $\dfrac{3}{6}+\dfrac{2}{6}=\dfrac{5}{6}$

포 인 트 개념

• 일반적으로 '또는', '~이거나' 등의 표현이 있으면 확률의 덧셈을 이용한다.

예제 4

1에서 10까지의 수가 각각 적혀 있는 10장의 카드 중에서 임의로 한 장을 뽑을 때, 3의 배수 또는 5의 배수가 적힌 카드가 나올 확률을 구하여라.

05 확률의 곱셈

두 사건 A, B가 서로 영향을 끼치지 않을 때, 사건 A가 일어날 확률을 p, 사건 B가 일어날 확률을 q라 하면 (사건 A와 사건 B가 동시에 일어날 확률)$=p\times q$

예 서로 다른 두 개의 주사위 A, B를 동시에 던질 때, 주사위 A는 3 이하, 주사위 B는 5 이상의 눈이 나올 확률은 $\dfrac{3}{6}\times\dfrac{2}{6}=\dfrac{1}{6}$

포 인 트 개념

• 일반적으로 '~이고', '동시에' 등의 표현이 있으면 확률의 곱셈을 이용한다.

예제 5

동전 1개와 주사위 1개를 동시에 던질 때, 동전은 앞면이 나오고 주사위는 3의 배수의 눈이 나올 확률을 구하여라.

06 연속하여 뽑는 경우의 확률

(1) 꺼낸 것을 다시 넣고 연속하여 뽑는 경우의 확률 : 처음에 뽑을 때와 나중에 뽑을 때의 조건이 같다.

예 주머니 속의 5개의 제비 중 당첨 제비가 2개 들어 있다. 먼저 A가 제비 1개를 뽑아 확인한 후 다시 넣고 B가 제비 1개를 뽑을 때, A와 B 둘 다 당첨 제비를 뽑을 확률은 $\dfrac{2}{5}\times\dfrac{2}{5}=\dfrac{4}{25}$

(2) 꺼낸 것을 다시 넣지 않고 연속하여 뽑는 경우의 확률 : 처음에 뽑을 때와 나중에 뽑을 때의 조건이 다르다.

예 주머니 속의 5개의 제비 중 당첨 제비가 2개 들어 있다. 먼저 A가 제비 1개를 뽑아 확인한 후 다시 넣지 않고 B가 제비 1개를 뽑을 때, A와 B 둘 다 당첨 제비를 뽑을 확률은 $\dfrac{2}{5}\times\dfrac{1}{4}=\dfrac{1}{10}$

포 인 트 개념

• 꺼낸 것을 다시 넣지 않으면 (나중의 전체 개수)=(처음의 전체 개수)-1

예제 6

주머니 속에 노란 구슬 3개와 초록 구슬 4개가 들어 있다. 이 주머니에서 연속하여 2개의 구슬을 꺼낼 때, 다음을 구하여라.

(1) 꺼낸 것을 다시 넣는다고 할 때, 2개 모두 노란 구슬일 확률

(2) 꺼낸 것을 다시 넣지 않는다고 할 때, 2개 모두 노란 구슬일 확률

대표유형 확률의 뜻

01 한 개의 주사위를 던질 때, 5의 약수의 눈이 나올 확률은?

① $\dfrac{1}{6}$ ② $\dfrac{1}{3}$ ③ $\dfrac{1}{2}$

④ $\dfrac{2}{3}$ ⑤ $\dfrac{5}{6}$

출제율 95%

02 1에서 20까지의 수가 각각 적힌 20장의 카드 중에서 한 장의 카드를 뽑을 때, 소수가 적힌 카드가 나올 확률은?

① $\dfrac{3}{20}$ ② $\dfrac{1}{5}$ ③ $\dfrac{1}{4}$

④ $\dfrac{2}{5}$ ⑤ $\dfrac{9}{20}$

출제율 95%

03 서로 다른 두 개의 주사위를 동시에 던질 때, 나오는 두 눈의 수의 합이 5가 될 확률을 구하여라.

출제율 85%

04 남학생 2명, 여학생 3명 중에서 청소 당번 2명을 뽑을 때, 2명 모두 남학생이 뽑힐 확률은?

① $\dfrac{1}{20}$ ② $\dfrac{1}{10}$ ③ $\dfrac{1}{5}$

④ $\dfrac{2}{5}$ ⑤ $\dfrac{3}{5}$

대표유형 방정식, 부등식에서의 확률

05 한 개의 주사위를 두 번 던져서 처음에 나온 눈의 수를 x, 나중에 나온 눈의 수를 y라 할 때, $x+3y=8$일 확률은?

① $\dfrac{1}{36}$ ② $\dfrac{1}{18}$ ③ $\dfrac{1}{12}$

④ $\dfrac{1}{9}$ ⑤ $\dfrac{3}{5}$

출제율 90%

06 A, B 두 개의 주사위를 동시에 던져서 A 주사위에서 나온 눈의 수를 x, B 주사위에서 나온 눈의 수를 y라 할 때, $2x+3y<10$일 확률은?

① $\dfrac{5}{36}$ ② $\dfrac{1}{9}$ ③ $\dfrac{1}{6}$

④ $\dfrac{5}{18}$ ⑤ $\dfrac{11}{36}$

출제율 80%

07 한 개의 주사위를 두 번 던져서 처음에 나온 눈의 수를 a, 나중에 나온 눈의 수를 b라 할 때, 일차함수 $y=ax+b$와 $y=2x+5$의 그래프가 평행할 확률을 구하여라.

대표유형 확률의 성질

08 흰 공 6개, 검은 공 3개가 들어 있는 주머니에서 공 1개를 꺼낼 때, 다음을 구하여라.

(1) 검은 공이 나올 확률

(2) 흰 공 또는 검은 공이 나올 확률

(3) 빨간 공이 나올 확률

09 다음 중 확률이 1인 것은?

① 한 개의 주사위를 던질 때, 1의 눈이 나올 확률
② 서로 다른 두 개의 주사위를 동시에 던질 때, 나오는 두 눈의 수의 합이 2 이상일 확률
③ 서로 다른 두 개의 주사위를 동시에 던질 때, 나오는 두 눈의 수의 차가 6 이상일 확률
④ 서로 다른 두 개의 동전을 동시에 던질 때, 뒷면이 1개 이상 나올 확률
⑤ 두 사람이 가위바위보를 할 때, 서로 비길 확률

10 1에서 9까지의 숫자가 각각 적힌 9장의 숫자 카드 중에서 두 장을 뽑아 두 자리 정수를 만들 때, 100 미만일 확률을 구하여라.

---

13 남학생 3명, 여학생 2명이 있다. 이 중에서 2명의 대표를 뽑을 때, 적어도 1명은 여학생이 뽑힐 확률을 구하여라.

14 승기를 포함한 8명의 전교 학생회 대의원 후보 중에서 3명의 대의원을 뽑으려고 한다. 승기가 뽑히지 않을 확률은?

① $\dfrac{3}{7}$ ② $\dfrac{3}{8}$ ③ $\dfrac{5}{8}$

④ $\dfrac{9}{10}$ ⑤ $\dfrac{27}{28}$

대표유형 어떤 사건이 일어나지 않을 확률(1)

11 A 중학교와 B 중학교의 야구 시합에서 A 중학교가 이길 확률이 $\dfrac{2}{5}$일 때, B 중학교가 이길 확률을 구하여라. (단, 무승부는 없다.)

내신 UP POINT
일반적으로 '~가 아닐', '~을 못할', '적어도 하나는 ~일' 등의 표현이 있으면 어떤 사건이 일어나지 않을 확률을 이용한다.

대표유형 확률의 덧셈

15 1에서 25까지의 수가 각각 적힌 25장의 카드가 있다. 임의로 한 장을 뽑을 때, 다음을 구하여라.

(1) 5의 배수가 적힌 카드가 나올 확률
(2) 6의 배수가 적힌 카드가 나올 확률
(3) 5의 배수 또는 6의 배수가 적힌 카드가 나올 확률

내신 UP POINT
확률의 덧셈을 이용하는 경우
(1) 두 사건이 동시에 일어나지 않을 때
(2) 문제에 '또는', '~이거나' 등의 표현이 있을 때

---

12 서로 다른 3개의 동전을 동시에 던질 때, 적어도 1개는 뒷면이 나올 확률을 구하여라.

16 윷가락 4개를 던질 때, 윷이나 개가 나올 확률을 구하여라.

출제율 90%

17 한 개의 주사위를 두 번 던질 때, 나온 눈의 차가 2 또
(상) 는 3이 될 확률을 구하여라.

출제율 85%

21 남학생 2명, 여학생 3명 중에서 2명의 주번을 뽑을
(중) 때, 2명 모두 남학생이 뽑힐 확률은?

① $\dfrac{1}{10}$　　　② $\dfrac{1}{6}$　　　③ $\dfrac{1}{5}$

④ $\dfrac{2}{5}$　　　⑤ $\dfrac{3}{5}$

대표 유형　확률의 곱셈

18 한 개의 주사위를 두 번 연속하여 던질 때, 처음에
는 2 이하의 눈이 나오고 다음에는 6의 약수의 눈이
나올 확률은?

① $\dfrac{1}{9}$　　　② $\dfrac{2}{9}$　　　③ $\dfrac{1}{3}$

④ $\dfrac{4}{9}$　　　⑤ $\dfrac{1}{2}$

내신 UP POINT
확률의 곱셈을 이용하는 경우
(1) 두 사건이 서로 영향을 끼치지 않을 때
(2) 문제에 '~이고', '동시에' 등의 표현이 있을 때

대표 유형　확률의 덧셈과 곱셈

22 한 개의 주사위를 두 번 연속하여 던질 때, 두 번 모
두 5의 약수의 눈이 나오거나 두 번 모두 2의 배수
의 눈이 나올 확률을 구하여라.

출제율 85%

23 동전 한 개와 주사위 한 개를 동시에 던질 때, 동전은
(중) 앞면이 나오고 주사위는 홀수의 눈이 나오거나 또는
동전은 뒷면이 나오고 주사위는 소수의 눈이 나올 확
률은?

① $\dfrac{1}{8}$　　　② $\dfrac{1}{4}$　　　③ $\dfrac{1}{2}$

④ $\dfrac{3}{4}$　　　⑤ $\dfrac{7}{8}$

출제율 95%

19 A 주머니에는 빨간 공 4개와 파란 공 3개가 들어 있
(중) 고, B 주머니에는 빨간 공 3개와 파란 공 5개가 들어
있다. A, B 두 개의 주머니에서 공을 각각 1개씩 꺼
낼 때, A 주머니에서는 파란 공이 나오고, B 주머니
에서는 빨간 공이 나올 확률은?

① $\dfrac{1}{5}$　　　② $\dfrac{5}{6}$　　　③ $\dfrac{4}{7}$

④ $\dfrac{1}{8}$　　　⑤ $\dfrac{9}{56}$

출제율 85%

24 두 개의 주사위 A, B를 동시에 던질 때, 나오는 두 눈
(상) 의 수의 합이 짝수일 확률은?

① $\dfrac{1}{8}$　　　② $\dfrac{1}{4}$　　　③ $\dfrac{1}{2}$

④ $\dfrac{3}{4}$　　　⑤ $\dfrac{7}{8}$

출제율 95%

20 어떤 동아리는 남학생 4명, 여학생 6명으로 구성되어
(중) 있다. 이 중에서 대표 1명, 부대표 1명을 뽑으려고 할
때, 대표는 여학생이, 부대표는 남학생이 뽑힐 확률을
구하여라.

대표유형 어떤 사건이 일어나지 않을 확률(2)

25 혜수가 수학 시험에서 5개의 ○, × 퀴즈에 대하여 임의로 답을 표시할 때, 적어도 한 문제는 맞힐 확률을 구하여라.

29 주머니 속에 빨간 공 3개와 파란 공 6개가 들어 있다. 이 주머니에서 공 한 개를 꺼내 색깔을 확인한 후 다시 넣고 또 한 개를 꺼낼 때, 두 번 모두 빨간 공일 확률은?

① $\dfrac{1}{9}$ ② $\dfrac{4}{9}$ ③ $\dfrac{2}{81}$

④ $\dfrac{8}{81}$ ⑤ $\dfrac{16}{81}$

26 준표가 학교에 지각을 할 확률이 $\dfrac{1}{4}$일 때, 이틀 중 하루만 지각을 할 확률을 구하여라.

30 11에서 19까지의 수가 각각 적힌 9장의 카드가 있다. 임의로 한 장의 카드를 뽑아 수를 확인하고 다시 넣은 후 또 한 장을 뽑을 때, 두 번 모두 짝수가 적힌 카드가 나올 확률을 구하여라.

27 눈이 온 날의 다음 날 눈이 올 확률은 $\dfrac{3}{7}$, 눈이 오지 않은 날의 다음 날 눈이 올 확률은 $\dfrac{1}{7}$이라 한다. 목요일에 눈이 왔을 때, 같은 주 토요일에 눈이 올 확률은?

① $\dfrac{3}{49}$ ② $\dfrac{4}{49}$ ③ $\dfrac{1}{7}$

④ $\dfrac{9}{49}$ ⑤ $\dfrac{13}{49}$

31 1에서 10까지의 수가 각각 적힌 10장의 카드 중에서 한 장을 뽑고 다시 넣은 후 또 한 장을 뽑을 때, 두 번 모두 소수가 적힌 카드가 나올 확률을 구하여라.

대표유형 꺼낸 것을 다시 넣지 않고 연속하여 뽑는 경우의 확률

32 3개의 불량품이 들어 있는 15개의 제품 중에서 두 개의 제품을 연속하여 검사할 때, 두 개 모두 불량품일 확률은? (단, 검사한 제품은 다시 넣지 않는다.)

① $\dfrac{1}{5}$ ② $\dfrac{1}{15}$ ③ $\dfrac{1}{25}$

④ $\dfrac{1}{35}$ ⑤ $\dfrac{2}{25}$

대표유형 꺼낸 것을 다시 넣고 연속하여 뽑는 경우의 확률

28 3개의 당첨 제비를 포함한 10개의 제비가 들어 있는 상자가 있다. 처음에 뽑은 한 개의 제비를 다시 넣은 후 다시 한 개의 제비를 뽑을 때, 두 번 모두 당첨 제비일 확률을 구하여라.

내신 UP POINT
꺼낸 것을 다시 넣는 경우
(처음의 전체 개수)=(나중의 전체 개수)

내신 UP POINT
꺼낸 것을 다시 넣지 않는 경우
(나중의 전체 개수)=(처음의 전체 개수)−1

33 출제율 95%
(중) 1에서 15까지의 수가 각각 적혀 있는 15장의 카드 중에서 연속하여 두 장의 카드를 뽑을 때, 두 번 모두 4의 배수가 적힌 카드를 뽑을 확률을 구하여라. (단, 꺼낸 카드는 다시 넣지 않는다.)

34 출제율 90%
(중) 주머니 속에 흰 공 5개, 검은 공 3개, 노란 공 2개가 들어 있다. 이 주머니에서 연속하여 3개의 공을 꺼낼 때, 첫 번째와 두 번째에는 검은 공이 나오고 세 번째에는 노란 공이 나올 확률을 구하여라. (단, 꺼낸 공은 다시 넣지 않는다.)

35 출제율 85%
(상) 3개의 당첨 제비를 포함한 8개의 제비 중에서 A와 B가 차례로 제비를 한 개씩 뽑을 때, 다음을 구하여라. (단, 꺼낸 제비는 다시 넣지 않는다.)
(1) A, B 모두 당첨 제비를 뽑을 확률
(2) 두 사람 중 한 사람만 당첨 제비를 뽑을 확률

대표유형 **복잡한 공 꺼내기의 확률**

36
A 주머니에는 흰 공 3개, 검은 공 3개가 들어 있고, B 주머니에는 흰 공 4개, 검은 공 2개가 들어 있다. A, B 두 주머니에서 한 개씩 공을 꺼낼 때, 두 공의 색이 같을 확률은?

① $\frac{1}{6}$ ② $\frac{1}{4}$ ③ $\frac{5}{12}$

④ $\frac{7}{12}$ ⑤ $\frac{1}{2}$

내신 UP POINT
꺼낸 것을 다시 넣는 경우인지 그렇지 않은 경우인지를 구분하여 확률을 구한다.

37 출제율 90%
(중) 주머니 속에 흰 공 4개, 검은 공 5개가 들어 있다. 먼저 A가 공을 한 개 꺼내 확인한 후 다시 넣고 B가 공을 한 개 꺼낼 때, 같은 색 공이 나올 확률은?

① $\frac{4}{9}$ ② $\frac{5}{9}$ ③ $\frac{7}{18}$

④ $\frac{30}{81}$ ⑤ $\frac{41}{81}$

38 출제율 80%
(상) A 주머니에는 흰 공 3개, 검은 공 2개가 들어 있고, B 주머니에는 흰 공 2개, 검은 공 4개가 들어 있다. 임의로 한 주머니를 택하여 한 개의 공을 꺼낼 때, 흰 공이 나올 확률을 구하여라.

대표유형 **만날 확률**

39
민수와 소영이가 극장 앞에서 만나기로 약속하였다. 민수가 약속을 지키지 않을 확률이 $\frac{3}{5}$, 소영이가 약속을 지키지 않을 확률이 $\frac{2}{3}$일 때, 두 사람이 만날 확률은?

① $\frac{1}{15}$ ② $\frac{2}{15}$ ③ $\frac{4}{15}$

④ $\frac{2}{5}$ ⑤ $\frac{8}{15}$

40 출제율 95%
(중) 준호가 약속 장소에 나올 확률은 $\frac{4}{5}$, 승현이가 약속 장소에 나올 확률은 $\frac{9}{10}$라 할 때, 두 사람이 만나지 못할 확률은?

① $\frac{3}{23}$ ② $\frac{7}{25}$ ③ $\frac{2}{5}$

④ $\frac{3}{5}$ ⑤ $\frac{7}{10}$

41 민정이와 진희가 서점 앞에서 만나기로 약속했다. 민
(상) 정이는 평소 10번에 2번 꼴로 약속 시각에 늦고, 진희
는 10번에 3번 꼴로 약속 시각에 늦는다. 두 사람이
꼭 만난다고 할 때, 약속 시각에 늦지 않게 만날 확률
을 구하여라.

대표유형 **문제를 맞힐 확률**

42 혜리가 1번부터 3번까지의 수학 문제를 맞힐 확률이

각각 $\dfrac{2}{3}$, $\dfrac{1}{3}$, $\dfrac{1}{2}$이라 할 때, 적어도 한 문제 이상은

맞힐 확률은?

① $\dfrac{1}{9}$ ② $\dfrac{2}{9}$ ③ $\dfrac{3}{9}$

④ $\dfrac{5}{9}$ ⑤ $\dfrac{8}{9}$

---

43 어떤 자격증 시험에서 A가 합격할 확률은 $\dfrac{2}{3}$, B가 합

(중) 격할 확률은 $\dfrac{3}{4}$이다. 이때 A만 합격할 확률은?

① $\dfrac{1}{6}$ ② $\dfrac{1}{3}$ ③ $\dfrac{1}{2}$

④ $\dfrac{3}{4}$ ⑤ $\dfrac{11}{12}$

---

44 규현이가 1번부터 3번까지의 서술형 문제를 맞힐 확률

(중) 이 각각 $\dfrac{3}{4}$, $\dfrac{2}{3}$, $\dfrac{3}{5}$이라 할 때, 1번은 틀리고 2번과 3번

은 맞힐 확률은?

① $\dfrac{1}{3}$ ② $\dfrac{1}{4}$ ③ $\dfrac{1}{5}$

④ $\dfrac{1}{6}$ ⑤ $\dfrac{1}{10}$

대표유형 **가위바위보의 확률**

45 준형이와 은영이가 가위바위보를 한 번 할 때, 준형
이가 이길 확률을 구하여라.

내신 UP POINT

(1) 두 사람이 가위바위보를 할 때, 비길 확률 : 같은 것을 낼
확률

(2) 세 사람이 가위바위보를 할 때, 비길 확률
: (모두 같은 것을 낼 확률)+(모두 다른 것을 낼 확률)

(3) 승부가 결정될 확률 : 1−(비길 확률)

---

46 A, B 두 사람이 가위바위보를 한 번 할 때, 승부가 결
(하) 정될 확률은?

① $\dfrac{1}{9}$ ② $\dfrac{2}{9}$ ③ $\dfrac{4}{9}$

④ $\dfrac{1}{3}$ ⑤ $\dfrac{2}{3}$

---

47 진희와 민정이가 가위바위보를 세 번 하는 데 첫 번째
(중) 와 두 번째는 비기고, 세 번째에는 민정이가 이길 확
률은?

① $\dfrac{1}{27}$ ② $\dfrac{1}{9}$ ③ $\dfrac{2}{9}$

④ $\dfrac{1}{3}$ ⑤ $\dfrac{2}{3}$

---

48 A, B, C 세 사람이 가위바위보를 한 번 할 때, 다음
(상) 을 구하여라.

(1) 비길 확률
(2) 승부가 결정될 확률

대표유형 타율, 명중률의 확률

49 안타를 칠 확률이 각각 $\frac{2}{5}$, $\frac{1}{3}$인 두 타자가 연속하여 타석에 들어설 때, 이 두 타자 모두 안타를 치지 못할 확률은?

① $\frac{1}{3}$　　② $\frac{2}{3}$　　③ $\frac{2}{5}$

④ $\frac{3}{4}$　　⑤ $\frac{1}{12}$

출제율 95%

50 8발을 쏘아 평균 6발을 명중시키는 사수가 2발을 쏘았을 때, 1발만 명중시킬 확률은?
（중）

① $\frac{1}{8}$　　② $\frac{1}{4}$　　③ $\frac{5}{16}$

④ $\frac{3}{8}$　　⑤ $\frac{3}{4}$

출제율 90%

51 명중률이 각각 $\frac{4}{5}$, $\frac{3}{4}$, $\frac{2}{3}$인 진희, 현준, 민기 세 사람이
（중）동시에 한 표적을 향해 총을 쏘았을 때, 표적이 총에 맞을 확률은?

① $\frac{1}{5}$　　② $\frac{2}{5}$　　③ $\frac{2}{3}$

④ $\frac{3}{4}$　　⑤ $\frac{59}{60}$

출제율 85%

52 어떤 타자가 안타를 친 다음 타석에서 안타를 칠 확률
（상）은 $\frac{3}{8}$이고, 안타를 못 친 다음 타석에서 안타를 칠 확률은 $\frac{1}{6}$이라 한다. 첫 번째 타석에서 안타를 쳤을 때, 세 번째 타석에서 안타를 칠 확률을 구하여라.

대표유형 도형에서의 확률

53 오른쪽 그림과 같은 원판에 화살을 두 번 쏘았을 때, 두 번 모두 꽝을 맞힐 확률을 구하여라. (단, 화살이 원판을 벗어나거나 경계선을 맞히는 경우는 없다.)

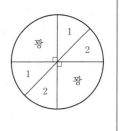

내신 UP POINT

(도형에서의 확률)$=\dfrac{\text{(해당하는 부분의 넓이)}}{\text{(도형의 전체 넓이)}}$

출제율 90%

54 오른쪽 그림은 어느 중학교 학
（하）생 300명을 대상으로 교복 공동 구매에 대해 조사하여 나타낸 그래프이다. 이 중학교의 한 학생에게 교복 공동 구매에 대해 물을 때, 긍정적으로 답할 확률을 구하여라.

출제율 95%

55 오른쪽 그림과 같은 원 모양의
（중）과녁에 화살을 쏘았을 때, 색칠한 부분에 맞힐 확률을 구하여라. (단, 화살이 과녁을 벗어나거나 경계선을 맞히는 경우는 없다.)

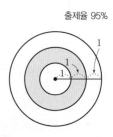

개념 UP ▶ **01 기타 확률에 관한 문제**

어떤 사건이 일어나지 않을 확률, 확률의 덧셈, 확률의 곱셈 등을 이용하여 복잡한 확률을 구한다.

출제율 85%

56 서진이가 저녁에 줄넘기를 할 확률이 $\frac{2}{5}$일 때, 2일 중
중 하루만 저녁에 줄넘기를 할 확률은?

① $\frac{4}{25}$ ② $\frac{6}{25}$ ③ $\frac{12}{25}$

④ $\frac{13}{55}$ ⑤ $\frac{19}{25}$

출제율 80%

57 빨간 공 3개와 파란 공 4개가 들어 있는 상자에서 한
상 개의 공을 꺼낸 후 꺼낸 공과 다른 색의 공을 하나 대신 넣어 다시 한 개의 공을 꺼낸다고 하자. 이때 꺼낸 두 공의 색이 서로 다를 확률은? (단, 공은 빨간 공과 파란 공 밖에 없다.)

① $\frac{15}{49}$ ② $\frac{16}{49}$ ③ $\frac{18}{49}$

④ $\frac{31}{49}$ ⑤ $\frac{33}{49}$

출제율 80%

58 등교 시각이 8시까지인 진섭이가 8시 정시에 학교에
상 도착할 확률은 $\frac{1}{2}$, 지각할 확률은 $\frac{1}{4}$이다. 진섭이가 하루는 8시보다 일찍 학교에 도착하고 그 다음 날은 지각할 확률을 구하여라.

개념 UP ▶ **02 복잡한 게임에서의 확률**

(1) 주어진 조건을 만족하는 경우를 생각해 본다.
(2) (1)의 각 경우를 이용하여 주어진 조건을 만족하는 확률을 구한다.

출제율 85%

59 다음 수직선의 원점 위에 점 P가 있다. 동전 한 개를
상 던져 앞면이 나오면 +1만큼, 뒷면이 나오면 −1만큼 점 P가 이동한다고 할 때, 동전을 3회 던져 점 P가 −1의 위치에 있을 확률을 구하여라.

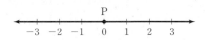

출제율 80%

60 두 사람 A, B가 1회에는 A, 2회에는 B, 3회에는 A,
상 4회에는 B, …의 순서로 주사위를 던지는 놀이를 하고 있다. 먼저 홀수의 눈이 나오는 사람이 이긴다고 할 때, 다음을 구하여라.

(1) 3회 이내에 A가 이길 확률
(2) 4회 이내에 B가 이길 확률
(3) 4회까지 승부가 나지 않을 확률

출제율 80%

61 주머니 속에 5개의 빨간 공과 3개의 파란 공이 있다.
상 선우와 민정 두 사람이 차례로 번갈아가며 주머니에서 공을 하나씩 꺼낼 때, 먼저 빨간 공이 나오는 사람이 이기는 게임을 하였다. 선우가 이길 확률을 구하여라. (단, 꺼낸 공은 다시 넣지 않는다.)

01 한 개의 주사위를 던질 때, 6의 약수의 눈이 나올 확률은?

① $\dfrac{1}{2}$ ② $\dfrac{1}{3}$ ③ $\dfrac{2}{3}$

④ $\dfrac{1}{4}$ ⑤ $\dfrac{1}{6}$

02 A, B 두 개의 주사위를 동시에 던질 때, 나오는 두 눈의 수의 차가 3일 확률은?

① $\dfrac{1}{36}$ ② $\dfrac{1}{18}$ ③ $\dfrac{1}{6}$

④ $\dfrac{5}{36}$ ⑤ $\dfrac{2}{9}$

03 길이가 각각 5 cm, 8 cm, 12 cm, 13 cm인 4개의 막대 중에서 3개를 택했을 때, 삼각형이 만들어질 확률은?

① 1 ② $\dfrac{3}{4}$ ③ $\dfrac{2}{3}$

④ $\dfrac{1}{2}$ ⑤ $\dfrac{1}{3}$

04 공감영화관에서 서로 다른 4편의 영화가 상영되고 있다. 형준이와 민지가 각각 한 편의 영화를 보려고 할 때, 서로 다른 영화를 볼 확률은?

① $\dfrac{1}{4}$ ② $\dfrac{1}{3}$ ③ $\dfrac{1}{2}$

④ $\dfrac{3}{4}$ ⑤ $\dfrac{4}{5}$

05 1에서 20까지의 수가 각각 적힌 20장의 카드 중에서 한 장을 뽑을 때, 3의 배수 또는 7의 배수가 적힌 카드가 나올 확률은?

① $\dfrac{1}{5}$ ② $\dfrac{2}{5}$ ③ $\dfrac{3}{5}$

④ $\dfrac{7}{10}$ ⑤ $\dfrac{4}{5}$

06 오른쪽 그림과 같은 전기 회로에서 A, B의 스위치가 닫혀 있을 확률은 각각 $\dfrac{1}{3}$이라 할 때, 전구에 불이 들어올 확률은?

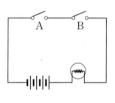

① $\dfrac{1}{2}$ ② $\dfrac{1}{3}$ ③ $\dfrac{1}{6}$

④ $\dfrac{1}{8}$ ⑤ $\dfrac{1}{9}$

07 남학생 4명, 여학생 5명 중에서 대표 2명을 뽑을 때, 뽑힌 대표가 둘 다 남학생이거나 또는 둘 다 여학생일 확률은?

① $\dfrac{4}{9}$ ② $\dfrac{5}{9}$ ③ $\dfrac{31}{48}$

④ $\dfrac{29}{72}$ ⑤ $\dfrac{31}{72}$

08 서로 다른 세 개의 동전을 동시에 던질 때, 적어도 한 개는 앞면이 나올 확률은?

① $\dfrac{1}{8}$ ② $\dfrac{1}{4}$ ③ $\dfrac{3}{8}$

④ $\dfrac{1}{2}$ ⑤ $\dfrac{7}{8}$

09 일기예보에 의하면 내일 비가 올 확률은 40 %이고, 모레 비가 올 확률은 20 %라 한다. 내일과 모레 연속하여 비가 오지 않을 확률은?

① $\dfrac{3}{5}$ ② $\dfrac{13}{25}$ ③ $\dfrac{12}{25}$

④ $\dfrac{9}{25}$ ⑤ $\dfrac{8}{25}$

10 2개의 당첨 제비를 포함한 5개의 제비가 들어 있는 주머니에서 A가 먼저 한 개를 뽑아 확인한 후 다시 넣고 B가 또 한 개를 뽑을 때, A와 B 둘 다 당첨 제비를 뽑을 확률은?

① $\dfrac{1}{10}$ ② $\dfrac{2}{15}$ ③ $\dfrac{2}{25}$

④ $\dfrac{4}{25}$ ⑤ $\dfrac{13}{25}$

11 주머니 속에 검은 공 11개와 흰 공 4개가 들어 있다. 경희와 윤서가 차례로 한 개씩 뽑을 때, 둘 다 흰 공을 뽑을 확률은? (단, 꺼낸 공은 다시 넣지 않는다.)

① $\dfrac{1}{35}$ ② $\dfrac{2}{35}$ ③ $\dfrac{4}{35}$

④ $\dfrac{1}{5}$ ⑤ $\dfrac{2}{7}$

12 어떤 시험에서 예빈이가 합격할 확률은 $\dfrac{2}{5}$이고 윤하가 합격할 확률은 $\dfrac{1}{3}$일 때, 예빈이와 윤하 중 적어도 한 명은 합격할 확률은?

① $\dfrac{3}{5}$ ② $\dfrac{4}{5}$ ③ $\dfrac{11}{15}$

④ $\dfrac{13}{15}$ ⑤ $\dfrac{5}{8}$

13 명중률이 각각 $\dfrac{3}{4}$, $\dfrac{4}{5}$인 두 양궁 선수가 과녁을 향해 화살을 한 번씩 쏠 때, 두 양궁 선수 모두 과녁에 명중시키지 못할 확률은?

① $\dfrac{1}{6}$ ② $\dfrac{1}{12}$ ③ $\dfrac{1}{20}$

④ $\dfrac{3}{20}$ ⑤ $\dfrac{1}{4}$

14 오른쪽 그림과 같이 정삼각형의 각 변의 중점을 연결하여 작은 정삼각형을 만들었다. 큰 정삼각형 안에 임의의 한 점을 잡을 때, 그 점이 색칠한 부분에 있지 않을 확률을 구하여라. (단, 점이 경계선에 있는 경우는 무시한다.)

15 다음 그림과 같이 점 P가 수직선의 원점 위에 놓여 있다. 동전 한 개를 던져 앞면이 나오면 오른쪽으로 1만큼, 뒷면이 나오면 왼쪽으로 1만큼 점 P가 움직인다고 할 때, 동전을 네 번 던져 움직인 점 P의 위치가 $+2$일 확률은?

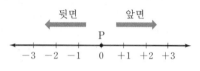

① $\dfrac{1}{16}$ ② $\dfrac{1}{8}$ ③ $\dfrac{1}{6}$

④ $\dfrac{1}{4}$ ⑤ $\dfrac{1}{2}$

16 한 개의 주사위를 던져 2 또는 5의 눈이 나오면 예진이가 이기고, 그 이외의 눈이 나오면 혜수가 이긴다고 한다. 주사위를 세 번 던졌을 때, 예진이가 두 번 이길 확률을 구하여라.

17 A 중학교 축구부가 어떤 시합에서 비가 오지 않을 때 이길 확률은 $\dfrac{3}{8}$이고, 비가 올 때 이길 확률은 $\dfrac{1}{4}$이라 한다. 시합하는 날 비가 올 확률이 40 %일 때, A 중학교 축구부가 이 시합에서 이길 확률을 구하여라.

18 오른쪽 그림과 같이 8등분된 원판에 화살을 두 번 쏠 때, 맞힌 두 수의 곱이 짝수가 될 확률은? (단, 화살이 원판을 벗어나거나 경계선을 맞히는 경우는 없다.)

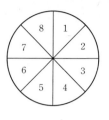

① $\dfrac{1}{64}$ ② $\dfrac{1}{8}$ ③ $\dfrac{1}{4}$

④ $\dfrac{3}{4}$ ⑤ $\dfrac{31}{64}$

19 한 개의 주사위를 두 번 던져서 처음에 나온 눈의 수를 a, 나중에 나온 눈의 수를 b라 할 때, 직선 $ax+by-6=0$이 점 P$(1, 1)$을 지나지 않을 확률은?

① $\dfrac{1}{6}$ ② $\dfrac{5}{36}$ ③ $\dfrac{1}{12}$

④ $\dfrac{11}{12}$ ⑤ $\dfrac{31}{36}$

20 오른쪽 그림과 같이 한 변의 길이가 1인 정사각형 ABCD가 있다. 점 P는 꼭짓점 A를 출발하여 한 개의 주사위를 두 번 연속하여 던져서 나온 두 눈의 수의 합만큼 시계반대 방향으로 움직인다고 할 때, 점 P가 꼭짓점 D에 있을 확률을 구하여라.

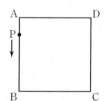

단계형

21 서로 다른 2개의 주사위를 동시에 던질 때, 나오는 두 눈의 수의 합이 5이거나 나오는 두 눈의 수의 차가 4일 확률을 구하여라. [6점]

1단계 나오는 두 눈의 수의 합이 5일 확률 구하기 [2점]

_____

_____

2단계 나오는 두 눈의 수의 차가 4일 확률 구하기 [2점]

_____

_____

3단계 나오는 두 눈의 수의 합이 5이거나 나오는 두 눈의 수의 차가 4일 확률 구하기 [2점]

_____

_____

사고력

23 다음 그림과 같이 0부터 5까지의 수가 각각 적힌 6장의 카드가 있다. 이 카드 중 2장을 뽑아 두 자리 정수를 만들 때, 그 정수가 5의 배수일 확률을 구하여라. [6점]

| 0 | 1 | 2 | 3 | 4 | 5 |

단계형

22 빨간 공 2개, 파란 공 3개가 들어 있는 상자에서 2개의 공을 차례로 꺼낼 때, 같은 색의 공이 나올 확률을 구하여라. (단, 꺼낸 공은 다시 넣지 않는다.) [6점]

1단계 2개 모두 빨간 공이 나올 확률 구하기 [2점]

_____

_____

2단계 2개 모두 파란 공이 나올 확률 구하기 [2점]

_____

_____

3단계 같은 색의 공이 나올 확률 구하기 [2점]

_____

_____

사고력

24 9발을 쏘아 3발을 명중시키는 사수가 3발 이하로 총을 쏘았을 때, 목표물이 총에 맞을 확률을 구하여라. (단, 목표물을 맞히면 더 이상 총을 쏘지 않는다.) [7점]

어머니와의 약속

미국의 대통령인 링컨에 관한 다음과 같은 일화가 전해집니다.

링컨은 남북전쟁을 승리로 이끌고서 힘차게 마차를 타고 달리고 있었습니다. 이때 옆에 앉아 있던 보좌관이 가방에서 위스키 병을 꺼내 들었습니다.
"각하, 한 잔 하시겠습니까?"
링컨은 손을 내저으며 말했습니다.
"나는 술을 못 하네."

잠시 후 보좌관은 담배를 권했습니다.
"각하, 한 대 피우시겠습니까?"
링컨은 손을 내저으며 다음과 같은 이야기를 들려 주었습니다.

"우리 어머니가 돌아가시면서 마지막 부탁을 했네. 술과 담배를 일생동안 하지 말라고 말이야. 나는 어머니가 편히 눈을 감으시도록 일생동안 술과 담배를 하지 않겠다고 약속했네. 목숨처럼 이 서약을 지키겠다고도 말했지. 자네가 나라면 약속을 어길 수 있겠나?"
자신도 술과 담배를 하지 않았을 것이라고 말하면서 보좌관이 말했습니다.
"제게도 그런 어머니가 있었다면 저도 대통령이 되었을 것입니다."

여러분은 부모님 말씀을 듣지 않고 좋지 않은 행동을 하고 있지는 않나요?
부모님은 우리에게 끝없는 사랑을 주십니다. 부모님은 우리에게 옳은 길을 가르쳐 주십니다. 부모님을 항상 기쁘게 해 드릴 수 있도록 노력합시다.

중학 수학

Part II

01 삼각형에서 평행선과 선분의 길이

오른쪽 그림에서 $\overline{BC} /\!/ \overline{DE}$일 때, $\overline{AC}$의 길이는?

① 7 cm ② 8 cm
③ 9 cm ④ 10 cm
⑤ 11 cm

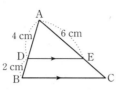

02 삼각형에서 두 선분이 평행할 조건

다음 중 $\overline{BC} /\!/ \overline{DE}$인 것은?

①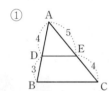

②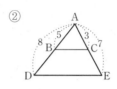

③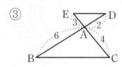

④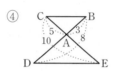

⑤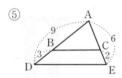

03 삼각형의 각의 이등분선

오른쪽 그림의 △ABC에서 $\overline{AD}$가 ∠A의 이등분선일 때, $\overline{BD}$의 길이는?

① 3 ② 3.5
③ 4 ④ 4.5
⑤ 5

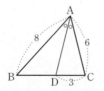

04 평행선 사이의 선분의 길이의 비

오른쪽 그림에서 $l /\!/ m /\!/ n$일 때, x의 값을 구하여라.

05 사다리꼴에서의 평행선

오른쪽 그림의 사다리꼴 ABCD에서 $\overline{AD} /\!/ \overline{EF} /\!/ \overline{BC}$이고 $\overline{AE} : \overline{EB}=1 : 2$일 때, $\overline{EF}$의 길이를 구하여라.

06 평행선과 선분의 길이의 비의 활용

오른쪽 그림에서 $\overline{AB} /\!/ \overline{EF} /\!/ \overline{CD}$이고 $\overline{AB}=10$ cm, $\overline{CD}=14$ cm일 때, $\overline{EF}$의 길이를 구하여라.

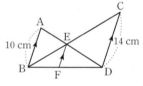

07 삼각형의 무게중심

오른쪽 그림에서 점 G와 점 G′은 각각 △ABC와 △GBC의 무게중심이다. $\overline{GG'}=4$ cm일 때, $\overline{AD}$의 길이를 구하여라.

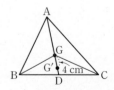

08 삼각형의 무게중심과 넓이

오른쪽 그림에서 점 G, G′은 각각 △ABC, △GBC의 무게중심이다. △ABC의 넓이가 36 cm²일 때, △G′BD의 넓이를 구하여라.

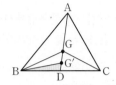

09 닮은 평면도형의 넓이의 비

오른쪽 그림에서 $\overline{BC}$ ∥ $\overline{DE}$이고 △ADE의 넓이가 45 cm²일 때, □DBCE의 넓이를 구하여라.

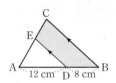

10 닮은 입체도형의 부피의 비

오른쪽 그림과 같이 원뿔 모양의 그릇에 높이의 $\frac{2}{3}$까지 물을 넣었다. 이 그릇에 물을 135 cm³까지 넣을 수 있을 때, 채워진 물의 부피를 구하여라.

11 도형에서 피타고라스 정리의 이용

오른쪽 그림과 같이 ∠C=90°인 직각삼각형 ABC에서 $\overline{AB}$의 길이를 구하여라.

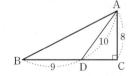

12 피타고라스 정리의 이해(1)

오른쪽 그림에서 □ABCD는 한 변의 길이가 8인 정사각형이고 $\overline{AH}=\overline{BE}=\overline{CF}=\overline{DG}=5$일 때, □EFGH의 넓이는?

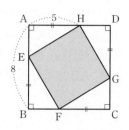

① 31 　　　② 32
③ 33 　　　④ 34
⑤ 35

13 피타고라스 정리의 이해(2)

오른쪽 그림과 같이 ∠A=90°인 직각삼각형 ABC에서 $\overline{AB}=4$, $\overline{BC}=5$일 때, △AGC의 넓이는?

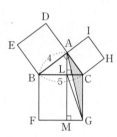

① 3 　　　② $\frac{9}{2}$
③ 6 　　　④ 8
⑤ 9

14 두 대각선이 직교하는 사각형의 성질

오른쪽 그림의 □ABCD에서 두 대각선이 직교할 때, $\overline{CD}=x$ cm일 때, x^2의 값은?

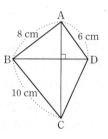

① 56 　　　② 64
③ 72 　　　④ 81
⑤ 100

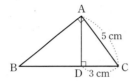
15 직각삼각형의 닮음을 이용한 성질

오른쪽 그림과 같이 ∠A＝90°인 직각삼각형 ABC의 꼭짓점 A에서 $\overline{BC}$에 내린 수선의 발을 D라 할 때, $\overline{AB}$의 길이를 구하여라.

A

5 cm

B D 3 cm C

16 직각삼각형과 반원으로 이루어진 도형의 성질

오른쪽 그림과 같이 ∠B＝90°인 직각삼각형 ABC의 각 변을 지름으로 하는 세 반원의 넓이를 각각 P, Q, R라 하자. $P＝12\pi$ cm², $Q＝20\pi$ cm²일 때, $\overline{AC}$의 길이는?

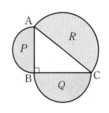

① 15 cm   ② 16 cm   ③ 18 cm
④ 20 cm   ⑤ 24 cm

17 사건과 경우의 수

한 개의 주사위를 두 번 던질 때, 나오는 눈의 수의 합이 6이 되는 경우의 수는?

① 3가지   ② 4가지   ③ 5가지
④ 6가지   ⑤ 8가지

18 사건 A 또는 사건 B가 일어나는 경우의 수

1에서 10까지의 수가 각각 적힌 10개의 구슬이 들어 있는 주머니에서 임의로 한 개의 구슬을 꺼낼 때, 3의 배수 또는 5의 배수가 적힌 구슬이 나오는 경우의 수는?

① 4가지   ② 5가지   ③ 6가지
④ 7가지   ⑤ 8가지

19 두 사건 A, B가 동시에 일어나는 경우의 수

어느 문구점에서 공책은 8종류, 연필은 10종류를 판매하고 있다. 이 문구점에서 공책 1종류와 연필 1종류를 사는 방법은 모두 몇 가지인가?

① 60가지   ② 72가지   ③ 80가지
④ 90가지   ⑤ 100가지

20 한 줄로 세우는 경우의 수

진희, 민정, 형준, 은지 4명의 학생을 한 줄로 세우는 경우의 수는?

① 12가지   ② 24가지   ③ 36가지
④ 48가지   ⑤ 96가지

21 한 줄로 세울 때, 이웃하여 서는 경우의 수

정수, 미나, 준태, 수정이가 한 줄로 설 때, 정수와 미나가 이웃하여 서는 경우의 수를 구하여라.

22 정수 만들기

1, 2, 3, 4, 5의 숫자가 각각 적힌 5장의 카드 중에서 2장을 뽑아 만들 수 있는 두 자리 정수의 개수를 구하여라.

23 대표뽑기

A, B, C, D, E, F 여섯 명의 후보 중에서 회장 1명과 부회장 1명을 뽑는 경우의 수를 구하여라.

24 확률의 뜻

한 개의 주사위를 던질 때, 짝수의 눈이 나올 확률은?

① $\dfrac{1}{6}$ 　② $\dfrac{1}{5}$ 　③ $\dfrac{1}{4}$

④ $\dfrac{1}{3}$ 　⑤ $\dfrac{1}{2}$

25 확률의 성질

서로 다른 두 개의 주사위를 동시에 던질 때, 나오는 두 눈의 수의 합이 1이 될 확률은?

① 0 　② $\dfrac{1}{6}$ 　③ $\dfrac{1}{3}$

④ $\dfrac{1}{2}$ 　⑤ 1

26 어떤 사건이 일어나지 않을 확률

남학생 3명과 여학생 4명 중에서 2명의 대표를 뽑을 때, 적어도 1명은 여학생이 뽑힐 확률은?

① $\dfrac{1}{7}$ 　② $\dfrac{1}{6}$ 　③ $\dfrac{1}{3}$

④ $\dfrac{5}{6}$ 　⑤ $\dfrac{6}{7}$

27 확률의 덧셈

서로 다른 두 개의 주사위를 동시에 던질 때, 나오는 두 눈의 수의 합이 3 또는 4가 될 확률은?

① $\dfrac{1}{18}$ 　② $\dfrac{1}{12}$ 　③ $\dfrac{5}{36}$

④ $\dfrac{1}{6}$ 　⑤ $\dfrac{2}{9}$

28 확률의 곱셈

한 개의 주사위를 두 번 던질 때, 첫 번째에는 4의 약수의 눈이 나오고 두 번째에는 소수의 눈이 나올 확률은?

① $\dfrac{1}{6}$ 　② $\dfrac{1}{5}$ 　③ $\dfrac{1}{4}$

④ $\dfrac{1}{3}$ 　⑤ $\dfrac{1}{2}$

29 연속하여 뽑는 경우의 확률

6개의 제비 중 당첨 제비가 2개 들어 있다. 경희와 범수 두 사람이 차례로 1개씩 제비를 뽑을 때, 경희만 당첨 제비를 뽑을 확률을 구하여라. (단, 꺼낸 제비는 다시 넣지 않는다.)

30 만날 확률

대현이와 은지가 일요일에 놀이동산 앞에서 만나기로 하였다. 대현이가 약속을 지킬 확률은 $\dfrac{7}{10}$, 은지가 약속을 지킬 확률은 $\dfrac{3}{4}$일 때, 두 사람이 만나지 못할 확률은?

① $\dfrac{3}{40}$ 　② $\dfrac{7}{40}$ 　③ $\dfrac{9}{40}$

④ $\dfrac{19}{40}$ 　⑤ $\dfrac{21}{40}$

01 삼각형에서 평행선과 선분의 길이

오른쪽 그림에서 $\overline{BC} /\!/ \overline{DE}$일 때, $\overline{AD}$의 길이는?

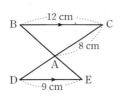

① 4 cm 　② 6 cm

③ 8 cm 　④ 10 cm

⑤ 12 cm

02 삼각형에서 두 선분이 평행할 조건

다음 보기 중 $\overline{BC} /\!/ \overline{DE}$인 것을 모두 고른 것은?

보기

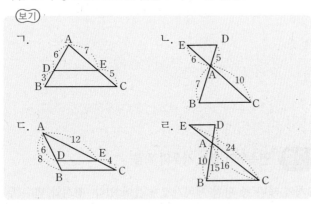

① ㄱ, ㄴ 　　② ㄱ, ㄷ 　　③ ㄴ, ㄷ

④ ㄴ, ㄹ 　　⑤ ㄷ, ㄹ

03 삼각형의 각의 이등분선

오른쪽 그림의 △ABC에서 ∠A의 외각의 이등분선이 $\overline{BC}$의 연장선과 만나는 점을 D라 할 때, x의 값을 구하여라.

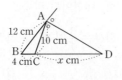

04 평행선 사이의 선분의 길이의 비

오른쪽 그림에서 $l /\!/ m /\!/ n$일 때, x의 값을 구하여라.

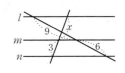

05 사다리꼴에서의 평행선

오른쪽 그림의 사다리꼴 ABCD에서 $\overline{AD} /\!/ \overline{EF} /\!/ \overline{BC}$일 때, $x-y$의 값을 구하여라.

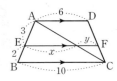

06 평행선과 선분의 길이의 비의 활용

오른쪽 그림에서 $\overline{AB}$, $\overline{PH}$, $\overline{DC}$는 모두 $\overline{BC}$에 수직일 때, $\overline{PH}$의 길이를 구하여라.

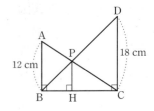

07 삼각형의 무게중심

오른쪽 그림에서 점 G와 점 G′은 각각 △ABC와 △GBC의 무게중심이다. $\overline{AD}=24$ cm일 때, $\overline{GG'}$의 길이를 구하여라.

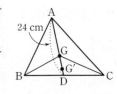

08 삼각형의 무게중심과 넓이

오른쪽 그림에서 점 G는 △ABC의 무게중심이다. △GCA=8 cm²일 때, △ABC의 넓이를 구하여라.

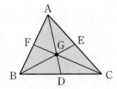

09 닮은 평면도형의 넓이의 비

오른쪽 그림과 같이 $\overline{AD}\,/\!/\,\overline{BC}$인 사다리꼴 ABCD에서 △ODA=18 cm²일 때, △OBC의 넓이를 구하여라.

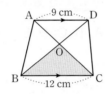

10 닮은 입체도형의 부피의 비

오른쪽 그림과 같은 원뿔 모양의 그릇에 일정한 속도로 높이의 $\frac{1}{3}$까지 물을 부었다. 빈 그릇에 일정한 속도로 물을 부어 가득 채우는 데 81초가 걸린다고 할 때, 나머지를 채우는 데 걸리는 시간을 구하여라.

11 도형에서 피타고라스 정리의 이용

오른쪽 그림과 같이 ∠B=90°인 직각삼각형 ABC에서 x의 값을 구하여라.

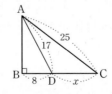

12 피타고라스 정리의 이해(1)

오른쪽 그림과 같이 정사각형 ABCD의 각 변 위에 $\overline{AE}=\overline{BF}=\overline{CG}=\overline{DH}=6$이 되도록 네 점 E, F, G, H를 잡았다. □EFGH의 넓이가 100일 때, □ABCD의 넓이는?

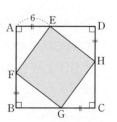

① 121 　　② 135

③ 144 　　④ 169

⑤ 196

13 피타고라스 정리의 이해(2)

오른쪽 그림과 같이 ∠A=90°인 직각삼각형 ABC의 각 변을 한 변으로 하는 정사각형을 그렸다. $\overline{AC}=12$, $\overline{BC}=13$일 때, □BHKJ의 넓이는?

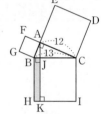

① 5 　　② 10

③ 25 　　④ 40

⑤ 50

14 두 대각선이 직교하는 사각형의 성질

오른쪽 그림의 □ABCD에서 두 대각선이 직교할 때, $\overline{AD}^2-\overline{AB}^2$의 값을 구하여라.

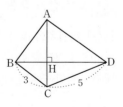

15 직각삼각형의 닮음을 이용한 성질

오른쪽 그림과 같이 가로, 세로의 길이가 각각 8 cm, 6 cm인 직사각형 ABCD가 있다. 점 A에서 대각선 BD에 내린 수선 AH의 길이는?

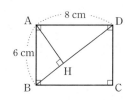

① 4 cm   ② 4.5 cm   ③ 4.8 cm
④ 5 cm   ⑤ 5.2 cm

16 직각삼각형과 반원으로 이루어진 도형의 성질

오른쪽 그림과 같이 $\angle C = 90°$, $\overline{AB} = 6$ cm인 직각삼각형 ABC의 직각을 낀 두 변을 각각 지름으로 하는 반원을 그렸을 때, 두 반원의 넓이의 합을 구하여라.

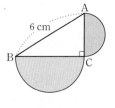

17 사건과 경우의 수

서로 다른 두 개의 주사위를 동시에 던질 때, 나오는 두 눈의 수의 합이 9가 되는 경우의 수를 구하여라.

18 사건 A 또는 사건 B가 일어나는 경우의 수

1에서 20까지의 수가 각각 적힌 20개의 구슬이 들어 있는 주머니에서 임의로 한 개의 구슬을 꺼낼 때, 4의 배수 또는 7의 배수가 적힌 구슬이 나오는 경우의 수는?

① 4가지   ② 5가지   ③ 6가지
④ 7가지   ⑤ 8가지

19 두 사건 A, B가 동시에 일어나는 경우의 수

오른쪽 그림과 같이 A에서 B로 가는 방법이 3가지, B에서 C로 가는 방법이 2가지일 때, A에서 B를 거쳐 C까지 가는 방법은 모두 몇 가지인지 구하여라. (단, A, B, C는 두 번 이상 지나지 않는다.)

20 한 줄로 세우는 경우의 수

A, B, C, D, E, F 6명의 학생을 한 줄로 세우는 경우의 수는?

① 30가지   ② 60가지   ③ 120가지
④ 360가지   ⑤ 720가지

21 한 줄로 세울 때, 이웃하여 서는 경우의 수

부부를 포함하여 5명의 가족이 나란히 앉아서 가족사진을 찍을 때, 부부가 이웃하여 앉는 경우의 수를 구하여라.

22 정수 만들기

0, 1, 2, 3, 4의 숫자가 각각 적힌 5장의 카드 중에서 2장을 뽑아 만들 수 있는 두 자리 정수의 개수를 구하여라.

23 대표뽑기

A, B, C, D, E 다섯 명의 육상선수 중에서 2명의 대표를 뽑는 경우의 수를 구하여라.

24 확률의 뜻

주머니 속에 흰 공 4개, 검은 공 6개가 들어 있다. 이 주머니에서 임의로 한 개의 공을 꺼낼 때, 나온 공이 검은 공일 확률은?

① 0   ② $\frac{1}{6}$ ③ $\frac{1}{3}$

④ $\frac{1}{2}$ ⑤ $\frac{3}{5}$

25 확률의 성질

1에서 4까지의 숫자가 각각 적힌 4장의 카드 중에서 2장을 뽑아 두 자리 자연수를 만들 때, 50 이하의 수가 될 확률은?

① 0   ② $\frac{1}{4}$ ③ $\frac{1}{2}$

④ $\frac{3}{4}$ ⑤ 1

26 어떤 사건이 일어나지 않을 확률

서로 다른 4개의 동전을 동시에 던질 때, 적어도 한 개는 앞면이 나올 확률은?

① $\frac{1}{16}$ ② $\frac{1}{8}$ ③ $\frac{5}{8}$

④ $\frac{15}{16}$ ⑤ 1

27 확률의 덧셈

서로 다른 두 개의 주사위를 동시에 던질 때, 나오는 두 눈의 수의 차가 1 또는 2가 될 확률은?

① $\frac{1}{3}$ ② $\frac{1}{2}$ ③ $\frac{2}{9}$

④ $\frac{4}{9}$ ⑤ $\frac{2}{3}$

28 확률의 곱셈

한 개의 주사위를 두 번 던질 때, 첫 번째에는 짝수의 눈이 나오고 두 번째에는 6의 약수의 눈이 나올 확률은?

① $\frac{1}{6}$ ② $\frac{1}{4}$ ③ $\frac{1}{3}$

④ $\frac{1}{2}$ ⑤ $\frac{2}{3}$

29 연속하여 뽑는 경우의 확률

주머니 속에 흰 공 3개와 검은 공 5개가 들어 있다. 이 주머니에서 한 개의 공을 꺼내 확인하고 다시 넣은 후 또 한 개의 공을 꺼낼 때, 두 개 모두 검은 공일 확률을 구하여라.

30 만날 확률

준형이와 민주가 일요일에 영화관에서 만나기로 하였다. 준형이가 약속을 지킬 확률은 $\frac{2}{5}$, 민주가 약속을 지킬 확률은 $\frac{1}{3}$이라 할 때, 두 사람이 만나지 못할 확률은?

① $\frac{2}{15}$ ② $\frac{1}{5}$ ③ $\frac{2}{5}$

④ $\frac{4}{5}$ ⑤ $\frac{13}{15}$

01 오른쪽 그림의 △ABC에서 $\overline{BC}/\!/\overline{DE}$일 때, $\overline{DP}$의 길이를 구하여라.

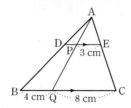

02 오른쪽 그림에서 $\overline{AD}$가 ∠A의 이등분선일 때, $\overline{BD}$의 길이를 구하여라.

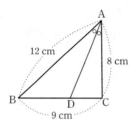

03 오른쪽 그림에서 $l/\!/m/\!/n$일 때, x의 값은?

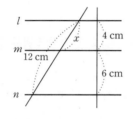

① 4.8 cm ② 5.2 cm

③ 6 cm ④ 7.4 cm

⑤ 8 cm

04 오른쪽 그림과 같이 $\overline{AD}/\!/\overline{EG}/\!/\overline{BC}$인 사다리꼴 ABCD에서 점 F는 대각선 AC, BD의 교점이다. 이때 $\overline{EG}$의 길이는?

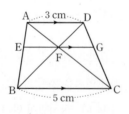

① 3 cm ② $\dfrac{15}{4}$ cm ③ 4 cm

④ $\dfrac{17}{4}$ cm ⑤ $\dfrac{19}{4}$ cm

05 오른쪽 그림에서 x의 값은?

① 5 ② 6

③ 7 ④ 8

⑤ 10

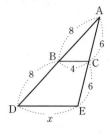

06 오른쪽 그림의 △ABC에서 $\overline{BA}$의 연장선 위에 $\overline{BA}=\overline{AD}$인 점 D를 정하고, $\overline{AC}$의 중점을 M, $\overline{DM}$의 연장선과 $\overline{BC}$의 교점을 E라 하자. $\overline{CE}=4$ cm일 때, $\overline{BE}$의 길이를 구하여라.

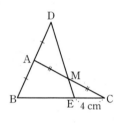

07 오른쪽 그림에서 점 G는 △ABC의 무게중심이고 점 M은 $\overline{AD}$의 중점이다. △ABC의 넓이가 36 cm²일 때, △MGC의 넓이는?

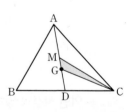

① 2 cm² ② 3 cm² ③ 4 cm²

④ 5 cm² ⑤ 6 cm²

08 오른쪽 그림의 △ABC에서 $\overline{BC} /\!/ \overline{DE}$, $\overline{AD} : \overline{DB} = 4 : 3$ 이고 △ADE의 넓이가 32 cm² 일 때, □DBCE의 넓이는?

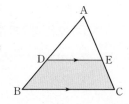

① 50 cm²　　② 54 cm²

③ 58 cm²　　④ 62 cm²

⑤ 66 cm²

09 큰 쇠구슬을 녹여서 반지름의 길이가 큰 쇠구슬의 반지름의 길이의 $\frac{1}{5}$인 작은 쇠구슬 여러 개를 만들려고 한다. 이때 작은 쇠구슬은 모두 몇 개 만들 수 있는가?

① 5개　　　　② 25개　　　　③ 27개

④ 64개　　　　⑤ 125개

10 오른쪽 그림은 눈높이가 1.5 m인 나은이가 나무의 높이를 알아보기 위하여 측량한 것이다. 축척이 $\frac{1}{500}$ 인 축도에서 $\overline{AC} = 5$ cm 일 때, 나무의 실제 높이는?

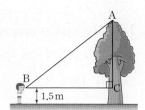

① 25 m　　　② 26.5 m　　　③ 28 m

④ 29.5 m　　⑤ 31 m

11 오른쪽 그림은 직각삼각형 ABC의 세 변을 각각 한 변으로 하는 정사각형을 그린 것이다. $\overline{BC} = 13$ cm, $\overline{AC} = 5$ cm일 때, △ABF의 넓이를 구하여라.

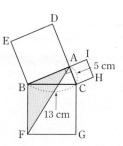

12 삼각형의 세 변의 길이가 다음과 같을 때, 직각삼각형인 것을 모두 고르면? (정답 2개)

① 2 cm, 5 cm, 6 cm

② 4 cm, 6 cm, 8 cm

③ 5 cm, 7 cm, 9 cm

④ 6 cm, 8 cm, 10 cm

⑤ 8 cm, 15 cm, 17 cm

13 오른쪽 그림과 같이 ∠A=90° 인 직각삼각형 ABC의 세 변을 지름으로 하는 세 반원의 넓이를 각각 S_1, S_2, S_3라 하자. $S_1 = 32\pi$ cm², $S_3 = 50\pi$ cm² 일 때, S_2의 넓이는?

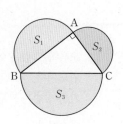

① 10π cm²　　② 12π cm²　　③ 14π cm²

④ 16π cm²　　⑤ 18π cm²

14 오른쪽 그림과 같이 $\overline{AB}=\overline{AC}=15$ cm, $\overline{BC}=18$ cm인 이등변삼각형 ABC의 넓이를 구하여라.

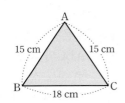

15 다음 중 경우의 수가 가장 큰 것은?

① 서로 다른 동전 3개를 동시에 던졌을 때, 일어나는 모든 경우의 수
② 서로 다른 주사위 2개를 동시에 던졌을 때, 일어나는 모든 경우의 수
③ 네 명의 학생을 한 줄로 세우는 경우의 수
④ 연필 4종류, 볼펜 3종류 중 1종류를 선택하는 경우의 수
⑤ 주사위 1개와 동전 1개를 동시에 던졌을 때, 일어나는 모든 경우의 수

16 오른쪽 그림은 어느 미술관의 평면도이다. 제 1 관에서 제 3 관을 가는 방법은 모두 몇 가지인가?

① 3가지 ② 4가지
③ 5가지 ④ 6가지
⑤ 7가지

17 1에서 5까지의 숫자가 각각 적힌 5장의 카드가 있다. 이 중에서 3장을 뽑아 세 자리 정수를 만들 때, 일의 자리에 4가 오는 경우의 수는?

① 6가지 ② 8가지 ③ 10가지
④ 12가지 ⑤ 14가지

18 6명의 후보 중에서 회장 1명, 부회장 1명, 총무 1명을 뽑는 경우의 수는?

① 10가지 ② 20가지 ③ 30가지
④ 60가지 ⑤ 120가지

19 서로 다른 두 개의 주사위를 동시에 던질 때, 눈의 수가 서로 다르게 나올 확률은?

① $\dfrac{1}{6}$ ② $\dfrac{1}{3}$ ③ $\dfrac{2}{3}$
④ $\dfrac{3}{4}$ ⑤ $\dfrac{5}{6}$

20 윷가락 4개를 던질 때, 개 또는 걸이 나올 확률은?

① $\frac{1}{8}$ ② $\frac{1}{4}$ ③ $\frac{3}{8}$

④ $\frac{5}{8}$ ⑤ $\frac{3}{4}$

21 일기예보에 의하면 내일 비가 올 확률은 40 %이고, 모레 비가 올 확률은 70 %라 한다. 내일과 모레 이틀 동안 연속하여 비가 올 확률은?

① $\frac{7}{25}$ ② $\frac{18}{25}$ ③ $\frac{11}{50}$

④ $\frac{17}{50}$ ⑤ $\frac{19}{50}$

22 한자 급수 시험에서 민수와 경훈이가 합격할 확률이 각각 $\frac{5}{7}$, $\frac{3}{5}$일 때, 민수와 경훈이 중 적어도 한 사람이 불합격할 확률은?

① $\frac{4}{35}$ ② $\frac{6}{35}$ ③ $\frac{3}{7}$

④ $\frac{4}{7}$ ⑤ $\frac{5}{7}$

23 오른쪽 그림에서 $\overline{BC} /\!/ \overline{DE}$일 때, $x+y$의 값을 구하여라. [7점]

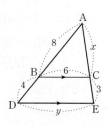

24 오른쪽 그림에서 점 G는 $\triangle ABC$의 무게중심이다. $\overline{AG}$와 $\overline{EF}$의 교점을 H라 하고 $\overline{AD}=18$ cm일 때, $\overline{HG}$의 길이를 구하여라. [8점]

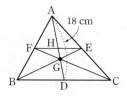

25 오른쪽 그림과 같이 한 변의 길이가 1인 정삼각형 위에 움직이는 점 P가 있다. 점 P는 동전 1개를 던져 앞면이 나오면 2, 뒷면이 나오면 1만큼씩 화살표 방향으로 움직인다. 서로 다른 동전 2개를 동시에 던질 때, 점 A를 출발한 점 P가 다시 점 A에 도착할 확률을 구하여라. [8점]

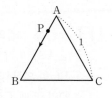

01 오른쪽 그림에서
$\overline{AP}:\overline{PD}=\overline{BQ}:\overline{QD}$
$=\overline{BR}:\overline{RC}$이고
$\angle ABD=30°$, $\angle BDC=65°$
일 때, $\angle PQR$의 크기는?

① 130°   ② 135°   ③ 140°

④ 145°   ⑤ 150°

02 오른쪽 그림에서
$\overline{DE}\,/\!/\,\overline{BC}$, $\overline{DF}\,/\!/\,\overline{BE}$이고
$\overline{AE}=18$ cm, $\overline{EC}=9$ cm,
$\overline{BE}=24$ cm일 때, $\overline{DF}$의
길이는?

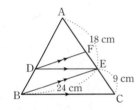

① 12 cm   ② 13 cm   ③ 14 cm

④ 15 cm   ⑤ 16 cm

03 오른쪽 그림의 △ABC에서
∠A의 외각의 이등분선이
$\overline{BC}$의 연장선과 만나는 점을
D라 할 때, $\overline{CD}$의 길이는?

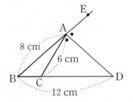

① 5 cm   ② 6 cm

③ 7 cm   ④ 8 cm

⑤ 9 cm

04 오른쪽 그림에서
$\overline{AB}\,/\!/\,\overline{EF}\,/\!/\,\overline{DC}$일 때,
$\overline{FC}$의 길이는?

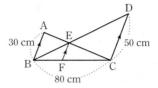

① 30 cm

② 40 cm

③ 50 cm

④ 60 cm

⑤ 70 cm

05 오른쪽 그림의 사다리꼴
ABCD에서 점 P, Q, R, S
가 각각 네 변의 중점이고
$\overline{AC}=10$ cm, $\overline{BD}=12$ cm
일 때, □PQRS의 둘레의 길이는?

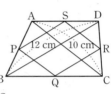

① 18 cm   ② 20 cm   ③ 22 cm

④ 24 cm   ⑤ 26 cm

06 오른쪽 그림과 같이
$\overline{AD}\,/\!/\,\overline{BC}$인 사다리꼴
ABCD에서 점 E, F는 각각
$\overline{AB}$, $\overline{DC}$의 중점이다.
$\overline{BC}=12$ cm, $\overline{GH}=3$ cm일
때, $\overline{AD}$의 길이는?

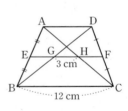

① 5 cm   ② 6 cm   ③ 7 cm

④ 8 cm   ⑤ 9 cm

07 오른쪽 그림에서 점 D는 $\overline{BC}$
의 중점이고, 점 E는 $\overline{AD}$의
중점이다. △ABC=28 cm²
일 때, △EBD의 넓이를 구하
여라.

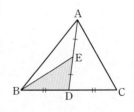

08 오른쪽 그림에서 점 G가 직각삼각형 ABC의 무게중심일 때, $\overline{BG}$의 길이는?

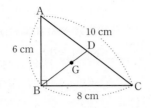

① 3 cm

② $\dfrac{10}{3}$ cm

③ 4 cm

④ $\dfrac{13}{3}$ cm

⑤ 5 cm

09 오른쪽 그림과 같은 평행사변형 ABCD에서 $\overline{BC}$, $\overline{CD}$의 중점을 각각 M, N이라 하고, 대각선 BD와 $\overline{AM}$, $\overline{AN}$의 교점을 각각 E, F라 하자. □EMCO의 넓이가 10 cm²일 때, □ABCD의 넓이는?

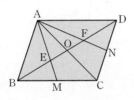

① 45 cm²   ② 50 cm²   ③ 55 cm²

④ 60 cm²   ⑤ 70 cm²

10 오른쪽 그림과 같이 서로 닮은 두 원기둥의 부피가 각각 128π cm³, 250π cm³이다. 작은 원기둥의 겉넓이가 96π cm²일 때, 큰 원기둥의 겉넓이는?

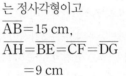

① 150π cm²   ② 155π cm²   ③ 160π cm²

④ 165π cm²   ⑤ 170π cm²

11 오른쪽 그림에서 $\overline{BC}$ 위에 놓여 있는 두 정사각형의 넓이가 각각 64 cm², 49 cm²일 때, $\overline{AC}$의 길이를 구하여라.

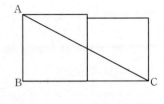

12 오른쪽 그림에서 □ABCD는 정사각형이고 $\overline{AB}=15$ cm, $\overline{AH}=\overline{BE}=\overline{CF}=\overline{DG}=9$ cm 일 때, □EFGH의 넓이를 구하여라.

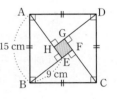

13 세 변의 길이가 다음과 같은 삼각형 중에서 둔각삼각형은?

① 10, 6, 5   ② 4, 5, 6   ③ 6, 8, 10

④ 8, 15, 17   ⑤ 9, 12, 13

14 오른쪽 그림과 같이 □ABCD의 두 대각선이 서로 직교하고, $\overline{AD}=6$, $\overline{BC}=8$, $\overline{CD}^2=28$일 때 $\overline{AB}^2$의 값은?

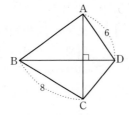

① 27 ② 36
③ 64 ④ 72
⑤ 144

15 한 개의 주사위를 던질 때, 다음 중 경우의 수가 옳지 않은 것은?

① 짝수의 눈이 나오는 경우의 수는 3가지이다.
② 소수의 눈이 나오는 경우의 수는 2가지이다.
③ 3의 배수의 눈이 나오는 경우의 수는 2가지이다.
④ 6보다 작은 수의 눈이 나오는 경우의 수는 5가지이다.
⑤ 2보다 크고 5보다 작은 수의 눈이 나오는 경우의 수는 2가지이다.

16 1에서 15까지의 수가 각각 적힌 15개의 구슬이 있다. 이 구슬 중에서 임의로 한 개의 구슬을 꺼낼 때, 짝수 또는 9의 배수가 적힌 구슬이 나오는 경우는 모두 몇 가지인가?

① 5가지 ② 6가지 ③ 7가지
④ 8가지 ⑤ 9가지

17 6개의 축구팀이 대회 출전권을 얻기 위하여 예선전을 치뤄야 한다. 모든 팀이 다른 팀과 한 번씩 경기를 하는 방법으로 예선전을 치룬다고 할 때, 모두 몇 번의 경기를 해야 하는가?

① 6번 ② 8번 ③ 12번
④ 15번 ⑤ 20번

18 A, B 두 개의 동전을 동시에 던질 때, 서로 다른 면이 나올 확률은?

① $\dfrac{1}{2}$ ② $\dfrac{1}{3}$ ③ $\dfrac{1}{4}$
④ $\dfrac{3}{4}$ ⑤ 1

19 서로 다른 2개의 주사위 A, B를 동시에 던질 때, 주사위 A에서는 홀수의 눈이 나오고 주사위 B에서는 4 이하의 눈이 나올 확률은?

① $\dfrac{1}{8}$ ② $\dfrac{1}{4}$ ③ $\dfrac{1}{3}$
④ $\dfrac{1}{2}$ ⑤ $\dfrac{3}{4}$

20 A 주머니 속에는 흰 공 4개와 검은 공 1개가 들어 있고, B 주머니 속에는 흰 공 2개와 검은 공 3개가 들어 있다. A, B 두 주머니 속에서 공을 각각 1개씩 꺼낼 때, 서로 다른 색의 공이 나올 확률은?

① $\dfrac{8}{25}$ ② $\dfrac{10}{25}$ ③ $\dfrac{11}{25}$

④ $\dfrac{14}{25}$ ⑤ $\dfrac{16}{25}$

21 10개의 제비 중 당첨 제비가 3개 들어 있다. A, B 두 사람이 차례로 1개씩 제비를 뽑을 때, A만 당첨 제비를 뽑을 확률은? (단, 한 번 꺼낸 제비는 다시 넣지 않는다.)

① $\dfrac{1}{15}$ ② $\dfrac{7}{30}$ ③ $\dfrac{7}{15}$

④ $\dfrac{9}{100}$ ⑤ $\dfrac{21}{100}$

22 오른쪽 그림과 같이 10등분된 원판 위에 숫자가 1부터 10까지 각각 적혀 있다. 이 원판에 화살을 두 번 쏘았을 때, 맞힌 부분의 두 수의 곱이 홀수가 될 확률은? (단, 화살이 원판을 벗어나거나 경계선을 맞히는 경우는 없다.)

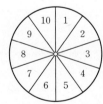

① $\dfrac{1}{6}$ ② $\dfrac{1}{4}$ ③ $\dfrac{1}{2}$

④ $\dfrac{2}{3}$ ⑤ $\dfrac{3}{4}$

23 오른쪽 그림에서 $l/\!/m/\!/n/\!/p$일 때, $x+y$의 값을 구하여라. [7점]

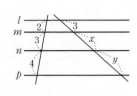

24 오른쪽 그림과 같이 $\overline{AB}=8\ cm$, $\overline{AD}=10\ cm$인 직사각형 모양의 종이를 꼭짓점 D가 $\overline{BC}$ 위의 점 E에 오도록 접었을 때, △AEF의 넓이를 구하여라. [8점]

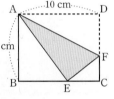

25 오른쪽 그림은 학교에서 재석이네 집까지의 약도이다. 재석이가 학교를 출발하여 놀이터를 거쳐서 집에 가려고 할 때, 최단 거리로 가는 방법의 수를 구하여라. [8점]

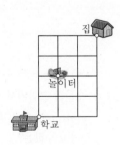

01 다음 중 $\overline{BC} /\!/ \overline{DE}$가 <u>아닌</u> 것은?

①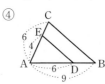

②

③

④

⑤

02 오른쪽 그림과 같은 △ABC에서 ∠A의 이등분선과 $\overline{BC}$의 교점을 D라 하자. $\overline{AB}$=12 cm, $\overline{AC}$=15 cm이고 △ADC=45 cm²일 때, △ABD의 넓이를 구하여라.

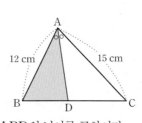

03 오른쪽 그림에서 세 직선 l, m, n이 서로 평행할 때, $x+y$의 값은?

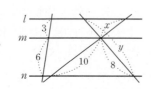

① 15   ② 16
③ 17   ④ 18
⑤ 19

04 오른쪽 그림과 같은 사다리꼴 ABCD에서 $\overline{AD} /\!/ \overline{EF} /\!/ \overline{BC}$, $\overline{AB} /\!/ \overline{DH}$일 때, x, y의 값을 차례로 구하면?

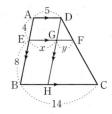

① $x=4$, $y=3$
② $x=4$, $y=3.5$
③ $x=5$, $y=3$
④ $x=5$, $y=4$
⑤ $x=5$, $y=4.5$

05 오른쪽 그림에서 점 D, E, F는 각각 $\overline{AB}$, $\overline{BC}$, $\overline{CA}$의 중점이다. △ABC의 둘레의 길이가 60 cm일 때, △DEF의 둘레의 길이는?

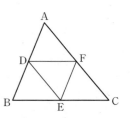

① 25 cm   ② 30 cm   ③ 35 cm
④ 40 cm   ⑤ 45 cm

06 오른쪽 그림과 같이 △ABC에서 $\overline{BC}$의 중점을 D, $\overline{AD}$의 삼등분점을 각각 E, F라 하자. △ABC=36 cm²일 때, 색칠한 부분의 넓이를 구하여라.

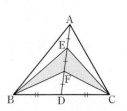

07 오른쪽 그림에서 점 G가 △ABC의 무게중심일 때, $x+y$의 값을 구하여라.

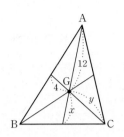

08 닮음비가 3 : 4인 두 원이 있다. 큰 원의 넓이가 128π cm²일 때, 작은 원의 넓이를 구하여라.

09 오른쪽 그림과 같이 높이가 10 cm인 원뿔 모양의 그릇에 일정한 속도로 물을 넣고 있다. 물을 넣기 시작한지 8초가 되는 순간의 물의 높이가 4 cm이었을 때, 그릇에 물을 가득 채우려면 몇 초 동안 물을 더 넣어야 하는가?

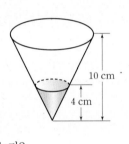

① 96초   ② 102초   ③ 108초
④ 117초   ⑤ 124초

10 축척이 $\dfrac{1}{100000}$인 지도에서 길이가 10 cm인 두 지점 사이를 시속 5 km로 가는데 걸리는 시간은?

① 1시간   ② 1시간 30분   ③ 1시간 45분
④ 2시간   ⑤ 2시간 15분

11 오른쪽 그림에서 4개의 삼각형이 모두 직각이등변삼각형이고 $\overline{OA}=\overline{AB}=1$일 때, $\overline{OE}$의 길이는?

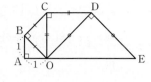

① 10   ② 8   ③ 6
④ 4   ⑤ 3

12 오른쪽 그림에서 □ACHI, □BFGC, □ADEB는 모두 정사각형이다. ∠C=90°, $\overline{AC}=8$ cm, $\overline{BC}=6$ cm일 때, △CAD의 넓이는?

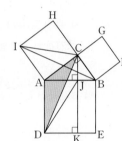

① 8 cm²   ② 16 cm²
③ 24 cm²   ④ 32 cm²
⑤ 48 cm²

13 세 변의 길이가 6 cm, 7 cm, x cm인 삼각형이 둔각삼각형이 될 때, 다음 중 x의 값으로 적당하지 <u>않은</u> 것은?
(단, $x<7$)

① 4   ② 3   ③ 2.5
④ 2   ⑤ 1.5

14 오른쪽 그림에서 ∠A=90°, $\overline{AD}\perp\overline{BC}$일 때, $\dfrac{1}{4}x^2y$의 값을 구하여라.

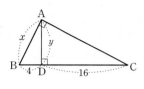

15 지영이가 100원짜리 동전 2개, 50원짜리 동전 3개를 가지고 물건을 사려고 할 때, 거스름돈 없이 지불할 수 있는 물건값의 경우의 수는?

① 5가지   ② 6가지   ③ 7가지
④ 8가지   ⑤ 9가지

16 알파벳 g, i, a, n, t, s가 각각 적혀 있는 6개의 카드를 일렬로 배열할 때, g 또는 a가 맨 앞에 오는 경우의 수를 구하여라.

17 어느 지역 지방 선거에서 시장 후보가 2명, 시의원 후보가 4명이다. 이때 시장 1명, 시의원 2명을 뽑는 경우의 수를 구하여라.

18 할머니, 아버지, 어머니, 은지, 언니, 동생이 한 줄로 서서 가족사진을 찍을 때, 은지와 동생이 서로 이웃하여 서는 경우의 수를 구하여라.

19 다음 설명 중 옳지 <u>않은</u> 것은?

① 해가 서쪽에서 뜰 확률은 0이다.
② 어떤 사건이 일어날 확률을 p라 하면 $0<p<1$이다.
③ 사건 A가 일어날 확률을 p라 하면 사건 A가 일어나지 않을 확률은 $1-p$이다.
④ 반드시 일어나는 사건의 확률은 1이다.
⑤ 주사위 한 개를 던질 때, 6의 약수의 눈이 나올 확률은 $\dfrac{2}{3}$이다.

20 한 개의 주사위를 두 번 던져서 첫 번째에 나온 눈의 수를 a, 두 번째에 나온 눈의 수를 b라 할 때, 두 일차함수 $y=ax+b$와 $y=5x+1$의 그래프가 평행할 확률은?

① $\dfrac{1}{36}$ ② $\dfrac{1}{12}$ ③ $\dfrac{5}{36}$

④ $\dfrac{1}{6}$ ⑤ $\dfrac{5}{18}$

21 A 주머니에는 노란 공 6개, 초록 공 3개가 들어 있고, B 주머니에는 노란 공 3개, 초록 공 4개가 들어 있다. A, B 두 개의 주머니에서 공을 각각 1개씩 꺼낼 때, 두 공이 모두 노란 공일 확률은?

① $\dfrac{1}{7}$ ② $\dfrac{4}{21}$ ③ $\dfrac{2}{7}$

④ $\dfrac{3}{7}$ ⑤ $\dfrac{9}{16}$

22 1에서 10까지의 수가 각각 적혀 있는 10장의 카드 중에서 연속하여 2장의 카드를 뽑을 때, 두 번 모두 4의 배수가 적힌 카드를 뽑을 확률은? (단, 꺼낸 카드는 다시 넣는다.)

① $\dfrac{1}{45}$ ② $\dfrac{1}{25}$ ③ $\dfrac{1}{20}$

④ $\dfrac{1}{15}$ ⑤ $\dfrac{1}{5}$

서술형 문제

23 오른쪽 그림과 같은 $\overline{AD} /\!/ \overline{BC}$인 사다리꼴 ABCD에서 $\overline{AB}$, $\overline{DC}$의 중점을 각각 M, N이라 할 때, $\overline{PQ}$의 길이를 구하여라. [7점]

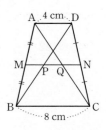

24 한 개의 주사위를 두 번 던져서 처음에 나온 수를 x, 나중에 나온 눈의 수를 y라 할 때, $2x+y<8$일 확률을 구하여라. [8점]

25 C를 포함한 8명의 후보 중에서 대표 2명을 뽑을 때, C가 뽑히지 않을 확률을 구하여라. [8점]

01 오른쪽 그림에서 $\overline{BC} /\!/ \overline{DE} /\!/ \overline{FG}$ 일 때, $x+y$의 값은?

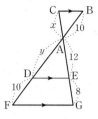

① 20 ② 21
③ 22 ④ 23
⑤ 24

02 오른쪽 그림과 같은 △ABC에서 $\overline{AP} : \overline{PB} = \overline{AQ} : \overline{QC}$일 때, 다음 보기 중 옳은 것을 모두 고른 것은?

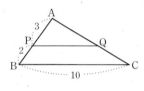

◁보기▷
ㄱ. △ABC∽△APQ ㄴ. $\overline{PQ} /\!/ \overline{BC}$
ㄷ. $\overline{PQ} : \overline{BC} = 3 : 2$ ㄹ. $\overline{PQ} = 6$

① ㄱ, ㄴ ② ㄱ, ㄹ ③ ㄴ, ㄹ
④ ㄱ, ㄴ, ㄷ ⑤ ㄱ, ㄴ, ㄹ

03 오른쪽 그림과 같은 △ABC에서 $\overline{AD}$가 ∠A의 외각의 이등분선일 때, $\overline{BC}$의 길이는?

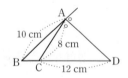

① 2.5 cm ② 3 cm
③ 3.5 cm ④ 4 cm
⑤ 4.5 cm

04 오른쪽 그림의 △ABC에서 $\overline{AD}$는 ∠A의 이등분선이고 $\overline{AE}$는 ∠A의 외각의 이등분선이다. $\overline{AB} = 9$ cm, $\overline{AC} = 6$ cm, $\overline{BD} = 6$ cm일 때, $\overline{CE}$의 길이는?

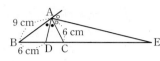

① 18 cm ② 19 cm ③ 20 cm
④ 21 cm ⑤ 22 cm

05 오른쪽 그림에서 $\overline{AB} /\!/ \overline{EF} /\!/ \overline{DC}$일 때, $\overline{EF}$의 길이를 구하여라.

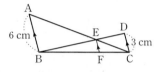

06 오른쪽 그림의 △ABC에서 점 E는 $\overline{AC}$의 중점이고 $\overline{DE} /\!/ \overline{BC}$일 때, $x+y$의 값은?

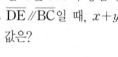

① 15 ② 16
③ 17 ④ 18
⑤ 19

07 오른쪽 그림에서 $\overline{AD}$는 △ABC의 한 중선이고 점 P는 중선 위의 한 점이다. △ABC의 넓이가 40 cm², △PDC의 넓이가 5 cm²일 때, △ABP의 넓이는?

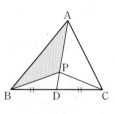

① 12 cm² ② 14 cm² ③ 15 cm²
④ 16 cm² ⑤ 18 cm²

08 오른쪽 그림과 같이 $\overline{AB}=\overline{AC}$이고 $\overline{BC}=24$ cm인 이등변삼각형 ABC에서 $\overline{BC}$의 중점을 D, $\triangle$ABD와 $\triangle$ADC의 무게중심을 각각 G와 G′이라 할 때, $\overline{GG'}$의 길이는?

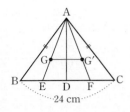

① 8 cm   ② 9 cm   ③ 10 cm
④ 11 cm   ⑤ 12 cm

09 오른쪽 그림에서 점 G는 $\triangle$ABC의 무게중심이고, $\overline{GB}$, $\overline{GC}$의 중점을 각각 E, F라 하자. $\triangle$BCG의 넓이가 24 cm²일 때, 색칠한 부분의 넓이는?

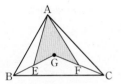

① 18 cm²   ② 20 cm²   ③ 22 cm²
④ 24 cm²   ⑤ 26 cm²

10 오른쪽 그림에서 $\triangle$ADE의 넓이가 12 cm²일 때, $\triangle$ABC의 넓이는?

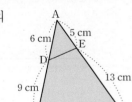

① 36 cm²
② 72 cm²
③ 108 cm²
④ 144 cm²
⑤ 180 cm²

11 오른쪽 그림과 같이 가로, 세로의 길이가 각각 12, 5인 직사각형 ABCD가 있다. 점 A에서 대각선 BD에 내린 수선 AH의 길이를 구하여라.

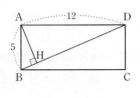

12 오른쪽 그림의 $\triangle$ABC에서 $\angle A=90°$이고 $\overline{CD}=7$ cm, $\overline{DE}=4$ cm, $\overline{BC}=9$ cm일 때, $\overline{BE}^2$의 값은?

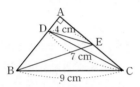

① 28   ② 32   ③ 48
④ 70   ⑤ 74

13 오른쪽 그림에서 색칠한 부분의 넓이를 각각 S_1, S_2, S_3라 할 때, $S_1+S_2+S_3$의 값은?

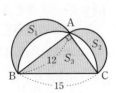

① 100   ② 108
③ 112   ④ 144
⑤ 150

14 오른쪽 그림과 같이
□ABCD에서
∠A=∠B=90°이고
$\overline{AB}$=4 cm, $\overline{AD}$=6 cm,
$\overline{BC}$=9 cm일 때, $\overline{CD}$의 길이는?

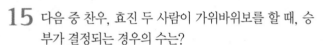

① 4 cm   ② $\frac{9}{2}$ cm   ③ 5 cm

④ $\frac{11}{2}$ cm   ⑤ 6 cm

15 다음 중 찬우, 효진 두 사람이 가위바위보를 할 때, 승부가 결정되는 경우의 수는?

① 3가지   ② 4가지   ③ 5가지
④ 6가지   ⑤ 7가지

16 두 개의 동전 A, B와 한 개의 주사위를 동시에 던질 때, 두 개의 동전은 같은 면이 나오고 주사위는 2의 배수의 눈이 나오는 경우의 수는?

① 2가지   ② 3가지   ③ 4가지
④ 6가지   ⑤ 9가지

17 0, 1, 2, 3, 4의 숫자 중에서 3개의 숫자를 뽑아 만들 수 있는 세 자리 정수의 개수는?

① 24개   ② 36개   ③ 48개
④ 60개   ⑤ 100개

18 오른쪽 그림과 같이 원 위에 7개의 점이 있다. 두 점을 이어서 만들 수 있는 선분의 개수는?

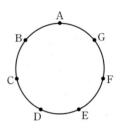

① 12개   ② 15개
③ 18개   ④ 21개
⑤ 42개

19 다음 그림과 같이 수직선 위의 2를 나타내는 곳에 바둑돌이 놓여 있다. 동전을 던져서 앞면이 나오면 오른쪽으로 1만큼, 뒷면이 나오면 왼쪽으로 1만큼 간다고 할 때, 동전을 3번 던져 바둑돌이 1을 나타내는 곳에 놓일 확률은?

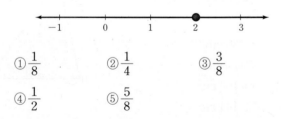

① $\frac{1}{8}$ ② $\frac{1}{4}$ ③ $\frac{3}{8}$

④ $\frac{1}{2}$ ⑤ $\frac{5}{8}$

20 자연수 2, 3, 4, 5가 적힌 4장의 카드 중에서 2장을 뽑아 두 자리 정수를 만들 때, 다음 중 옳지 <u>않은</u> 것은?

① 만들 수 있는 두 자리 정수의 개수는 12개이다.

② 55 이상일 확률은 0이다.

③ 30 미만일 확률은 $\dfrac{1}{4}$이다.

④ 5의 배수일 확률은 $\dfrac{1}{3}$이다.

⑤ 홀수이거나 짝수일 확률은 1이다.

21 어느 중학교에서 수련회를 가기 위해서 교문 앞에 버스가 오전 8시에 도착할 예정이다. 버스가 정시에 도착할 확률은 $\dfrac{1}{2}$, 정시보다 늦게 도착할 확률은 $\dfrac{1}{4}$일 때, 버스가 정시보다 일찍 도착할 확률을 구하여라.

22 일기예보에서 이번 주 토요일에 비가 올 확률이 $\dfrac{3}{5}$, 일요일에 비가 올 확률이 $\dfrac{3}{10}$이라 한다. 이번 주 토요일에는 비가 오지 않고, 일요일에는 비가 올 확률을 구하여라.

서술형 문제

23 오른쪽 그림과 같이 두 평면 P, Q는 원뿔의 밑면에 평행하고 $\overline{OH}$를 삼등분하는 점에 위치한다. 가장 큰 원뿔의 부피가 162 cm³일 때, 두 평면 P, Q 사이의 원뿔대의 부피를 구하여라. [8점]

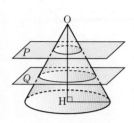

24 오른쪽 그림과 같이 $\angle B = \angle C = 90°$인 사다리꼴 ABCD에서 △ABE ≡ △ECD이다.

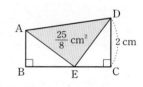

$\overline{CD} = 2$ cm, △AED $= \dfrac{25}{8}$ cm²일 때, 사다리꼴 ABCD의 넓이를 구하여라. [8점]

25 서로 다른 두 개의 주사위를 동시에 던질 때, 나오는 두 눈의 수의 합이 5의 배수가 되는 경우의 수를 구하여라. [7점]

MEMO

새로운 개정 교육과정 반영

BEST 유형 + BEST 기출 총망라

내신 UP

중학 수학 2·2

기말고사
정답 및 해설

(주)에듀왕
www.왕수학.com

중학 수학 **2·2**

정답 & 해설

6. 평행선과 선분의 길이의 비

예제 1 답 (1) 9 (2) 4

(1) $6 : x = 4 : (10-4)$, $4x = 36$ ∴ $x = 9$

(2) $6 : (9-6) = 8 : x$, $6x = 24$ ∴ $x = 4$

예제 2 답 (1) 5 (2) 3

(1) $\overline{AB} : \overline{AD} = 8 : 10 = 4 : 5$이므로 $\overline{AC} : \overline{AE} = 4 : 5$일 때, $\overline{BC} /\!/ \overline{DE}$이다.

   $4 : x = 4 : 5$ ∴ $x = 5$

(2) $\overline{AE} : \overline{EC} = 2 : 8 = 1 : 4$이므로 $\overline{AD} : \overline{DB} = 1 : 4$일 때, $\overline{BC} /\!/ \overline{DE}$이다.

   $x : 12 = 1 : 4$, $4x = 12$ ∴ $x = 3$

예제 3 답 6

$\overline{AB} : \overline{AD} = \overline{BF} : \overline{DG}$이므로 $(10+5) : 10 = 9 : x$, $15x = 90$

∴ $x = 6$

예제 4 답 10

$5 : x = 3 : 6$, $3x = 30$ ∴ $x = 10$

예제 5 답 7

$x : 4 = 14 : 8$, $8x = 56$ ∴ $x = 7$

예제 6 답 (1) 6 (2) 8

(1) $x : 10 = 9 : 15$, $15x = 90$ ∴ $x = 6$

(2) $5 : 10 = 4 : x$, $5x = 40$ ∴ $x = 8$

예제 7 답 (1) 6 (2) 4 (3) 10

(1) $\overline{EP} : 18 = 5 : (5+10)$, $15\overline{EP} = 90$ ∴ $\overline{EP} = 6$

(2) $\overline{PF} : 6 = 10 : (5+10)$, $15\overline{PF} = 60$ ∴ $\overline{PF} = 4$

(3) $\overline{EF} = \overline{EP} + \overline{PF} = 6 + 4 = 10$

예제 8 답 (1) 1 : 3 (2) 2

(1) $\overline{BE} : \overline{DE} = 3 : 6 = 1 : 2$이므로 $\overline{BE} : \overline{BD} = 1 : (1+2) = 1 : 3$

(2) $\overline{EF} : 6 = 1 : 3$, $3\overline{EF} = 6$ ∴ $\overline{EF} = 2$

01 4 cm   02 ∠ADE, ∠A, AA, $\overline{BC}$

03 ∠DBF, ∠BDF, △DBF, $\overline{DF}$, $\overline{EC}$ 04 ⑤   05 ④

06 $\dfrac{9}{2}$ 07 23   08 12 cm 09 ②, ⑤

10 ∠DAE, SAS, ∠ADE   11 27 cm 12 ①   13 3 cm

14 $\overline{DF}$ 15 ③   16 ①   17 ②   18 ③   19 ④

20 7 : 4   21 8 cm   22 ③

23 ∠ACE, 동위각, ∠ACE, 이등변, $\overline{AC}$, $\overline{DC}$ 24 ⑤

25 ③   26 ②   27 3 : 4   28 ④   29 $\dfrac{8}{3}$ cm 30 ③

31 ②   32 5 cm   33 ∠AFC, ∠ACF, ∠ACF, $\overline{AF}$, $\overline{AF}$, $\overline{DC}$

34 4 cm 35 ⑤   36 36 cm² 37 ⑤   38 ②   39 ③

40 150 m 41 ④   42 ⑤   43 ③   44 ④   45 20

46 $\dfrac{3}{2}$ 47 4.5   48 ①   49 10   50 14 cm 51 ④

52 $x = 3$, $y = \dfrac{2}{3}$ 53 8, 6, $\overline{BH}$, 2 10   54 10.8 cm

55 ⑤   56 22 cm 57 $\dfrac{19}{2}$ cm   58 ②   59 ④

60 ⑤   61 ①   62 ①   63 14 cm 64 12   65 40 cm

66 14 cm 67 $\dfrac{48}{7}$ cm   68 ④   69 15 cm 70 10 cm

01 $4.5 : 3 = 6 : \overline{DE}$, $4.5\overline{DE} = 18$ ∴ $\overline{DE} = 4$(cm)

04 $4 : 2 = 6 : \overline{EC}$, $4\overline{EC} = 12$ ∴ $\overline{EC} = 3$(cm)

05 $6 : (x+6) = 4 : 6$, $4(x+6) = 36$, $4x = 12$

   ∴ $x = 3$(cm)

06 $6 : \overline{AD} = 8 : 2$, $8\overline{AD} = 12$ ∴ $\overline{AD} = \dfrac{3}{2}$

   ∴ $x = \dfrac{3}{2} + 6 = \dfrac{15}{2}$

   $8 : 2 = y : 3$, $2y = 24$ ∴ $y = 12$

   ∴ $y - x = 12 - \dfrac{15}{2} = \dfrac{9}{2}$

07 $4 : (4+8) = 6 : x$, $4x = 72$ ∴ $x = 18$

   $8 : 4 = 10 : y$, $8y = 40$ ∴ $y = 5$

   ∴ $x + y = 18 + 5 = 23$

08 $\overline{GC} : \overline{GB} = \overline{CD} : \overline{AB}$이므로 $\overline{GC} : 6 = 20 : 8$, $8\overline{GC} = 120$

   ∴ $\overline{GC} = 15$(cm)

   $\overline{DF} : \overline{DC} = \overline{EF} : \overline{GC}$이므로 $16 : 20 = \overline{EF} : 15$, $20\overline{EF} = 240$

   ∴ $\overline{EF} = 12$(cm)

09 ① $7.5 : 3 = 10 : 4 = 5 : 2$ ② $2 : 8 = 1 : 4 \neq 3 : 13$

   ③ $12 : 9 = 8 : 6 = 4 : 3$ ④ $6 : 2 = 9 : 3 = 3 : 1$

   ⑤ $4 : 2 = 2 : 1 \neq 7 : 4$

11 $\overline{AE} : \overline{EC} = 2 : 3$일 때, $\overline{BC} /\!/ \overline{DE}$이므로

   $\overline{EC} = 45 \times \dfrac{3}{5} = 27$(cm)

12 $\overline{AD} : \overline{AB} = \overline{AE} : \overline{AC} = 3 : 5$일 때, $\overline{BC} /\!/ \overline{DE}$이므로

   $\overline{AB} = 12 \times \dfrac{5}{3} = 20$(cm)

   ∴ $\overline{DB} = \overline{AB} - \overline{AD} = 20 - 12 = 8$(cm)

13 $\overline{AC} : \overline{AE} = (12-4) : 4 = 2 : 1$이므로

   $\overline{AB} : \overline{AD} = 2 : 1$일 때, $\overline{BC} /\!/ \overline{DE}$이다.

   $6 : \overline{AD} = 2 : 1$, $2\overline{AD} = 6$

   ∴ $\overline{AD} = 3$(cm)

14 $4 : 4 = 1 : 1 \neq 4 : 5$이므로 $\overline{BC}$와 $\overline{DE}$는 평행하지 않다.

   $5 : 4 \neq 6 : 6 = 1 : 1$이므로 $\overline{AB}$와 $\overline{EF}$는 평행하지 않다.

   $6 : 6 = 4 : 4 = 1 : 1$이므로 $\overline{AC} /\!/ \overline{DF}$

   따라서 △ABC의 어느 한 변과 평행한 선분은 $\overline{DF}$이다.

15 ① $\overline{CF} : \overline{FA} = \overline{CE} : \overline{EB} = 3 : 2$이므로 $\overline{AB} /\!/ \overline{FE}$

   ② $\overline{AD} : \overline{DB} = \overline{AF} : \overline{FC} = 2 : 3$이므로 $\overline{BC} /\!/ \overline{DF}$

③ $\overline{BE}:\overline{EC}\neq\overline{BD}:\overline{DA}$이므로 $\overline{AC}$와 $\overline{DE}$는 평행하지 않다.

16 $4:\overline{DP}=6:3,6\overline{DP}=12$ ∴ $\overline{DP}=2(cm)$

17 $\overline{AF}:\overline{AG}=\overline{AB}:\overline{AD}=(12+4):12=4:3$이므로
$4:3=\overline{FC}:9,3\overline{FC}=36$ ∴ $\overline{FC}=12(cm)$

18 $(x+y):x=6:4,4(x+y)=6x,4y=2x$ ∴ $y=\dfrac{1}{2}x$

19 $\overline{BC}/\!/\overline{DE}$이므로 $\overline{AE}:\overline{EC}=\overline{AD}:\overline{DB}=18:9=2:1$
$\overline{DC}/\!/\overline{FE}$이므로 $\overline{AF}:\overline{FD}=\overline{AE}:\overline{EC}=2:1$
$\overline{AF}=x$라 하면 $x:(18-x)=2:1,2(18-x)=x,3x=36$
∴ $\overline{AF}=x=12(cm)$

20 $\triangle ABD$에서 $\overline{BF}:\overline{FD}=\overline{BE}:\overline{EA}$ ··· ㉠
$\triangle ABC$에서 $\overline{BE}:\overline{EA}=\overline{BD}:\overline{DC}$ ··· ㉡
따라서 ㉠, ㉡에서 $\overline{BF}:\overline{FD}=\overline{BD}:\overline{DC}=7:4$

21 $\overline{AF}:\overline{AG}=\overline{FE}:\overline{GC}$이므로 $2:3=4:\overline{GC},2\overline{GC}=12$
∴ $\overline{GC}=6(cm)$
$\overline{BG}:\overline{BF}=\overline{GC}:\overline{FD}$이므로 $1:2=6:\overline{FD}$
∴ $\overline{FD}=12(cm)$
∴ $\overline{DE}=\overline{FD}-\overline{FE}=12-4=8(cm)$

22 $18:12=9:\overline{DC},18\overline{DC}=108$
∴ $\overline{DC}=6(cm)$

24 $\overline{BD}=x$라 하면 $12:9=x:(14-x)$,
$9x=12(14-x),21x=168$
∴ $\overline{BD}=x=8(cm)$

25 $12:\overline{AC}=6:3,6\overline{AC}=36$ ∴ $\overline{AC}=6(cm)$
$\angle AEC=\angle BAD$(동위각), $\angle ACE=\angle DAC$(엇각)이므로
$\angle AEC=\angle ACE$ ∴ $\overline{AE}=\overline{AC}=6(cm)$
∴ $\overline{BE}=\overline{BA}+\overline{AE}=12+6=18(cm)$

26 $\overline{AB}:\overline{AC}=\overline{BE}:\overline{EC}=2:1$
$\overline{DE}/\!/\overline{AC}$이므로
$2:3=\overline{DE}:6,3\overline{DE}=12$ ∴ $\overline{DE}=4(cm)$

27 $\triangle ABD:\triangle ADC=\overline{BD}:\overline{DC}=\overline{AB}:\overline{AC}=3.6:4.8=3:4$

28 $\triangle ABD:\triangle ADC=\overline{BD}:\overline{DC}=\overline{AB}:\overline{AC}=16:12=4:3$
∴ $\triangle ADC=48\times\dfrac{3}{4}=36(cm^2)$

29 내심은 세 내각의 이등분선의 교점이므로
$\overline{AB}:\overline{AC}=\overline{BD}:\overline{DC},4:5=\overline{BD}:(6-\overline{BD})$
$5\overline{BD}=4(6-\overline{BD}),9\overline{BD}=24$ ∴ $\overline{BD}=\dfrac{8}{3}(cm)$

30 $\overline{AB}:\overline{AC}=\overline{BD}:\overline{DC}$에서
$\overline{AC}\times\overline{BD}=\overline{AB}\times\overline{DC}=10\times3=30(cm^2)$
∴ $\triangle ABD=\dfrac{1}{2}\times\overline{AC}\times\overline{BD}=\dfrac{1}{2}\times30=15(cm^2)$

31 $\overline{AB}:\overline{AC}=\overline{BD}:\overline{DC}=5:10=1:2$

$\triangle BDE\backsim\triangle CDF$(AA 닮음)이므로
$\overline{BD}:\overline{CD}=\overline{BE}:\overline{CF},1:2=\overline{BE}:8$
∴ $\overline{BE}=4(cm)$

32 $12:8=(10+\overline{BC}):10,8(10+\overline{BC})=120,8\overline{BC}=40$
∴ $\overline{BC}=5(cm)$

34 $8:6=16:(16-\overline{BC}),8(16-\overline{BC})=96,8\overline{BC}=32$
∴ $\overline{BC}=4(cm)$

35 $9:6=(7+\overline{CD}):\overline{CD},6(7+\overline{CD})=9\overline{CD},3\overline{CD}=42$
∴ $\overline{CD}=14(cm)$

36 $\overline{AB}:\overline{AC}=\overline{BD}:\overline{DC}=4:3$이므로 $\overline{BC}:\overline{BD}=1:4$
$\triangle ABC:\triangle ABD=1:4$이므로 $9:\triangle ABD=1:4$
∴ $\triangle ABD=36(cm^2)$

37 점 D에서 $\overline{AC}$에 평행하게 그은 선분이
$\overline{BA}$의 연장선과 만나는 점을 F라 하면
$\triangle ADF$는 정삼각형이므로
$\overline{AF}=\overline{FD}=15(cm)$
$\triangle BAC\backsim\triangle BFD$(AA 닮음)이므로
$12:27=\overline{AC}:15,27\overline{AC}=180$
∴ $\overline{AC}=\dfrac{20}{3}(cm)$

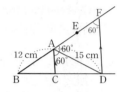

38 $\overline{DC}=a$라 하면 $8:6=(7-a):a,6(7-a)=8a,14a=42$
∴ $a=3(cm)$
또, $\overline{CE}=b$라 하면 $8:6=(7+b):b,6(7+b)=8b,2b=42$
∴ $b=21(cm)$
∴ $\overline{DE}=\overline{DC}+\overline{CE}=3+21=24(cm)$

39 $9:6=12:x,9x=72$ ∴ $x=8$

40 극장과 지하철역 사이의 거리를 x m라 하면
$80:40=100:x$ ∴ $x=50$
따라서 마트와 지하철역 사이의 거리는 $100+50=150(m)$

41 $6:(x-6)=8:12,8(x-6)=72,8x=120$
∴ $x=15$

42 ⑤ $a:a'=b:b'$이지만 직선 l,m,n이 서로 평행하지 않은 경우도
있다.

43 $16:x=20:(35-20)$에서 $20x=240$ ∴ $x=12$
$20:(35-20)=y:9$에서 $15y=180$ ∴ $y=12$

44 $(x-10):10=7:14,14(x-10)=70,14x=210$ ∴ $x=15$
$y:12=7:14,14y=84$ ∴ $y=6$
∴ $x-y=15-6=9$

45 $6:16=5:x$에서 $6x=80$ ∴ $x=\dfrac{40}{3}$
$6:8=5:y$에서 $6y=40$ ∴ $y=\dfrac{20}{3}$
∴ $x+y=\dfrac{40}{3}+\dfrac{20}{3}=20$

46 $3:x=4:12, 4x=36$ ∴ $x=9$

$9:y=12:(20-12), 12y=72$ ∴ $y=6$

∴ $\dfrac{x}{y}=\dfrac{9}{6}=\dfrac{3}{2}$

47 $(2+3):5=x:7.5$ ∴ $x=7.5$

$2:(3+5)=3:y, 2y=24$ ∴ $y=12$

∴ $y-x=12-7.5=4.5$

48 $\overline{PF}:8=6:(6+10), 16\overline{PF}=48$ ∴ $\overline{PF}=3$(cm)

49 △ABC에서 $x:12=2:(2+4), 6x=24$ ∴ $x=4$

△CDA에서 $y:9=4:(4+2), 6y=36$ ∴ $y=6$

∴ $x+y=4+6=10$

50 △ABC에서 $\overline{EP}:20=6:(6+9), 15\overline{EP}=120$

∴ $\overline{EP}=8$(cm)

△CDA에서 $\overline{PF}:10=9:(6+9), 15\overline{PF}=90$ ∴ $\overline{PF}=6$(cm)

∴ $\overline{EF}=\overline{EP}+\overline{PF}=8+6=14$(cm)

51 △AOD∽△COB(AA 닮음)이므로 $\overline{AO}:\overline{CO}=12:18=2:3$

∴ $\overline{AO}:\overline{AC}=2:5$

△ABC에서 $\overline{EO}:18=2:5, 5\overline{EO}=36$

∴ $\overline{EO}=7.2$(cm)

52 $x=\overline{AD}=3$

$2:(2+4)=y:(5-3), 6y=4$ ∴ $y=\dfrac{2}{3}$

54 $\overline{DC}$와 평행하게 $\overline{AH}$를 그어 $\overline{EF}, \overline{BC}$와 만나는 점을 각각 G, H라 하면

$\overline{BH}:(10-8)=(10+4):10$

$10\overline{BH}=28$ ∴ $\overline{BH}=2.8$(cm)

∴ $\overline{BC}=\overline{BH}+\overline{HC}=2.8+8=10.8$(cm)

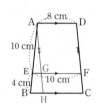

55 점 A에서 $\overline{CD}$에 평행한 선분을 그으면

$\overline{AE}:\overline{AB}=(12-6):(15-6),$

$\overline{AE}:(\overline{AE}+5)=6:9$

$9\overline{AE}=6(\overline{AE}+5), 3\overline{AE}=30$

∴ $\overline{AE}=10$(cm)

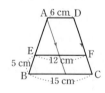

56 점 A에서 $\overline{CD}$에 평행하게 보조선을 그었을 때, $\overline{BC}$와 만나는 점을 P라 하면 □APCD는 평행사변형이다.

$\overline{AE}:\overline{AB}=9:10=18:x$에서

$x=20$ ∴ $\overline{BC}=22$(cm)

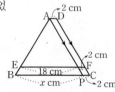

57 점 A에서 $\overline{DC}$와 평행한 선분을 그어 $\overline{EF}, \overline{BC}$와 만나는 점을 각각 G, H라 하면

$\overline{EG}:(12-8)=3:(3+5)$

$8\overline{EG}=12$ ∴ $\overline{EG}=\dfrac{3}{2}$(cm)

$\overline{GF}=\overline{AD}=8$(cm)

∴ $\overline{EF}=\overline{EG}+\overline{GF}=\dfrac{3}{2}+8=\dfrac{19}{2}$(cm)

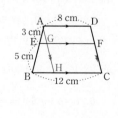

58 $\overline{DC}$와 평행하게 $\overline{AH}$를 그으면

$\overline{AE}:\overline{BE}=2:3$이므로 $\overline{AE}:\overline{AB}=2:5$

$\overline{EG}:(11-6)=2:5$

∴ $\overline{EG}=2$(cm)

$\overline{GF}=\overline{AD}=6$(cm)

∴ $\overline{EF}=\overline{EG}+\overline{GF}=2+6=8$(cm)

59 $\overline{BE}:\overline{ED}=\overline{AB}:\overline{CD}=6:15=2:5$이므로 $\overline{BE}:\overline{BD}=2:7$

$\overline{EF}:15=2:7, 7\overline{EF}=30$ ∴ $\overline{EF}=\dfrac{30}{7}$(cm)

60 △ABE∽△CDE이므로 $\overline{BE}:\overline{DE}=\overline{AB}:\overline{CD}=14:21=2:3$

∴ $\overline{CE}:\overline{CA}=3:(3+2)=3:5$

61 $\overline{BE}:\overline{DE}=\overline{AB}:\overline{CD}=12:9=4:3$이므로 $\overline{CE}:\overline{CA}=3:7$

$\overline{CF}:\overline{CB}=\overline{CE}:\overline{CA}, \overline{CF}:21=3:7, 7\overline{CF}=63$

∴ $\overline{CF}=9$(cm)

62 $\overline{BF}:\overline{BC}=\overline{EF}:\overline{DC}=2:6=1:3$이므로 $\overline{CF}:\overline{CB}=2:3$

$\overline{EF}:\overline{AB}=\overline{CF}:\overline{CB}, 2:\overline{AB}=2:3$ ∴ $\overline{AB}=3$(cm)

63 $x:(20-x)=10:15$에서 $15x=10(20-x), 25x=200$

∴ $x=8$(cm)

$y:15=10:(10+15), 25y=150$ ∴ $y=6$(cm)

∴ $x+y=8+6=14$(cm)

64 $\overline{AB}//\overline{EF}//\overline{DC}$이므로

$\overline{AB}:\overline{CD}=\overline{BE}:\overline{DE}=12:6=2:1$

$x:9=2:1$ ∴ $x=18$

$\overline{EF}:\overline{DC}=\overline{BE}:\overline{BD}=2:3, y:9=2:3$

$3y=18$ ∴ $y=6$

∴ $x-y=18-6=12$

65 $\overline{EG}:\overline{GH}=1:2, \overline{AE}:\overline{EB}=3:2$

$\overline{BE}:\overline{BA}=\overline{EG}:\overline{AD}$이므로 $2:5=\overline{EG}:20, 5\overline{EG}=40$

∴ $\overline{EG}=8$(cm)

$\overline{EG}:\overline{GH}=1:2$이므로 $8:\overline{GH}=1:2$ ∴ $\overline{GH}=16$(cm)

$\overline{AE}:\overline{AB}=\overline{EH}:\overline{BC}$이므로 $3:5=(8+16):\overline{BC}, 3\overline{BC}=120$

∴ $\overline{BC}=40$(cm)

66 $\overline{DF}:\overline{FC}=2:1$

△CDA에서 $3:1=18:\overline{NF}, 3\overline{NF}=18$ ∴ $\overline{NF}=6$(cm)

△BCD에서 $3:2=30:\overline{MF}, 3\overline{MF}=60$ ∴ $\overline{MF}=20$(cm)

∴ $\overline{MN}=\overline{MF}-\overline{NF}=14$(cm)

67 △AOD∽△COB(AA 닮음)이므로

$\overline{AO}:\overline{CO}=6:8=3:4$

$\overline{EO}:8=3:(3+4), 7\overline{EO}=24$ ∴ $\overline{EO}=\dfrac{24}{7}$(cm)

$\overline{OF}:6=4:(3+4), 7\overline{OF}=24$ ∴ $\overline{OF}=\dfrac{24}{7}$(cm)

∴ $\overline{EF}=\overline{EO}+\overline{OF}=\dfrac{24}{7}+\dfrac{24}{7}=\dfrac{48}{7}$(cm)

68 $\overline{AB}\,/\!/\,\overline{DC}$이므로

$\overline{AE}:\overline{CE}=6:3=2:1$

$\therefore \overline{CE}:\overline{CA}=1:3$

점 E에서 $\overline{BC}$에 내린 수선의 발을 F

라 하면 $\overline{AB}\,/\!/\,\overline{EF}\,/\!/\,\overline{DC}$이므로

$1:3=\overline{EF}:6, 3\overline{EF}=6$ $\therefore \overline{EF}=2(cm)$

$\therefore \triangle EBC=\dfrac{1}{2}\times9\times2=9(cm^2)$

69 $\overline{BE}:\overline{DE}=8:12=2:3$이므로 $\overline{BE}:\overline{BD}=2:5$

$\overline{EF}:12=2:5, 5\overline{EF}=24$ $\therefore \overline{EF}=\dfrac{24}{5}(cm)$

따라서 $\triangle EBC=\dfrac{1}{2}\times\overline{BC}\times\dfrac{24}{5}=36$이므로 $\overline{BC}=15(cm)$

70 $\overline{BE}:\overline{DE}=7:14=1:2$이므로 $\overline{BE}:\overline{BD}=1:3$

$\overline{EF}:14=1:3, 3\overline{EF}=14$ $\therefore \overline{EF}=\dfrac{14}{3}(cm)$

$\triangle EBC=\dfrac{1}{2}\times\overline{BC}\times\dfrac{14}{3}=70$이므로 $\overline{BC}=30(cm)$

따라서 $\overline{BF}:30=1:3$이므로 $3\overline{BF}=30$에서 $\overline{BF}=10(cm)$

학교 시험 100점맞기　　　　　　　　　　　20쪽~23쪽

01 ②	02 ③	03 ⑤	04 3 cm	05 ④	06 ④
07 ④	08 ②	09 ②	10 ④	11 ④	12 27
13 ③	14 8 cm	15 ④	16 ④	17 ⑤	18 ③
19 6 cm	20 3 : 5	21 ④	22 30 cm²	23 6	24 7
25 8 cm					

01 $10:6=15:\overline{DE}, 10\overline{DE}=90$ $\therefore \overline{DE}=9(cm)$

02 ①, ④ $\overline{AD}:\overline{DB}=\overline{AE}:\overline{EC}$이므로 $\triangle ABC\backsim\triangle ADE$(SAS 닮음)

이고 $\overline{BC}\,/\!/\,\overline{DE}$

② $\overline{AD}:\overline{AB}=\overline{AE}:\overline{AC}=3:9=1:3$

③ $\overline{DE}:14=1:3$이므로 $\overline{DE}=\dfrac{14}{3}(cm)$

⑤ $\overline{AD}:\overline{AB}=1:3$이므로 $\overline{AB}=15(cm)$일 때, $\overline{AD}=5(cm)$

03 ⑤ $\overline{AD}:\overline{DB}=\overline{AE}:\overline{EC}=3:1$이므로 $\overline{BC}\,/\!/\,\overline{DE}$

04 $\overline{AD}:\overline{DB}=\overline{AE}:\overline{EC}=3:1$일 때, $\overline{BC}\,/\!/\,\overline{DE}$이므로

$(12-\overline{DB}):\overline{DB}=3:1, 4\overline{DB}=12$

$\therefore \overline{DB}=3(cm)$

05 $\overline{AB}:\overline{AD}=\overline{FC}:\overline{GE}$이므로 $(12+8):12=20:\overline{GE}$

$\therefore \overline{GE}=12(cm)$

06 $8:12=4:\overline{QC}, 8\overline{QC}=48$ $\therefore \overline{QC}=6(cm)$

07 $\overline{DC}=x$라 하면

$12:10=(11-x):x, 12x=10(11-x), 22x=110$

$\therefore \overline{DC}=x=5(cm)$

08 $\overline{AB}:\overline{AC}=\overline{BE}:\overline{EC}=10:15=2:3$

$\overline{DE}\,/\!/\,\overline{AC}$이므로

$2:5=\overline{DE}:15, 5\overline{DE}=30$ $\therefore \overline{DE}=6(cm)$

09 $10:\overline{AC}=(5+10):10, 15\overline{AC}=100$ $\therefore \overline{AC}=\dfrac{20}{3}(cm)$

10 $12:16=x:12, 16x=144$ $\therefore x=9$

11 오른쪽 그림과 같이 보조선을 그으면

$6:(6+9)=6:(x-2)$

$6(x-2)=90, 6x=102$

$\therefore x=17$

$6:9=4:y, 6y=36$ $\therefore y=6$

$\therefore x+y=17+6=23$

12 $2:(2+6)=(x-5):(9-5), 8(x-5)=8, 8x=48$ $\therefore x=6$

$2:6=1.5:y, 2y=9$ $\therefore y=\dfrac{9}{2}$

$\therefore xy=6\times\dfrac{9}{2}=27$

13 $6:4=9:y, 6y=36$ $\therefore y=6$

$6:(6+9)=x:5, 15x=30$ $\therefore x=2$

$\therefore x+y=2+6=8$

14 $\overline{EG}:(10-4)=6:(6+3), 9\overline{EG}=36$

$\therefore \overline{EG}=4(cm)$

$\overline{GF}=\overline{AD}=4(cm)$

$\therefore \overline{EF}=\overline{EG}+\overline{GF}=4+4=8(cm)$

15 ① $\overline{AB}\,/\!/\,\overline{DC}$이므로 $\triangle ABE\backsim\triangle CDE$(AA 닮음)

② $\overline{EF}\,/\!/\,\overline{DC}$이므로 $\triangle BFE\backsim\triangle BCD$(AA 닮음)

③ $\overline{AB}\,/\!/\,\overline{EF}$이므로 $\triangle ABC\backsim\triangle EFC$(AA 닮음)

⑤ $\overline{EB}:\overline{ED}=21:28=3:4$이므로

$3:7=\overline{EF}:28, 7\overline{EF}=84$ $\therefore \overline{EF}=12(cm)$

16 $\overline{EC}=x$라 하면 $\overline{DE}\,/\!/\,\overline{BC}$이므로 $\overline{AE}:\overline{AC}=\overline{DE}:\overline{BC}$

$(3-x):3=x:6, 3x=6(3-x), 9x=18$ $\therefore x=2(cm)$

$\therefore \overline{AE}=\overline{AC}-\overline{EC}=3-2=1(cm)$

17 $\overline{FE}\,/\!/\,\overline{DC}$이므로 $\overline{AE}:\overline{EC}=\overline{AF}:\overline{FD}=9:6=3:2$

$\overline{DE}\,/\!/\,\overline{BC}$이므로 $\overline{AD}:\overline{DB}=\overline{AE}:\overline{EC}$에서

$15:\overline{DB}=3:2, 3\overline{DB}=30$ $\therefore \overline{DB}=10(cm)$

18 $\triangle ABC\backsim\triangle DBA$(AA 닮음)이므로

$12:6=10:\overline{AD}, 12\overline{AD}=60$ $\therefore \overline{AD}=5(cm)$

$12:6=6:\overline{BD}, 12\overline{BD}=36$ $\therefore \overline{BD}=3(cm)$

따라서 $\overline{DC}=12-3=9(cm)$이고 $\overline{DE}:\overline{EC}=5:10=1:2$이므로

$\overline{DE}=9\times\dfrac{1}{3}=3(cm)$

19 △AOD∽△COB(AA 닮음)이므로

$\overline{AO} : \overline{CO} = 4 : 12 = 1 : 3$

$\overline{EO} : 12 = 1 : (1+3), 4\overline{EO} = 12$ ∴ $\overline{EO} = 3$(cm)

$\overline{OF} : 4 = 3 : (1+3)$ ∴ $\overline{OF} = 3$(cm)

∴ $\overline{EF} = \overline{EO} + \overline{OF} = 3 + 3 = 6$(cm)

20 $\overline{BE} = a$라 하면 $\overline{BE} : \overline{EC} = 3 : 2$이므로 $\overline{EC} = \dfrac{2}{3}a$

$\overline{AC} /\!/ \overline{DE}$이므로 $\overline{BD} : \overline{DA} = \overline{BE} : \overline{EC} = 3 : 2$

$\overline{AE} /\!/ \overline{DF}$이므로 $\overline{BF} : \overline{FE} = \overline{BD} : \overline{DA} = 3 : 2$에서 $\overline{FE} = \dfrac{2}{5}a$

∴ $\overline{FE} : \overline{EC} = \dfrac{2}{5}a : \dfrac{2}{3}a = 3 : 5$

21 △EBD에서 $\overline{EB} : \overline{BD} = (20-4) : 16 = 1 : 1$이므로

∠BDE = ∠BED = 45°

△EFG에서 ∠FEG = ∠FGE = 45°이므로

$\overline{EF} : \overline{FG} = 1 : 1$ ∴ $\overline{EF} = \overline{FG}$

$\overline{FG} = x$라 하면 $\overline{EF} = x$

이때 △ABC에서 $\overline{BF} : \overline{BA} = \overline{FG} : \overline{AC}$이므로

$(16-x) : 20 = x : 12, 20x = 12(16-x), 32x = 192$

∴ $\overline{FG} = x = 6$(cm)

22 (1단계) $\overline{BD} : \overline{DC} = \overline{AB} : \overline{AC} = 10 : 15 = 2 : 3$

(2단계) △ABC는 ∠BAC = 90°인 직각삼각형이므로

$\triangle ABC = \dfrac{1}{2} \times 15 \times 10 = 75$(cm²)

(3단계) $\triangle ABD : \triangle ADC = \overline{BD} : \overline{DC} = 2 : 3$이므로

$\triangle ABD = \dfrac{2}{5} \triangle ABC = \dfrac{2}{5} \times 75 = 30$(cm²)

23 (1단계) $3 : 6 = 2 : x, 3x = 12$ ∴ $x = 4$

(2단계) $6 : y = 4 : 1, 4y = 6$ ∴ $y = \dfrac{3}{2}$

(3단계) $xy = 4 \times \dfrac{3}{2} = 6$

24 $8 : 4 = 6 : x, 8x = 24$ ∴ $x = 3$ ······❶

$8 : y = 6 : 3, 6y = 24$ ∴ $y = 4$ ······❷

∴ $x + y = 3 + 4 = 7$ ······❸

채점 기준	배점
❶ x의 값 구하기	2점
❷ y의 값 구하기	2점
❸ $x+y$의 값 구하기	1점

25 $\overline{AB} /\!/ \overline{DC}$이므로

$\overline{BE} : \overline{DE} = \overline{AB} : \overline{CD} = 8 : 12 = 2 : 3$ ······❶

∴ $\overline{BE} : \overline{BD} = 2 : 5$ ······❷

$\overline{BF} : \overline{BC} = \overline{BE} : \overline{BD}$이므로

$\overline{BF} : 20 = 2 : 5, 5\overline{BF} = 40$ ∴ $\overline{BF} = 8$(cm) ······❸

채점 기준	배점
❶ $\overline{BE} : \overline{DE}$ 구하기	2점
❷ $\overline{BE} : \overline{BD}$ 구하기	2점
❸ $\overline{BF}$의 길이 구하기	2점

7. 닮음의 활용

시험에 ❷ 나오는 핵심개념

24쪽~27쪽

예제 **1** 답 6 cm

$\overline{DE} = \dfrac{1}{2}\overline{AB} = \dfrac{1}{2} \times 12 = 6$(cm)

예제 **2** 답 3 cm

$\overline{AM} = \overline{MB}$이므로 $\overline{AM} = \dfrac{1}{2} \times 6 = 3$(cm)

예제 **3** 답 (1) 5 cm (2) 1 cm

(1) $\overline{MN} = \overline{MP} + \overline{PN} = \dfrac{1}{2}\overline{AD} + \dfrac{1}{2}\overline{BC}$

$= \dfrac{1}{2} \times (4+6) = 5$(cm)

(2) $\overline{PQ} = \overline{MQ} - \overline{MP} = \dfrac{1}{2}\overline{BC} - \dfrac{1}{2}\overline{AD}$

$= \dfrac{1}{2} \times (6-4) = 1$(cm)

예제 **4** 답 5 cm

$\overline{BD}$는 중선이므로 $\overline{AD} = \overline{CD} = 5$(cm)

예제 **5** 답 7 cm

$\overline{AG} : \overline{GD} = 2 : 1$

∴ $\overline{GD} = \dfrac{1}{3}\overline{AD} = \dfrac{1}{3} \times 21 = 7$(cm)

예제 **6** 답 14 cm²

$\triangle AGC = \dfrac{1}{3} \times 42 = 14$(cm²)

예제 **7** 답 54 cm²

닮음비가 $8 : 12 = 2 : 3$이므로 넓이의 비는 $2^2 : 3^2 = 4 : 9$

$4 : 9 = 24 : \triangle DEF$ ∴ $\triangle DEF = 54$(cm²)

예제 **8** 답 Q의 겉넓이 : 24 cm², Q의 부피 : 8 cm³

겉넓이의 비는 $5^2 : 2^2 = 25 : 4$이므로

$25 : 4 = 150 : $(Q의 겉넓이)

∴ (Q의 겉넓이) = 24(cm²)

부피의 비는 $5^3 : 2^3 = 125 : 8$이므로

$125 : 8 = 125 : $(Q의 부피)

∴ (Q의 부피) = 8(cm³)

예제 **9** 답 15 cm

(지도에서의 거리) $= 300000 \times \dfrac{1}{20000} = 15$(cm)

유형 격파 ✛기출 문제

28쪽~39쪽

01 ④	02 ⑤	03 ③	04 9 cm	05 ③	06 ④
07 91	08 ①	09 ④	10 1	11 ②	12 ④
13 ①	14 ③	15 ③	16 2 cm	17 ②	18 8 cm
19 ⑤	20 ⑤	21 12 cm	22 ④	23 ①	24 ④

25 8 cm	26 ④	27 10 cm	28 이등변삼각형	29 ⑤
30 ②	31 18 cm²	32 ①	33 ④	34 ②	35 ⑤
36 10 cm²	37 ③	38 ③	39 ②	40 ③	41 ②
42 3 cm	43 ⑤	44 ③	45 ①	46 ②	47 32
48 ⑤	49 ⑤	50 ④	51 6 cm	52 ②	53 ④
54 ④	55 ①	56 12 cm²	57 ⑤	58 6 cm²	59 ④
60 ③	61 ④	62 10 cm²	63 ①	64 ⑤	65 ③
66 $\frac{10}{3}$ cm	67 ⑤	68 ②	69 ②	70 ③	71 ①
72 ②	73 ②	74 ⑤	75 343 : 512	76 ⑤
77 130초	78 1 : 7 : 19	79 7 cm	80 260 m	81 ④
82 ②	83 1.8 km	84 3 m	85 7 m	86 ⑤	87 9 cm
88 9 cm	89 3 cm²	90 6 cm²	91 9 cm²

01 $\overline{BC}=2\overline{MN}=2\times5=10(cm)$

02 $a=2\times8=16, b=\frac{1}{2}\times14=7$ ∴ $a+b=16+7=23$

03 $\overline{DE}/\!/\overline{BC}, \overline{DE}=\frac{1}{2}\overline{BC}$이므로 $x=40, y=\frac{1}{2}\times10=5$

04 $\overline{DE}=\frac{1}{2}\overline{AC}=\frac{7}{2}(cm)$

$\overline{EF}=\frac{1}{2}\overline{AB}=\frac{1}{2}\times6=3(cm)$

$\overline{DF}=\frac{1}{2}\overline{BC}=\frac{5}{2}(cm)$

∴ (△DEF의 둘레의 길이)=$\frac{7}{2}+3+\frac{5}{2}=9(cm)$

05 $\overline{EF}=\frac{1}{2}\overline{AB}, \overline{DF}=\frac{1}{2}\overline{BC}, \overline{DE}=\frac{1}{2}\overline{AC}$이므로

(△ABC의 둘레의 길이)=$\overline{AB}+\overline{BC}+\overline{AC}=2(\overline{EF}+\overline{DF}+\overline{DE})$

$=2\times12=24(cm)$

06 $\overline{MN}=\frac{1}{2}\overline{BC}=\frac{1}{2}\times10=5, \overline{PQ}=\frac{1}{2}\overline{BC}=\frac{1}{2}\times10=5$

∴ $\overline{MN}+\overline{PQ}=5+5=10$

07 $\overline{AB}=2\overline{NM}=2\times8=16(cm)$

∴ $x=16$

$\overline{AB}/\!/\overline{NM}$이므로 ∠ABC = ∠NMC = 35°(동위각)

∠BCA = 180° - (70° + 35°) = 75° ∴ $y=75$

∴ $x+y=16+75=91$

08 $\overline{AN}=\overline{NC}$이므로 $\overline{NC}=\frac{1}{2}\times16=8(cm)$

09 $x=\frac{1}{2}\overline{BG}=\frac{1}{2}\times8=4, y=2\overline{FE}=2\times8=16$

∴ $x+y=4+16=20$

10 ∠AMN = ∠ABC이므로 $\overline{MN}/\!/\overline{BC}$

$\overline{AN}=\overline{NC}, \overline{MN}/\!/\overline{BC}$이므로

$\overline{AM}=\frac{1}{2}\times18=9(cm)$ ∴ $x=9$

$\overline{MN}=\frac{1}{2}\overline{BC}=\frac{1}{2}\times16=8(cm)$ ∴ $y=8$

∴ $x-y=9-8=1$

11 $\overline{DE}=\frac{1}{2}\overline{BF}=\frac{1}{2}\times24=12(cm)$이므로

$\overline{FG}=\frac{1}{2}\overline{DE}=\frac{1}{2}\times12=6(cm)$

12 $\overline{FD}=2\overline{EP}=2\times4=8(cm)$이므로

$\overline{EC}=2\overline{FD}=2\times8=16(cm)$

∴ $\overline{PC}=\overline{EC}-\overline{EP}=16-4=12(cm)$

13 $\overline{BF}=2\overline{DG}=2\times6=12(cm), \overline{EF}=\frac{1}{2}\overline{DG}=\frac{1}{2}\times6=3(cm)$

∴ $\overline{BE}=\overline{BF}-\overline{EF}=12-3=9(cm)$

14 $\overline{EP}=x(cm)$라 하면

△AFD에서 $\overline{FD}=2\overline{EP}=2x(cm)$,

△BCE에서 $\overline{EC}=2\overline{FD}=4x(cm)$

$4x-x=6$이므로 $3x=6$에서 $x=2$

∴ $\overline{EP}=2(cm)$

15 점 A에서 $\overline{BF}$와 평행한 선분을 그어서 $\overline{DE}$와 만나는 점을 G라 하면

$\overline{AG}=\frac{1}{2}\overline{BF}=\frac{1}{2}\times8=4(cm)$

따라서 △AEG≡△CEF(ASA 합동)이므로 $\overline{FC}=\overline{GA}=4(cm)$

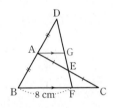

16 $\overline{EB}=x(cm)$라 하고 점 D에서 $\overline{BC}$와 평행한 선분을 그어서 $\overline{AF}$와 만나는 점을 G라 하면 $\overline{GD}=\frac{1}{2}\overline{BC}=\frac{6-x}{2}(cm)$

△FEB≡△FDG(ASA 합동)이므로 $\overline{EB}=\overline{DG}$

$x=\frac{6-x}{2}, 2x=6-x, 3x=6$ ∴ $x=2$

∴ $\overline{EB}=2(cm)$

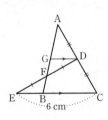

17 점 A에서 $\overline{BF}$와 평행한 선분을 그어서 $\overline{DE}$와 만나는 점을 G라 하면 $\overline{DG}=\overline{GF}$

또, △AEG≡△CEF(ASA 합동)이므로 $\overline{EG}=\overline{EF}$

따라서 $\overline{DE}=3\overline{EF}$이므로 $\overline{EF}=3(cm)$

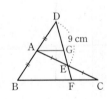

18 점 E를 지나면서 $\overline{BC}$에 평행한 보조선을 그으면

△DFB≡△DEG(ASA 합동)이므로 $\overline{DB}=\overline{DG}=2(cm)$

△ABC에서 $\overline{AE}=\overline{EC}, \overline{GE}/\!/\overline{BC}$이므로

$\overline{AG}=\overline{GB}=\overline{GD}+\overline{DB}=2+2=4(cm)$

∴ $\overline{AB}=\overline{AG}+\overline{GB}=4+4=8(cm)$

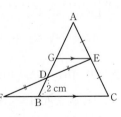

19 $\overline{AB}$와 $\overline{NM}$의 연장선의 교점을 F라 하면

$\overline{FM}=\frac{1}{2}\overline{AD}=\frac{1}{2}\times4=2(cm)$

따라서 $\overline{FN}=4(cm)$이므로

$\overline{BC}=2\overline{FN}=2\times4=8(cm)$

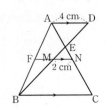

20 △ABD에서 $\overline{MP}=\dfrac{1}{2}\overline{AD}=\dfrac{1}{2}\times6=3(\text{cm})$

   $\therefore \overline{MN}=\overline{MP}+\overline{PN}=3+8=11(\text{cm})$

21 $\overline{BD}$와 $\overline{MN}$의 교점을 P라 하면

   $\overline{MP}=\dfrac{1}{2}\overline{AD}=\dfrac{1}{2}\times6=3(\text{cm})$

   △DBC에서

   $\overline{PN}=\overline{MN}-\overline{MP}=9-3=6(\text{cm})$

   $\therefore \overline{BC}=2\overline{PN}=2\times6=12(\text{cm})$

22 △ABC에서 $\overline{MQ}=\dfrac{1}{2}\overline{BC}=6.5(\text{cm})$

   △ABD에서 $\overline{MP}=\dfrac{1}{2}\overline{AD}=4(\text{cm})$

   $\therefore \overline{PQ}=\overline{MQ}-\overline{MP}=6.5-4=2.5(\text{cm})$

23 $\overline{PN}=\dfrac{1}{2}\overline{BC}=\dfrac{17}{2}(\text{cm})$이므로

   $\overline{QN}=\overline{PN}-\overline{PQ}=\dfrac{17}{2}-5=\dfrac{7}{2}(\text{cm})$

   $\therefore \overline{AD}=2\overline{QN}=2\times\dfrac{7}{2}=7(\text{cm})$

24 $\overline{QN}=\dfrac{1}{2}\overline{AD}=\dfrac{1}{2}\times12=6(\text{cm})$, $\overline{PQ}:\overline{QN}=2:3$이므로

   $2:3=\overline{PQ}:6$, $3\overline{PQ}=12$ $\therefore \overline{PQ}=4(\text{cm})$

   $\therefore \overline{BC}=2\overline{PN}=2\times(6+4)=20(\text{cm})$

25 △ABD에서 $\overline{MP}=\dfrac{1}{2}\overline{AD}=\dfrac{1}{2}\times4=2(\text{cm})$이므로

   $\overline{MQ}=2\times2=4(\text{cm})$

   따라서 △ABC에서 $\overline{BC}=2\overline{MQ}=2\times4=8(\text{cm})$

26 $\overline{PS}\,/\!/\,\overline{BD}\,/\!/\,\overline{QR}$, $\overline{SR}\,/\!/\,\overline{AC}\,/\!/\,\overline{PQ}$이므로

   □PQRS는 평행사변형이다.

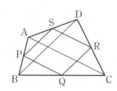

27 $\overline{PS}=\overline{QR}=\dfrac{1}{2}\overline{BD}=\dfrac{1}{2}\times10=5(\text{cm})$이므로

   $\overline{PS}+\overline{QR}=5+5=10(\text{cm})$

28 $\overline{EF}=\dfrac{1}{2}\overline{AB}$, $\overline{FG}=\dfrac{1}{2}\overline{CD}$이고 $\overline{AB}=\overline{CD}$이므로 $\overline{EF}=\overline{FG}$

   따라서 △EFG는 이등변삼각형이다.

29 $\overline{EF}=\overline{HG}=\dfrac{1}{2}\overline{AC}$, $\overline{EH}=\overline{FG}=\dfrac{1}{2}\overline{BD}$, $\overline{AC}=\overline{BD}$

   따라서 □EFGH의 둘레의 길이는

   $\overline{EF}+\overline{HG}+\overline{EH}+\overline{FG}=\overline{AC}+\overline{BD}=2\overline{BD}=2\times16=32(\text{cm})$

30 □AECG, □BFDH는 모두 평행사변형이므로 $\overline{AG}\,/\!/\,\overline{EC}$, $\overline{HB}\,/\!/\,\overline{DF}$

   △ASD에서 $\overline{DS}=2\overline{HP}=2\times3=6(\text{cm})$,

   △DRC에서 $\overline{RS}=\overline{DS}=6(\text{cm})$,

   △CQB에서 $\overline{RF}=\overline{HP}=3(\text{cm})$이므로 $\overline{DF}=6+6+3=15(\text{cm})$

31 △ABD $=\dfrac{1}{2}$△ABC $=\dfrac{1}{2}\times36=18(\text{cm}^2)$

32 △ABD $=\dfrac{1}{2}$△ABC $=\dfrac{1}{2}\times24=12(\text{cm}^2)$이고,

   △PBD $=$△PDC $=4(\text{cm}^2)$이므로

   △ABP $=$△ABD$-$△PBD $=12-4=8(\text{cm}^2)$

33 △AMC $=2$△NMC $=2\times6=12(\text{cm}^2)$

   $\therefore$ △ABC $=2$△AMC $=2\times12=24(\text{cm}^2)$

34 △ABM $=\dfrac{1}{2}$△ABC $=\dfrac{1}{2}\times48=24(\text{cm}^2)$

   $\therefore$ △ABN $=\dfrac{1}{2}$△ABM $=\dfrac{1}{2}\times24=12(\text{cm}^2)$

35 $\overline{BE}:\overline{EC}=1:3$이므로 △BCD $=4$△DBE $=4\times4=16(\text{cm}^2)$

   $\therefore$ △ABC $=2$△BCD $=2\times16=32(\text{cm}^2)$

36 △ABM $=$△AMC $=\dfrac{1}{2}$△ABC $=\dfrac{1}{2}\times30=15(\text{cm}^2)$

   △DBE $=$△DEC $=\dfrac{1}{3}$△ABM $=\dfrac{1}{3}\times15=5(\text{cm}^2)$

   따라서 색칠한 부분의 넓이는 $5+5=10(\text{cm}^2)$

37 점 G는 △ABC의 무게중심이므로

   $\overline{BG}:\overline{GE}=2:1$ $\therefore \overline{BG}=\dfrac{2}{3}\overline{BE}=\dfrac{2}{3}\times15=10(\text{cm})$

38 $x=\overline{EA}=7$, $6:y=2:1$이므로 $2y=6$에서 $y=3$

   $\therefore x-y=7-3=4$

39 점 D는 △ABC의 외심이므로 $\overline{DA}=\overline{DB}=\overline{DC}$

   $\therefore \overline{DB}=6(\text{cm})$

   따라서 $\overline{BG}:\overline{GD}=2:1$이므로 $\overline{GD}=\dfrac{1}{3}\overline{DB}=\dfrac{1}{3}\times6=2(\text{cm})$

40 $\overline{AG}:\overline{GD}=2:1$이므로 $\overline{GD}=\dfrac{1}{3}\overline{AD}=\dfrac{1}{3}\times18=6(\text{cm})$

   따라서 $\overline{GG'}:\overline{G'D}=2:1$이므로

   $\overline{GG'}=\dfrac{2}{3}\overline{GD}=\dfrac{2}{3}\times6=4(\text{cm})$

41 $\overline{GG'}:\overline{GD}=2:3$이므로 $\overline{GD}=3(\text{cm})$

   따라서 $\overline{AD}:\overline{GD}=3:1$이므로 $\overline{AD}=3\overline{GD}=3\times3=9(\text{cm})$

42 $\overline{BG}:\overline{GD}=2:1$이므로 $\overline{GD}=\dfrac{1}{2}\times18=9(\text{cm})$

   따라서 $\overline{GG'}:\overline{G'D}=2:1$이므로 $\overline{G'D}=\dfrac{1}{3}\overline{GD}=\dfrac{1}{3}\times9=3(\text{cm})$

43 점 M은 △BGC의 외심이므로

   $\overline{GM}=\dfrac{1}{2}\overline{BC}=\dfrac{1}{2}\times30=15(\text{cm})$이고

   점 G는 △ABC의 무게중심이므로

   $\overline{AM}=3\overline{GM}=3\times15=45(\text{cm})$

44 $\overline{BM}=7.5(\text{cm})$이고 △ADG∽△ABM(AA 닮음)이므로

   $2:3=\overline{DG}:7.5$, $3\overline{DG}=15$ $\therefore \overline{DG}=5(\text{cm})$

45 점 G가 △ABC의 무게중심이므로 $\overline{BG}:\overline{GE}=2:1$

   $\therefore \overline{GE}=8(\text{cm})$, $\overline{BE}=24(\text{cm})$

   따라서 △BCE에서 $\overline{DF}=\dfrac{1}{2}\overline{BE}=\dfrac{1}{2}\times24=12(\text{cm})$

46 $\triangle$CGD$\backsim$$\triangle$MGN(AA 닮음)이므로 $\overline{DG}:\overline{NG}=\overline{CG}:\overline{MG}=2:1$
에서 $10:\overline{NG}=2:1,\ 2\overline{NG}=10$ ∴ $\overline{NG}=5(cm)$

47 $\triangle$BCE에서 $\overline{BE}=2\overline{DF}=2\times6=12$
점 G가 무게중심이므로 $\overline{BG}:\overline{GE}=2:1$
∴ $x=\dfrac{2}{3}\overline{BE}=\dfrac{2}{3}\times12=8,\ y=\overline{BE}-\overline{BG}=12-8=4$
∴ $xy=8\times4=32$

48 ($\triangle$DEF의 둘레의 길이)$=\overline{DE}+\overline{EF}+\overline{DF}=\dfrac{1}{2}(\overline{AC}+\overline{AB}+\overline{BC})$
$=\dfrac{1}{2}\times(7+10+9)=13(cm)$

49 $\overline{GD}=\dfrac{1}{3}\times24=8,\ \overline{DE}=\dfrac{1}{2}\times28=14,\ \overline{GE}=\dfrac{1}{2}\times14=7$
($\triangle$GDE의 둘레의 길이)$=8+14+7=29$

50 $\triangle$GFH$\backsim$$\triangle$GBE(AA 닮음)이고 닮음비는 $1:2$이므로
$1:2=2:x$
∴ $x=4$
$\overline{AG}=2\overline{GE}$이므로 $y+2=8$ ∴ $y=6$
∴ $x+y=4+6=10$

51 $\overline{AG}:\overline{AM}=\overline{AG'}:\overline{AN}=2:3$, $\angle$A는 공통이므로
$\triangle$AGG'$\backsim$$\triangle$AMN(SAS 닮음)
따라서 $\overline{GG'}:\overline{MN}=2:3$이고
$\overline{MN}=\dfrac{1}{2}\overline{BC}=\dfrac{1}{2}\times18=9(cm)$이므로
$\overline{GG'}=\dfrac{2}{3}\overline{MN}=\dfrac{2}{3}\times9=6(cm)$

52 $\overline{AG}:\overline{GE}=\overline{DG'}:\overline{G'E}=2:1$이므로 $\overline{GG'}/\!/\overline{AD}$
따라서 $\triangle$EDA에서 $\overline{GG'}:\overline{AD}=1:3$
∴ $\overline{AD}=3\overline{GG'}=3\times2=6(cm)$

53 $\triangle$ABC$=6\triangle$GDC$=6\times5=30(cm^2)$

54 $\square$AEGD$=\dfrac{2}{6}\triangle$ABC$=\dfrac{2}{6}\times57=19(cm^2)$

55 $\triangle$ABC$=\dfrac{1}{2}\times10\times12=60(cm^2)$
∴ $\triangle$BGD$=\dfrac{1}{6}\triangle$ABC$=\dfrac{1}{6}\times60=10(cm^2)$

56 $\overline{AG}$를 그으면

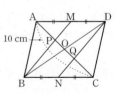

$\triangle$GAB$=\triangle$GBC$=\triangle$GCA$=\dfrac{1}{3}\triangle$ABC
$=\dfrac{1}{3}\times36=12(cm^2)$
∴ (색칠한 부분의 넓이)$=\triangle$ADG$+\triangle$AGE
$=\dfrac{1}{2}\triangle$GAB$+\dfrac{1}{2}\triangle$GCA
$=\dfrac{1}{2}\times12+\dfrac{1}{2}\times12=12(cm^2)$

57 $\overline{G'M}:\overline{GM}=1:3$이므로 $\triangle$GBM$=3\triangle$G'BM$=3\times7=21(cm^2)$
$\overline{AG}:\overline{GM}=2:1$이므로 $\triangle$ABG$=2\triangle$GBM$=2\times21=42(cm^2)$

58 $\triangle$GBC$=\dfrac{1}{3}\triangle$ABC$=\dfrac{1}{3}\times27=9(cm^2)$
∴ (색칠한 부분의 넓이)$=\dfrac{2}{3}\triangle$GBC$=\dfrac{2}{3}\times9=6(cm^2)$

59 $\square$AEGF$=\triangle$AEG$+\triangle$AGF$=\dfrac{1}{3}\triangle$ABG$+\dfrac{1}{3}\triangle$AGC
$=\dfrac{1}{3}\times33+\dfrac{1}{3}\times33=22(cm^2)$

60 $\overline{AE}=\overline{BE}$이므로 $\triangle$AED$=\triangle$EBD
∴ $\triangle$EBD$=\dfrac{1}{2}\triangle$ABD$=\dfrac{1}{4}\triangle$ABC$=\dfrac{1}{4}\times72=18(cm^2)$
따라서 $\overline{BG}:\overline{GD}=2:1$이므로
$\triangle$EGD$=\dfrac{1}{3}\triangle$EBD$=\dfrac{1}{3}\times18=6(cm^2)$

61 $\triangle$BDG$:\triangle$GDF$=2:1$이므로
$\triangle$BDG$=2\triangle$GDF$=2\times2=4(cm^2)$
∴ $\triangle$ABC$=6\triangle$BDG$=6\times4=24(cm^2)$

62 $\triangle$ABD$=\dfrac{1}{2}\triangle$ABC$=\dfrac{1}{2}\times36=18(cm^2)$
$\triangle$AED$:\triangle$EBD$=2:1$이므로
$\triangle$AED$=12(cm^2)$, $\triangle$EBD$=6(cm^2)$
$\triangle$AEG$:\triangle$EDG$=2:1$이므로 $\triangle$EDG$=4(cm^2)$
∴ $\square$EBDG$=\triangle$EBD$+\triangle$EDG$=6+4=10(cm^2)$

63 점 P는 $\triangle$ABC의 무게중심이므로
$\overline{BP}=\dfrac{2}{3}\overline{BO}=\dfrac{2}{3}\times\dfrac{1}{2}\overline{BD}=\dfrac{1}{3}\times12=4(cm)$

64 두 점 P, Q는 각각 $\triangle$ABC, $\triangle$ACD의 무게중심이므로
$\overline{BD}=3\overline{PQ}=3\times6=18(cm)$
∴ $\overline{MN}=\dfrac{1}{2}\overline{BD}=\dfrac{1}{2}\times18=9(cm)$

65 $\overline{AC}=2\overline{MN}=2\times21=42(cm)$
따라서 두 점 P, Q는 각각 $\triangle$ABD, $\triangle$DBC의 무게중심이므로
$\overline{AQ}=\dfrac{2}{3}\overline{AC}=\dfrac{2}{3}\times42=28(cm)$

66 $\overline{BD}$를 그으면 두 점 P, Q는 각각
$\triangle$ABD, $\triangle$DBC의 무게중심이므로
$\overline{PQ}=\dfrac{1}{3}\overline{AC}=\dfrac{10}{3}(cm)$

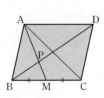

67 $\overline{AC}$를 그으면 점 P가 $\triangle$ABC의 무게중심
이므로
$\triangle$ABC$=6\triangle$BMP$=6\times6=36(cm^2)$
∴ $\square$ABCD$=2\triangle$ABC$=2\times36$
$=72(cm^2)$

68 $\triangle$ABC$\backsim$$\triangle$AMN(SAS 닮음)이고 닮음비는 $2:1$이므로
$\triangle$ABC$:\triangle$AMN$=2^2:1^2=4:1$
∴ $\triangle$AMN$=\dfrac{1}{4}\triangle$ABC$=\dfrac{1}{4}\times32=8(cm^2)$

69 두 원의 닮음비가 $2:3$이므로 넓이의 비는 $2^2:3^2=4:9$

따라서 작은 원의 넓이는 $\dfrac{4}{13}\times117\pi=36\pi(\text{cm}^2)$이므로 작은 원의 반지름의 길이는 $6\,\text{cm}$이다.

70 $\overline{BC}:\overline{BE}=3:5$이므로 $\triangle ABC$와 $\triangle DBE$의 넓이의 비는

$3^2:5^2=9:25$

$\triangle ABC:75=9:25$ $\quad\therefore \triangle ABC=27(\text{cm}^2)$

$\therefore \square ACED=\triangle DBE-\triangle ABC=75-27=48(\text{cm}^2)$

71 $\overline{DA}:\overline{BC}=3:5$이므로 $\triangle ODA$와 $\triangle OBC$의 넓이의 비는

$3^2:5^2=9:25$

$54:\triangle OBC=9:25$ $\quad\therefore \triangle OBC=150(\text{cm}^2)$

72 네 원의 닮음비가 $1:2:3:4$이므로 넓이의 비는

$1^2:2^2:3^2:4^2=1:4:9:16$

따라서 각 영역의 넓이의 비는

$1:(4-1):(9-4):(16-9)=1:3:5:7$

73 $\triangle CAB\backsim\triangle CED$(AA 닮음)이고 $\overline{CB}:\overline{CD}=5:3$이므로

$\overline{AB}:\overline{ED}=5:3$

$\triangle OAB\backsim\triangle ODE$(AA 닮음)이므로 $\triangle OAB$와 $\triangle ODE$의 넓이의 비는 $5^2:3^2=25:9$

$\triangle OAB:18=25:9$ $\quad\therefore \triangle OAB=50(\text{cm}^2)$

74 ⑤ 대응하는 각의 크기는 서로 같다.

75 두 공의 닮음비가 $21:24=7:8$이므로 부피의 비는

$7^3:8^3=343:512$

76 반지름의 길이의 비가 $1:4$이므로 부피의 비는 $1^3:4^3=1:64$

따라서 작은 쇠구슬은 모두 64개를 만들 수 있다.

77 두 원뿔의 닮음비는 $1:3$이므로 부피의 비는 $1^3:3^3=1:27$

그릇에서 물이 채워진 부분과 물이 채워지지 않은 부분의 부피의 비는

$1:26$이고 x초 동안 물을 더 넣었을 때 그릇에 물이 가득 찬다고 하면

$5:x=1:26$ $\quad\therefore x=130$

따라서 130초 동안 물을 더 넣어야 한다.

78 $V_1:(V_1+V_2):(V_1+V_2+V_3)=1^3:2^3:3^3=1:8:27$이므로

$V_1:V_2:V_3=1:(8-1):(27-8)=1:7:19$

79 (지도에서의 거리)$=700000\times\dfrac{1}{100000}=7(\text{cm})$

80 (축척)$=\dfrac{5}{10000}=\dfrac{1}{2000}$이므로

$\overline{AB}=13\times2000=26000(\text{cm})=260(\text{m})$

81 축척이 $\dfrac{1}{500}$이므로 축도에서의 한 변의 길이는

$20000\times\dfrac{1}{500}=40(\text{cm})$

따라서 구하는 넓이는 $40\times40=1600(\text{cm}^2)$

82 두 지점 사이의 실제 거리는

$12\times400000=4800000(\text{cm})=48(\text{km})$

(왕복거리)$=48\times2=96(\text{km})$

$\therefore$ (왕복하는 데 걸리는 시간)$=\dfrac{96}{40}=2.4$시간$=2$시간 24분

83 $\triangle PAB\backsim\triangle DCB$(AA 닮음)이므로 $\overline{PA}:6=15:5,\ 5\overline{PA}=90$

$\therefore \overline{PA}=18(\text{cm})$

따라서 강의 실제 폭은 $18\times10000=180000(\text{cm})=1.8(\text{km})$

84 $\triangle ABC$와 $\triangle DEF$는 서로 닮은 도형이므로 농구대의 높이를 $x\,\text{m}$라 하면

$0.2:x=0.1:1.5,\ 0.1x=0.3$ $\quad\therefore x=3$

따라서 농구대의 높이는 $3\,\text{m}$이다.

85 $\overline{BE}=6(\text{m})$이고 $\overline{AB}:\overline{BE}=1:1.2=5:6$

이므로 $\overline{AB}:6=5:6$에서 $\overline{AB}=5(\text{m})$

$\therefore \overline{AC}=5+2=7(\text{m})$

따라서 나무의 높이는 $7\,\text{m}$이다.

86 $\triangle CAE\backsim\triangle CDF$(SAS 닮음)에서

$\angle DAE=\angle CDF$(동위각)이므로 $\overline{DF}/\!/\overline{AE}$

① $\triangle BDF$에서 $\overline{PE}/\!/\overline{DF},\ \overline{BE}=\overline{EF}$이면

$\overline{BP}=\overline{PD}$ $\quad\therefore \overline{BP}:\overline{PD}=1:1$

②, ④ $\overline{PE}=a$라 하면, $\overline{DF}=2a,\ \overline{AE}=4a,\ \overline{AP}=3a$

$\therefore \overline{DF}:\overline{AE}=1:2,\ \overline{AP}:\overline{PE}=3:1$

③, ⑤ $\angle FQD=\angle AQP$(맞꼭지각), $\angle FDQ=\angle APQ$(엇각)이므로

$\triangle QFD\backsim\triangle QAP$(AA 닮음)

$\therefore \overline{PQ}:\overline{QD}=3:2,\ \overline{AQ}:\overline{QF}=3:2$

87 $\overline{PD}=a$라 하면 $\overline{FE}=2a,\ \overline{AD}=4a,\ \overline{AP}=3a$

$\triangle QEF\backsim\triangle QAP$(AA 닮음)이고 $\overline{QF}:\overline{QP}=\overline{FE}:\overline{PA}=2:3$

$\overline{BP}=\overline{PF}$이므로 $\overline{BP}:\overline{PQ}:\overline{QF}=5:3:2$

$\therefore \overline{PQ}=\overline{BF}\times\dfrac{3}{10}=30\times\dfrac{3}{10}=9(\text{cm})$

88 $\overline{EC}$와 평행한 $\overline{DQ}$를 긋고 $\overline{EP}=a$라 하면

$\overline{QD}=2\overline{EP}=2a$

$\overline{EC}=2\overline{QD}=4a$이므로

$\overline{PC}:\overline{EP}=3:1$

$\therefore \overline{PC}=\dfrac{3}{4}\overline{EC}=\dfrac{3}{4}\times12=9(\text{cm})$

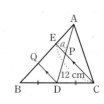

89 $\overline{AC}$와 $\overline{BD}$의 교점을 O라 하면

$\triangle ABC=\triangle ACD=\dfrac{1}{2}\square ABCD$

$=6(\text{cm}^2)$

점 P, Q가 각각 $\triangle ABC$, $\triangle ACD$의 무게 중심이므로

$\triangle APO=\dfrac{1}{6}\triangle ABC=1(\text{cm}^2),\ \square AOQM=\dfrac{2}{6}\triangle ACD=2(\text{cm}^2)$

$\therefore \square APQM=\triangle APO+\square AOQM=3(\text{cm}^2)$

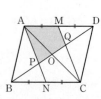

90 $\triangle ABO=\dfrac{1}{4}\square ABCD=\dfrac{1}{4}\times72=18(\text{cm}^2)$

따라서 점 P는 △ABD의 무게중심이고 $\overline{AP}:\overline{PO}=2:1$이므로

$\triangle PBO=\dfrac{1}{3}\triangle ABO=\dfrac{1}{3}\times 18=6(cm^2)$

91 $\overline{AC}$와 $\overline{BD}$의 교점을 O라 하면
점 G, H는 각각 △ABD, △BCD의
무게중심이므로

$\overline{AG}=\overline{GH}=\overline{HC}=\dfrac{1}{3}\overline{AC}$

$\therefore \triangle GBH=\dfrac{1}{3}\triangle ABC$

$=\dfrac{1}{3}\times\left(\dfrac{1}{2}\times 9\times 6\right)$

$=9(cm^2)$

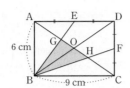

학교 시험 100점맞기   40쪽~43쪽

01 ③	02 ④	03 ①	04 ④	05 ②	06 ④
07 6 cm	08 32	09 ②	10 ③	11 18 cm²	12 ③
13 ③	14 ②	15 5 : 3	16 ③	17 ②	18 ③
19 ②	20 75 cm²	21 14 cm²	22 76 cm³	23 15 cm	24 3 : 4

01 $\overline{BC}=2\overline{MN}=2\times 7=14(cm)$이므로

$\overline{PQ}=\dfrac{1}{2}\overline{BC}=\dfrac{1}{2}\times 14=7(cm)$

02 $\overline{AM}=\overline{MB}$, $\overline{MN}/\!/\overline{BC}$이므로 $\overline{NC}=\overline{AN}=7(cm)$ $\therefore x=14$

$\overline{BC}=2\overline{MN}=2\times 7=14(cm)$ $\therefore y=14$

$\therefore x+y=14+14=28$

03 $\overline{BD}$와 $\overline{MN}$의 교점을 P라 하면

$\overline{PN}=\dfrac{1}{2}\overline{BC}=\dfrac{1}{2}\times 16=8(cm)$

$\therefore \overline{MP}=14-8=6(cm)$

$\therefore \overline{AD}=2\overline{MP}=2\times 6=12(cm)$

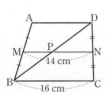

04 △ABD에서 $\overline{MP}=\dfrac{1}{2}\overline{AD}=\dfrac{1}{2}\times 14=7(cm)$

따라서 △ABC에서 $\overline{BC}=2\overline{MQ}=2\times(7+4)=22(cm)$

05 $\overline{EF}=\overline{HG}=\dfrac{1}{2}\overline{AC}=\dfrac{1}{2}\times 8=4(cm)$

$\overline{EH}=\overline{FG}=\dfrac{1}{2}\overline{BD}=\dfrac{1}{2}\times 10=5(cm)$

$\therefore$ (□EFGH의 둘레의 길이)$=2\times(4+5)=18(cm)$

06 ④ $\overline{AG}:\overline{GD}=2:1$

07 $\overline{GD}=\dfrac{1}{3}\overline{AD}=\dfrac{1}{3}\times 27=9(cm)$이므로

$\overline{GG'}=\dfrac{2}{3}\overline{GD}=\dfrac{2}{3}\times 9=6(cm)$

08 $x=2\overline{DG}=2\times 4=8$

점 D는 △ABC의 외심이므로 $\overline{DA}=\overline{DB}=\overline{DC}$

$\therefore y=2\overline{DC}=2\times(4+8)=24$

$\therefore x+y=8+24=32$

09 (색칠한 부분의 넓이)$=\dfrac{4}{6}\triangle ABC=\dfrac{4}{6}\times 24=16(cm^2)$

10 $\overline{BD}=3\overline{BF}=3\times 4=12(cm)$

11 △ODA∽△OBC(AA 닮음)이고 닮음비는 2 : 3이므로
넓이의 비는

$2^2:3^2=4:9$

$8:\triangle OBC=4:9$ $\therefore \triangle OBC=18(cm^2)$

12 큰 원뿔과 작은 원뿔의 닮음비가 3 : 1이므로 넓이의 비는

$3^2:1^2=9:1$

수면의 넓이를 x라 하면 $(\pi\times 9^2):x=9:1$

$\therefore x=9\pi(cm^2)$

다른 풀이 수면의 반지름의 길이를 x라 하면

$9:x=3:1$ $\therefore x=3(cm)$

따라서 수면의 넓이는 $\pi\times 3^2=9\pi(cm^2)$

13 A 용기와 B 용기의 부피의 비는 $2^3:3^3=8:27$

A 용기의 커피 가격을 x원이라 하면

$4000:x=8:27$ $\therefore x=13500$

14 △DEF∽△ABC이므로 $\overline{EF}:\overline{BC}=\overline{DF}:\overline{AC}$

$0.05:15=0.04:\overline{AC}$, $0.05\overline{AC}=0.6$ $\therefore \overline{AC}=12(m)$

15 점 E에서 $\overline{BD}$와 평행한 선분을 그어서
$\overline{AD}$와 만나는 점을 F라 하면

$\overline{EF}=\dfrac{1}{2}\overline{BD}$이므로 $\overline{EF}:\overline{DC}=1:3$

△EPF∽△CPD(AA 닮음)이고 닮음
비는 1 : 3이므로 $\overline{PF}:\overline{PD}=1:3$

$\overline{PF}=a$라 하면 $\overline{PD}=3a$

$\therefore \overline{AF}=\overline{FD}=a+3a=4a$

$\therefore \overline{AP}:\overline{PD}=(4a+a):3a=5:3$

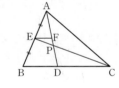

16 $\overline{EH}=\dfrac{1}{2}\overline{BD}=\dfrac{1}{2}\times 6=3(cm)$, $\overline{EF}=\dfrac{1}{2}\overline{AC}=\dfrac{1}{2}\times 8=4(cm)$

따라서 □EFGH는 직사각형이므로 □EFGH$=3\times 4=12(cm^2)$

17 $\overline{AC}$를 그으면

$\triangle ABC=\triangle ACD=\dfrac{1}{2}\square ABCD$

$=\dfrac{1}{2}\times 24=12(cm^2)$

점 E, F가 각각 △ABC, △ACD의

무게중심이므로 $\triangle AEC=\dfrac{1}{3}\triangle ABC=4(cm^2)$,

$\triangle ACF=\dfrac{1}{3}\triangle ACD=4(cm^2)$

$\therefore \square AECF=\triangle AEC+\triangle ACF=4+4=8(cm^2)$

18 닮음비가 1 : 2이므로 부피의 비는 $1^3:2^3=1:8$

따라서 B에 전체 높이의 $\dfrac{1}{2}$만큼 물을 채우는 데 걸리는 시간은 A에

전체 높이의 $\dfrac{1}{2}$ 만큼 물을 채우는 데 걸리는 시간의 8배이다.

$\therefore 5 \times 8 = 40$(초)

19 $\overline{EF} /\!/ \overline{PQ}$ 이므로

$\triangle APQ \backsim \triangle AEF$(AA 닮음)

$\overline{AC}$ 를 그으면 점 P는 $\triangle ABC$의 무게중심이므로

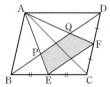

$\overline{AP} : \overline{PE} = 2 : 1$, 즉 $\overline{AP} : \overline{AE} = 2 : 3$

$\triangle APQ : \triangle AEF = 2^2 : 3^2 = 4 : 9$ 이므로

$\triangle APQ : \square PEFQ = 4 : (9-4) = 4 : 5$

따라서 $8 : \square PEFQ = 4 : 5$ 이므로 $\square PEFQ = 10 (\text{cm}^2)$

20 $\overline{AD} : \overline{BC} = 2 : 3$ 이므로 $\triangle AOD$와 $\triangle COB$의 넓이의 비는

$2^2 : 3^2 = 4 : 9$

$12 : \triangle COB = 4 : 9$ $\therefore \triangle COB = 27(\text{cm}^2)$

$\overline{OB} : \overline{OD} = 3 : 2$ 이므로 $\triangle ABO : \triangle AOD = 3 : 2$

$\triangle ABO : 12 = 3 : 2, 2\triangle ABO = 36$ $\therefore \triangle ABO = 18(\text{cm}^2)$

$\triangle DOC = \triangle ABO = 18(\text{cm}^2)$

$\therefore \square ABCD = 12+18+27+18 = 75(\text{cm}^2)$

21 (1단계) $\triangle ABD = \triangle ADC = \dfrac{1}{2} \triangle ABC = \dfrac{1}{2} \times 42 = 21(\text{cm}^2)$

(2단계) $\triangle EBF = \dfrac{1}{3} \triangle ABD = \dfrac{1}{3} \times 21 = 7(\text{cm}^2)$

$\triangle EFC = \triangle EBF = 7(\text{cm}^2)$

(3단계) 색칠한 부분의 넓이는 $\triangle EBF + \triangle EFC = 7+7 = 14(\text{cm}^2)$

22 (1단계) P_1과 P_2는 서로 닮은 도형이고 닮음비가 $3 : 2$이므로

P_1과 P_2의 부피의 비는 $3^3 : 2^3 = 27 : 8$

(2단계) (P_1의 부피) $: 32 = 27 : 8$ $\therefore$ (P_1의 부피) $= 108(\text{cm}^3)$

(3단계) (P_3의 부피) = (P_1의 부피) - (P_2의 부피) $= 108 - 32 = 76(\text{cm}^3)$

23 $\overline{DE} = \dfrac{1}{2}\overline{AC} = \dfrac{1}{2} \times 12 = 6(\text{cm})$ ······ ❶

$\overline{EF} = \dfrac{1}{2}\overline{BA} = \dfrac{1}{2} \times 8 = 4(\text{cm})$ ······ ❷

$\overline{DF} = \dfrac{1}{2}\overline{BC} = \dfrac{1}{2} \times 10 = 5(\text{cm})$ ······ ❸

따라서 $\triangle DEF$의 둘레의 길이는

$\overline{DE} + \overline{EF} + \overline{DF} = 6+4+5 = 15(\text{cm})$ ······ ❹

채점 기준	배점
❶ $\overline{DE}$의 길이 구하기	2점
❷ $\overline{EF}$의 길이 구하기	2점
❸ $\overline{DF}$의 길이 구하기	2점
❹ $\triangle DEF$의 둘레의 길이 구하기	1점

24 점 G가 $\triangle ABC$의 무게중심이므로 $\triangle ABC \backsim \triangle ADE$(SAS 닮음)이고 닮음비는 $2 : 1$

$\triangle ABC$와 $\triangle ADE$의 넓이의 비는

$\triangle ABC : \triangle ADE = 2^2 : 1^2 = 4 : 1$

$\therefore \triangle ADE = \dfrac{1}{4} \triangle ABC$ ······ ❶

$\triangle GBC = \dfrac{1}{3} \triangle ABC$ ······ ❷

$\therefore \triangle ADE : \triangle GBC = \dfrac{1}{4} \triangle ABC : \dfrac{1}{3} \triangle ABC = 3 : 4$ ······ ❸

채점 기준	배점
❶ $\triangle ADE$의 넓이를 $\triangle ABC$의 넓이를 이용하여 나타내기	2점
❷ $\triangle GBC$의 넓이를 $\triangle ABC$의 넓이를 이용하여 나타내기	2점
❸ $\triangle ADE$와 $\triangle GBC$의 넓이의 비 구하기	2점

8. 피타고라스 정리

시험에 😊 나오는 핵심개념

44쪽~47쪽

예제 1 🅐 5
피타고라스 정리에 의하여 $x^2=3^2+4^2=25$
$\therefore x=5(\because x>0)$

예제 2 🅐 3 cm
$\square AFGB=\square ACDE+\square CBHI=5+4=9(cm^2)$
$\therefore \overline{AB}=3(cm)$

예제 3 🅐 5
($\square EFGH$의 넓이)$=\overline{EH}^2=1^2+2^2=5$

예제 4 🅐 (1) 12 (2) 7 (3) 49
(1) $\overline{BC}^2=13^2-5^2=144$, $\overline{BC}=12(\because \overline{BC}>0)$
(2) $\overline{CF}=\overline{BC}-\overline{BF}=\overline{BC}-\overline{AC}=12-5=7$
(3) $\square CFGH=7^2=49$

예제 5 🅐 ②, ⑤
① $2^2+3^2=13\neq 4^2=16$
② $3^2+4^2=5^2=25$
③ $4^2+5^2=41\neq 6^2=36$
④ $7^2+7^2=98\neq 10^2=100$
⑤ $8^2+15^2=17^2=289$

예제 6 🅐 $5<x<7$
삼각형의 변의 길이에서
$4-3<x<3+4$, $1<x<7$
그런데 $x>4$이므로 $4<x<7$ $\qquad\cdots\;\ominus$
둔각삼각형이므로 $x^2>3^2+4^2$ $\therefore x>5$ $\qquad\cdots\;\ominus$
따라서 ⊙, ⊙에서 $5<x<7$

예제 7 🅐 ③
① $4^2>2^2+3^2$ $\therefore$ 둔각삼각형
② $13^2=5^2+12^2$ $\therefore$ 직각삼각형
③ $7^2<4^2+6^2$ $\therefore$ 예각삼각형
④ $10^2=6^2+8^2$ $\therefore$ 직각삼각형
⑤ $11^2>5^2+8^2$ $\therefore$ 둔각삼각형

예제 8 🅐 5
$x^2+6^2=5^2+6^2$이므로 $x=5$

예제 9 🅐 18
$3^2+5^2=\overline{BP}^2+4^2$이므로 $\overline{BP}^2=18$

예제 10 🅐 32
$\overline{AB}^2=\overline{BD}\times\overline{BC}$이므로
$x^2=16\times(16+9)$, $x^2=400$
$\therefore x=20(\because x>0)$
$\overline{AD}^2=\overline{BD}\times\overline{DC}$이므로
$y^2=16\times 9$, $y^2=144$
$\therefore y=12(\because y>0)$
따라서 $x+y=20+12=32$

예제 11 🅐 3
$6^2+5^2=\overline{DE}^2+52$이므로 $\overline{DE}^2=9$
$\therefore \overline{DE}=3(\because \overline{DE}>0)$

예제 12 🅐 14π
$S=8\pi+6\pi=14\pi$

유형 격파 ✚ 기출 문제

48쪽~55쪽

01 ①	02 ①	03 ④	04 ③	05 ②	06 90
07 ①	08 ②	09 ②	10 ②	11 3	12 ①
13 5 cm	14 ㄱ, ㅁ, ㅂ		15 72	16 ③	17 ③
18 둘레의 길이 : 52, 넓이 : 169			19 ④	20 28	21 ⑤
22 ①	23 ②	24 ⑤	25 ②	26 ②	27 ④
28 5	29 $\overline{OA}^2$, $\overline{OD}^2$, $\overline{OD}^2$, $\overline{OB}^2$, $\overline{BC}^2$				30 ②	31 ③
32 ④	33 64	34 $\frac{9}{5}$	35 ③	36 10	37 20
38 ④	39 $\frac{120}{17}$	40 $\frac{12}{5}$	41 ④	42 ⑤	43 ③
44 6π	45 16π	46 18π	47 24	48 ①	49 ④
50 24	51 ③	52 7	53 ④	54 ③	55 ④
56 ②					

01 피타고라스 정리에 의하여 $3^2+x^2=4^2$ $\therefore x^2=7$

02 피타고라스 정리에 의하여 $x^2+8^2=17^2$
$x^2+64=289$, $x^2=225$ $\therefore x=15$

03 $\overline{AB}$의 길이를 a라 하면 반원의 넓이에서
$\dfrac{1}{2}\times\pi\times\left(\dfrac{a}{2}\right)^2=18\pi$, $\dfrac{\pi a^2}{8}=18\pi$ $\therefore a^2=144$
따라서 직각삼각형 ABC에서 피타고라스 정리에 의하여
$a^2+x^2=13^2$, $144+x^2=169$
$x^2=25$ $\therefore x=5(\because x>0)$

04 부러진 위쪽 부분의 길이는 $\dfrac{29}{5}$ m이므로 피타고라스 정리에 의하여
$\left(\dfrac{29}{5}\right)^2=x^2+4^2$, $x^2=\dfrac{441}{25}=\left(\dfrac{21}{5}\right)^2$ $\therefore x=\dfrac{21}{5}=4.2$

05 $\triangle ABD$에서 $\overline{AD}^2=10^2-6^2=64$, $\overline{AD}=8$
따라서 $\triangle ADC$에서 $x^2=8^2+15^2=289$ $\therefore x=17$

06 $\triangle ADC$에서 $\overline{AD}^2=4^2+3^2=25$
$\therefore \overline{BD}=\overline{AD}=5$
따라서 $\triangle ABC$에서 $\overline{AB}^2=(5+4)^2+3^2=90$

07 마름모는 두 대각선이 서로 다른 것을 수직이등분하므로
$\overline{AC}\perp\overline{BD}$, $\overline{AO}=\overline{CO}=6(cm)$, $\overline{BO}=\overline{DO}=8(cm)$
따라서 직각삼각형 ABO에서
$\overline{AB}^2=\overline{AO}^2+\overline{BO}^2=6^2+8^2=10^2$, $\overline{AB}=10(cm)$

08 $\triangle ABC$에서 피타고라스 정리에 의하여 $\overline{BC}=16$
$\overline{BD}:\overline{CD}=\overline{AB}:\overline{AC}=20:12=5:3$ $\therefore x=\dfrac{3}{8}\overline{BC}=6$

△ADC에서 피타고라스 정리에 의해 $y^2=180$

$$\therefore \frac{y^2}{x^2}=\frac{180}{36}=5$$

09 △EBC에서 $\overline{CE}^2=10^2-8^2=6^2$, $\overline{CE}=6$ $\therefore \overline{DE}=8-6=2$

△EBC∽△EFD(AA 닮음)이고, 닮음비가 $\overline{EC}:\overline{ED}=3:1$이므로

$8:\overline{FD}=3:1$에서 $\overline{FD}=\dfrac{8}{3}$ $\therefore \triangle DEF=\dfrac{1}{2}\times\dfrac{8}{3}\times2=\dfrac{8}{3}$

10 $\overline{OB}^2=2x^2$, $\overline{OC}^2=3x^2$, $\overline{OD}^2=4x^2$, $\overline{OE}^2=5x^2$

$\overline{OF}^2=6x^2=96$, $x^2=16$ $\therefore x=4$

11 $\overline{AB}=\overline{AA'}=a(>0)$라 하면

$\overline{AC}^2=\overline{AB'}^2=2a^2$, $\overline{AD}^2=\overline{AC'}^2=3a^2$

$\overline{AE}^2=\overline{AD'}^2=4a^2=6^2$

$\therefore a=3(\because a>0)$

12 $\overline{AB}=\overline{BC}=1$이라 하면 △ABC에서 $\overline{AC}^2=1^2+1^2=2$

$\therefore \overline{DC}^2=\overline{AC}^2=2$

또, △ACD에서 $\overline{AD}^2=2+2=4$

$\therefore \dfrac{\overline{BC}^2}{\overline{AD}^2}=\dfrac{1}{4}$

13 □AFGB=□ACDE+□CBHI$=16+9=25(\mathrm{cm}^2)$ 즉 $\overline{AB}^2=25$

$\therefore \overline{AB}=5(\mathrm{cm})$

14 △EBC=△ABF=△EBA=△EDA$=\dfrac{1}{2}$□BFKJ

따라서 △EBC와 넓이가 같은 것은 ㄱ, ㅁ, ㅂ이다.

15 (i) 피타고라스 정리에 의하여 $\overline{AC}=12$

(ii) △CAF≡△EAB(SAS 합동)   ···㉠

△EAB=△EAC   ···㉡

따라서 ㉠, ㉡에 의하여

△CAF=△EAC

$\qquad =\dfrac{1}{2}$□ACDE

$\qquad =\dfrac{1}{2}\times12^2=72$

16 △AEC=△BEC$=\dfrac{1}{2}$□BDEC$=32$이므로

□BDEC$=64$ $\therefore \overline{BC}=8$

따라서 △ABC에서 피타고라스 정리에 의해

$\overline{AB}=6$

17 △ABC에서 $\overline{AC}=8(\mathrm{cm})(\because$ 피타고라스 정리$)$

① △CAD=△IAB=△CIA$=\dfrac{1}{2}$□HIAC

$\qquad =\dfrac{1}{2}\times8^2=32(\mathrm{cm}^2)$

② △KDJ$=\dfrac{1}{2}$□ADJK$=\dfrac{1}{2}$□HIAC$=\dfrac{1}{2}\times8^2=32(\mathrm{cm}^2)$

③ △IBC=△ABC$=\dfrac{1}{2}\times6\times8=24(\mathrm{cm}^2)$

④ □KJEB=□GCBF$=6^2=36(\mathrm{cm}^2)$

⑤ □HIAC$=8^2=64(\mathrm{cm}^2)$

18 △AEH에서 피타고라스 정리에 의하여 $\overline{EH}=13$

따라서 □EFGH는 정사각형이므로

둘레의 길이는 $4\times13=52$, 넓이는 $13^2=169$

19 $(\square EFGH의 넓이)=\overline{EF}^2=34$

$\overline{AE}^2=\overline{EF}^2-\overline{AF}^2=34-5^2=9$, $\overline{AE}=3(\mathrm{cm})$

따라서 □ABCD는 한 변의 길이가 $5+3=8(\mathrm{cm})$인 정사각형이므로

□ABCD$=8^2=64(\mathrm{cm}^2)$

20 △AED에서 피타고라스 정리에 의해 $\overline{ED}=15$

$\therefore \overline{EH}=15-8=7$

따라서 □EFGH는 한 변의 길이가 7인 정사각형이므로

$(\square EFGH의 둘레)=7\times4=28$

21 $(x-2)^2+8^2=17^2$이어야 하므로 $(x-2)^2=225$,

$x-2=15(\because x-2>0)$ $\therefore x=17$

22 $a<13$, 즉 가장 긴 변의 길이가 13이므로

$a^2=13^2-5^2=144$ $\therefore a=12(\because a>0)$

23 (i) $x=10$일 때, $10^2\neq6^2+10^2$이므로 직각삼각형이 아니다.

(ii) $x<10$일 때, $8^2+x^2=10^2$이므로 $x^2=36$ $\therefore x=6(\because x>0)$

24 삼각형의 변의 길이에서 $8-6<x<8+6$, $2<x<14$

그런데 $x>8$이므로 $8<x<14$ ···㉠

둔각삼각형이므로 $x^2>6^2+8^2$, $x>10$ ···㉡

따라서 ㉠, ㉡에서 $10<x<14$

25 ① $5^2=3^2+4^2$ $\therefore$ 직각삼각형

② $4^2<3^2+3^2$ $\therefore$ 예각삼각형

③ $12^2>6^2+8^2$ $\therefore$ 둔각삼각형

④ $9^2>5^2+6^2$ $\therefore$ 둔각삼각형

⑤ $17^2=8^2+15^2$ $\therefore$ 직각삼각형

26 $6^2>3^2+5^2$

따라서 $\overline{BC}^2>\overline{AB}^2+\overline{CA}^2$이므로 $\angle A>90°$인 둔각삼각형이다.

27 ④ $10^2>6^2+6^2$ $\therefore$ 둔각삼각형

28 $6^2+x^2=5^2+4^2$이므로 $x^2=5$

30 $4^2+\overline{CD}^2=6^2+\overline{BC}^2$이므로 $\overline{CD}^2-\overline{BC}^2=6^2-4^2=20$

31 $6^2+3^2=5^2+\overline{DP}^2$이므로 $\overline{DP}^2=20$

32 $\overline{BP}^2+\overline{DP}^2=8^2+5^2=89$

33 오른쪽 그림과 같이 두 점 P, Q가 일치하도록

새로운 직사각형을 만들면

$9^2+x^2=8^2+7^2$, $x^2=32$

$\therefore 2x^2=64$

34 △ABC에서 피타고라스 정리에 의하여 $\overline{BC}=5(\mathrm{cm})$

$\overline{AB}^2=\overline{BH}\times\overline{BC}$이므로

$3^2=5x$ $\therefore x=\dfrac{9}{5}$

35 ③ $c^2 = ax$

36 $\triangle$ABC에서 $\overline{AH}^2 = \overline{BH} \times \overline{HC}$가 성립하므로
$6^2 = \dfrac{9}{2} \times \overline{HC}$, $\overline{HC} = 8(\text{cm})$
$\triangle$AHC에서 피타고라스 정리에 의하여
$\overline{AC}^2 = \overline{AH}^2 + \overline{HC}^2$, $\overline{AC}^2 = 6^2 + 8^2 = 100$, $\overline{AC} = 10(\text{cm})$
$\therefore x = 10$

37 $\triangle$ABH에서 피타고라스 정리에 의하여 $\overline{BH} = 9$이므로
$15^2 = 9 \times \overline{BC}$ $\therefore \overline{BC} = 25$
$\triangle$ABC에서 $x^2 = 25^2 - 15^2 = 400$ $\therefore x = 20(\because x > 0)$

38 $\triangle$ABC에서 $\overline{BC}^2 = 6^2 + 8^2 = 10^2$, $\overline{BC} = 10(\text{cm})$
$\overline{BC} \times \overline{AH} = \overline{AB} \times \overline{AC}$이므로 $10 \times \overline{AH} = 6 \times 8$
$\therefore \overline{AH} = 4.8(\text{cm})$

39 일차방정식 $15x + 8y - 120 = 0$의 그래프의 x절편과 y절편이 각각
8, 15이므로 $\overline{OA} = 8$, $\overline{OB} = 15$
$\triangle$BOA에서 피타고라스 정리에 의해서 $\overline{AB} = 17$
$\overline{AB} \times \overline{OH} = \overline{OA} \times \overline{OB}$이므로 $17 \times \overline{OH} = 15 \times 8$ $\therefore \overline{OH} = \dfrac{120}{17}$

40 $\triangle$ABC에서 $\overline{AH}^2 = \overline{BH} \times \overline{HC}$이므로 $\overline{AH} = 4$
점 M은 $\triangle$ABC의 외심이므로 $\overline{AM} = \overline{BM} = \overline{CM} = \dfrac{1}{2}(2+8) = 5$,
$\overline{HM} = 5 - 2 = 3$
따라서 $\triangle$AHM에서 $\overline{AH} \times \overline{HM} = \overline{AM} \times \overline{HP}$, $4 \times 3 = 5 \times \overline{HP}$
이므로 $\overline{HP} = \dfrac{12}{5}$

41 $6^2 + 8^2 = \overline{DE}^2 + 9^2$이므로 $\overline{DE}^2 = 19$

42 $\overline{AE}^2 + \overline{BD}^2 = \overline{DE}^2 + \overline{AB}^2 = 4^2 + 10^2 = 116$
$\therefore \dfrac{1}{2}(\overline{AE}^2 + \overline{BD}^2) = 58$

43 $\triangle$ADE에서 $\overline{DE}^2 = 3^2 + 4^2 = 25$
$\triangle$ADC에서 $\overline{CD}^2 = 3^2 + (4+6)^2 = 109$
따라서 $\overline{BE}^2 + \overline{CD}^2 = \overline{DE}^2 + \overline{BC}^2$에서
$\overline{BC}^2 - \overline{BE}^2 = \overline{CD}^2 - \overline{DE}^2 = 109 - 25 = 84$

44 $18\pi + S = 24\pi$이므로
$S = 24\pi - 18\pi = 6\pi$

45 $P + Q = R$이므로 $P + Q + R = 2R$
따라서 세 반원의 넓이의 합은 $\overline{AC}$를 지름으로 하는 원의 넓이와 같으
므로 $P + Q + R = \pi \times 4^2 = 16\pi$

46 (색칠한 부분의 넓이) = ($\overline{BC}$를 지름으로 하는 반원의 넓이)
$$= \dfrac{1}{2} \times \pi \times 6^2 = 18\pi$$

47 $\overline{BC}$를 지름으로 하는 반원의 넓이는 $24\pi + 48\pi = 72\pi$
$\overline{BC} = 2r$로 놓으면 $\dfrac{1}{2} \times \pi \times r^2 = 72\pi$

$r^2 = 144$ $\therefore r = 12(\because r > 0)$
$\therefore \overline{BC} = 2r = 24$

48 (색칠한 부분의 넓이) = $\triangle$ABC = $\dfrac{1}{2} \times 8 \times 4 = 16(\text{cm}^2)$

49 피타고라스 정리에 의하여 $\overline{AC} = 9(\text{cm})$
$\therefore$ (색칠한 부분의 넓이) = $\triangle$ABC = $\dfrac{1}{2} \times 9 \times 12 = 54(\text{cm}^2)$

50 (색칠한 부분의 넓이) = $\triangle$ABC이므로
$\dfrac{1}{2} \times \overline{AB} \times \overline{AC} = 12$ $\therefore \overline{AB} \times \overline{AC} = 24$

51 오른쪽 그림에서
$S_1 + S_2 = \triangle$ABC, $S_3 + S_4 = \triangle$ACD
$\therefore$ (색칠한 부분의 넓이) = $\triangle$ABC + $\triangle$ACD
$= \square$ABCD
$= 3 \times 5 = 15$

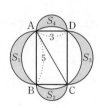

52 $\triangle$ABD와 $\triangle$BCE에서
$\angle$ADB = $\angle$BEC = $90°$, $\overline{AB} = \overline{BC} = 13$,
$\angle$BAD = $90° - \angle$ABD = $\angle$CBE
이므로 $\triangle$ABD $\equiv$ $\triangle$BCE(RHA 합동) $\therefore \overline{BE} = \overline{AD} = 5$
또, $\triangle$ABD에서 $\overline{BD} = 12(\because$ 피타고라스 정리)
$\therefore \overline{DE} = \overline{BD} - \overline{BE} = 12 - 5 = 7$

53 $\overline{AB} = 17(\because$ 피타고라스 정리)
$\overline{AB} = \overline{AD} + \overline{BE} - \overline{DE} = \overline{AC} + \overline{BC} - \overline{DE}$이므로
$17 = 8 + 15 - \overline{DE}$ $\therefore \overline{DE} = 6$

54 $\overline{AC} = a$라 하고 $\overline{MN}$을 그으면
$\overline{MN} = \dfrac{a}{2}$
$\square$AMNC에서 두 대각선이 직교하므로
$\overline{AM}^2 + \overline{NC}^2 = \overline{AC}^2 + \overline{MN}^2$
$6^2 + 8^2 = a^2 + \left(\dfrac{a}{2}\right)^2$, $\dfrac{5}{4}a^2 = 100$
$a^2 = 80$

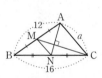

55 $\triangle$ABC와 $\triangle$CDE에서
$\overline{AB} = \overline{CD} = 8$, $\overline{BC} = \overline{DE} = 6$, $\angle$ABC = $\angle$CDE = $90°$이므로
$\triangle$ABC $\equiv$ $\triangle$CDE(SAS 합동)
따라서 $\angle$ACB + $\angle$ECD = $\angle$ACB + $\angle$CAB = $90°$이므로
$\angle$ACE = $90°$
이때 피타고라스 정리에 의해 $\overline{AC} = \overline{CE} = 10$이므로
$\overline{AE}^2 = 10^2 + 10^2 = 200$

56 $\triangle$BDE = $\dfrac{1}{2}\overline{BE}^2 = 10$이므로 $\overline{BE}^2 = 20$
$\triangle$ABE에서 $\overline{EA}^2 = 20 - 4^2 = 4$, $\overline{EA} = 2(\text{cm})$
$\triangle$ABE $\equiv$ $\triangle$CDB에서 $\overline{CD} = \overline{AB} = 4(\text{cm})$, $\overline{BC} = \overline{EA} = 2(\text{cm})$
이므로
(□ACDE의 넓이) $= \dfrac{(2+4)^2}{2} = 18(\text{cm}^2)$

01 $x=12$, $y=17$		02 400 m	03 ③	04 ④	05 ②
06 ②	07 49 cm²	08 ③	09 $\frac{9}{4}$	10 ①	11 ③
12 ③	13 ②	14 ②	15 16 cm	16 ④	17 ③
18 ⑤	19 ①	20 ④	21 12 cm²	22 125	23 6 cm²
24 5.6 cm	25 578				

01 $x^2=13^2-5^2=144$, $x=12$

$y^2=8^2+15^2=289$, $y=17$

02 학교에서 교회까지의 거리를 a라 하면

$a^2=1^2-(0.6)^2=0.64$, $a=0.8(\text{km})$

형식이가 걸은 거리는 $0.8+0.6=1.4(\text{km})$이므로

형식이는 보라보다 $1.4-1=0.4(\text{km})=400(\text{m})$더 걸었다.

03 △ABD에서 $\overline{BD}=6(\because$ 피타고라스 정리$)$

따라서 △ABC에서 $x^2=8^2+(6+2)^2=128$

04 점 D는 △ABC의 외심이므로

$\overline{AD}=\overline{BD}=\overline{CD}=\frac{3}{2}\times5=\frac{15}{2}(\text{cm})$

$\therefore \overline{BC}=2\overline{BD}=2\times\frac{15}{2}=15(\text{cm})$

따라서 △ABC에서 $\overline{AB}^2=15^2-9^2=144$, $\overline{AB}=12(\text{cm})$

05 $\overline{OA}=a$라 하면 $\overline{OB}^2=a^2+a^2=2a^2$

$\overline{OC}^2=3a^2$, $\overline{OD}^2=4a^2$, $\overline{OE}^2=5a^2$

$\overline{OF}^2=6a^2=24$, $a^2=4$ $\therefore a=\overline{OA}=2$

06 △ABC에서 $x^2=5^2-3^2=16$, $x=4(\because x>0)$

△ACD에서 $y^2=5^2+12^2=169$, $y=13(\because y>0)$

$\therefore x+y=17$

07 □EFGH의 넓이가 $\overline{EH}^2=29$이므로

△AEH에서 $\overline{AH}^2=\overline{EH}^2-\overline{AE}^2=25$, $\overline{AH}=5(\text{cm})$

따라서 □ABCD는 한 변의 길이가 $2+5=7(\text{cm})$인 정사각형이므로

□ABCD$=7^2=49(\text{cm}^2)$

08 △ABC에서 피타고라스 정리에 의하여 $\overline{AC}=15$

$\therefore$ △ABC$=\frac{1}{2}\times8\times15=60$ $\therefore a=60$

$\overline{AD}=15-8=7$ $\therefore$ □ADEH$=b=7^2=49$

$\therefore a-b=60-49=11$

09 $a=\frac{1}{2}$□BFKJ$=\frac{1}{2}$□ADEB$=\frac{1}{2}\times9^2=\frac{81}{2}$

$b=\frac{1}{2}$□JKGC$=\frac{1}{2}$□ACHI$=\frac{1}{2}\times6^2=18$

$\therefore \frac{a}{b}=\frac{9}{4}$

10 ㄱ. $10^2<7^2+8^2$ $\therefore$ 예각삼각형

ㄴ. $15^2=9^2+12^2$ $\therefore$ 직각삼각형

ㄷ. $4^2>2^2+3^2$ $\therefore$ 둔각삼각형

ㄹ. $13^2=5^2+12^2$ $\therefore$ 직각삼각형

ㅁ. $9^2>4^2+7^2$ $\therefore$ 둔각삼각형

따라서 예각삼각형은 ㄱ으로 1개이다.

11 ③ 가장 긴 변의 길이가 c이고 $a^2+b^2>c^2$이면 △ABC는 예각삼각형이다.

12 $8^2+6^2=7^2+x^2$ $\therefore x^2=51$

13 일차방정식 $4x+3y=36$의 그래프의 x절편과 y절편이 각각 9, 12이므로 $\overline{OA}=9$, $\overline{OB}=12$

△BOA에서 $\overline{AB}=15(\because$ 피타고라스 정리$)$

$\overline{AB}\times\overline{OH}=\overline{OA}\times\overline{OB}$이므로 $15\times\overline{OH}=9\times12$

$\therefore \overline{OH}=\frac{36}{5}=7.2$

14 △ABD에서 피타고라스 정리에 의하여 $c=12$

$\overline{AD}^2=\overline{BD}\times\overline{DC}$에서 $c^2=16a$이므로 $a=\frac{144}{16}=9$

△ADC에서 피타고라스 정리에 의하여 $b=15$

$\therefore a+b+c=9+15+12=36$

15 $P+Q=R$이므로 $P=R-Q=50\pi-18\pi=32\pi(\text{cm}^2)$

따라서 $\overline{BC}$를 지름으로 하는 원의 넓이가

$2\times32\pi=64\pi=(\pi\times8^2)(\text{cm}^2)$이므로 $\overline{BC}=2\times8=16(\text{cm})$

16 $\overline{AB}:\overline{BC}=4:5$이므로 $\overline{AB}=4k$, $\overline{BC}=5k(k$는 양수$)$라 하면

$\overline{AC}^2=(5k)^2-(4k)^2=9k^2$, $\overline{AC}=3k=15$ $\therefore k=5$

따라서 $\overline{AB}=20$, $\overline{BC}=25$이므로 두 변의 길이의 합은 45이다.

17 △BCE에서 $\overline{CE}^2=25^2-20^2=225$, $\overline{CE}=15$

$\therefore \overline{DE}=20-15=5$

△DEF∽△CEB이고 닮음비는 $\overline{DE}:\overline{CE}=5:15=1:3$

따라서 △CEB의 둘레의 길이가 $15+25+20=60$이므로

△DEF의 둘레의 길이는 $60\times\frac{1}{3}=20$

18 (i) △ABE에서 피타고라스 정리에 의하여 $\overline{AB}^2=63$

(ii) △ABC에서 피타고라스 정리에 의하여

$\overline{BC}^2=63+(3+6)^2=63+81=144$

(iii) $\overline{DE}^2+\overline{BC}^2=\overline{BE}^2+\overline{DC}^2$에서 $\overline{DC}^2-\overline{DE}^2=144-72=72$

따라서 구하는 값은 $\frac{1}{6}\times72=12$

19 작은 정사각형의 한 변의 길이는 2 cm이고, 큰 정사각형의 한 변의 길이는 6 cm이므로 피타고라스 정리에 의하여

$x^2=6^2+(6+2)^2=100$ $\therefore x=10(\because x>0)$

20 점 A에서 $\overline{BC}$에 내린 수선의 발을 E라고 하면 $\overline{BE}=14-6=8(\text{cm})$

△ABE에서 $8^2+\overline{AE}^2=17^2$, $\overline{AE}^2=225$

$\therefore \overline{AE}=15(\text{cm})$

따라서 사다리꼴 ABCD의 넓이는

$\frac{1}{2}\times(6+14)\times15=150(\text{cm}^2)$

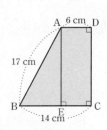

21 $\frac{1}{2}\overline{AB}=a$, $\frac{1}{2}\overline{AC}=b$라 하면

$\frac{1}{2}\times\pi\times a^2=8\pi$에서 $a^2=16$ $\therefore a=4(\text{cm})(\because a>0)$

$\frac{1}{2}\times\pi\times b^2=\frac{9}{8}\pi$에서 $b^2=\frac{9}{4}$ $\therefore b=\frac{3}{2}(\text{cm})(\because b>0)$

따라서 $\overline{AB}=8(\text{cm})$, $\overline{AC}=3(\text{cm})$이므로

(색칠한 부분의 넓이)$=\triangle ABC=\frac{1}{2}\times8\times3=12(\text{cm}^2)$

22 [1단계] $\triangle BCD$에서 $x^2=36^2+48^2=60^2$, $x=60$

[다른 풀이] $\triangle BCD$에서 $36:48=3a:4a(a$는 양수$)$에서

$x^2=(3a)^2+(4a)^2=25a^2$, $x=5a$

$3a:5a=36:x$, $x=60$

[2단계] $\triangle ABD$에서 $y^2=25^2+60^2=65^2$, $y=65$

[다른 풀이] $\triangle ABD$에서 $25:60=5b:12b(b$는 양수$)$에서

$y^2=(5b)^2+(12b)^2=169b^2$, $y=13b$

$5b:13b=25:y$, $y=65$

[3단계] $x+y=60+65=125$

23 [1단계] $5^2+\overline{CD}=4^2+7^2$이므로 $\overline{CD}^2=40$

[2단계] $\triangle CDO$에서 $\overline{DO}^2=40-6^2=4$, $\overline{DO}=2(\text{cm})$

[3단계] $\triangle CDO=\frac{1}{2}\times6\times2=6(\text{cm}^2)$

24 $\triangle ABD$에서 피타고라스 정리에 의하여 $\overline{BD}=20(\text{cm})$ ······ ❶

$\overline{AB}^2=\overline{BE}\times\overline{BD}$이므로 $12^2=20\times\overline{BE}$, $\overline{BE}=7.2(\text{cm})$ ······ ❷

$\triangle ABE\equiv\triangle CDF$(RHA 합동)이므로 $\overline{DF}=\overline{BE}=7.2(\text{cm})$

$\therefore\overline{EF}=20-2\times7.2=5.6(\text{cm})$ ······ ❸

채점 기준	배점
❶ $\overline{BD}$의 길이 구하기	2점
❷ $\overline{BE}$의 길이 구하기	2점
❸ $\overline{EF}$의 길이 구하기	2점

25 (i) 가장 긴 변의 길이가 17 cm인 경우

$8^2+a^2=17^2$, $a^2=225$ ······ ❶

(ii) 가장 긴 변의 길이가 a cm인 경우

$17^2+8^2=a^2$, $a^2=353$ ······ ❷

따라서 가능한 a^2의 값은 225, 353이므로

$225+353=578$ ······ ❸

채점 기준	배점
❶ 가장 긴 변의 길이가 17 cm인 경우 a^2의 값 구하기	3점
❷ 가장 긴 변의 길이가 a cm인 경우 a^2의 값 구하기	3점
❸ 가능한 a^2의 값의 합 구하기	1점

9. 경우의 수

시험에 나오는 핵심개념

60쪽~63쪽

예제 **1** 답 (1) 4가지 (2) 5가지

(1) 2, 3, 5, 7의 4가지

(2) 2, 4, 6, 8, 10의 5가지

예제 **2** 답 (1) 4가지 (2) 5가지

(1) 3보다 작은 수의 눈은 1, 2의 2가지이고 5 이상의 눈은 5, 6의 2가지이므로 구하는 경우의 수는 $2+2=4$(가지)

(2) 2의 배수의 눈은 2, 4, 6의 3가지이고 5의 약수의 눈은 1, 5의 2가지이므로 구하는 경우의 수는 $3+2=5$(가지)

예제 **3** 답 10가지

$5\times2=10$(가지)

예제 **4** 답 (1) 4가지 (2) 36가지 (3) 144가지

(1) $2^2=4$(가지)

(2) $6^2=36$(가지)

(3) $2^2\times6^2=144$(가지)

예제 **5** 답 (1) 120가지 (2) 20가지

(1) $5\times4\times3\times2\times1=120$(가지)

(2) $5\times4=20$(가지)

예제 **6** 답 (1) 24가지 (2) 6가지

(1) A를 맨 앞에 세우고 나머지 4명을 한 줄로 세우는 경우의 수이므로 $4\times3\times2\times1=24$(가지)

(2) C를 맨 앞에, D를 맨 뒤에 세우고 나머지 3명을 한 줄로 세우는 경우의 수이므로 $3\times2\times1=6$(가지)

예제 **7** 답 (1) 12가지 (2) 48가지

(1) A, B, C를 하나로 보면 2명을 한 줄로 세우는 경우의 수는 2가지이고 묶음 안에서 한 줄로 세우는 경우의 수는 $3\times2\times1=6$(가지)이므로 구하는 경우의 수는 $2\times6=12$(가지)

(2) D, E를 하나로 보면 4명을 한 줄로 세우는 경우의 수는 $4\times3\times2\times1=24$(가지)이고 묶음 안에서 한 줄로 세우는 경우의 수는 2가지이므로 구하는 경우의 수는 $24\times2=48$(가지)

예제 **8** 답 (1) 20개 (2) 16개

(1) 십의 자리에 올 수 있는 숫자는 5가지, 일의 자리에 올 수 있는 숫자는 4가지이므로 만들 수 있는 두 자리 정수의 개수는 $5\times4=20$(개)

(2) 십의 자리에 올 수 있는 숫자는 4가지, 일의 자리에 올 수 있는 숫자는 4가지이므로 만들 수 있는 두 자리 정수의 개수는 $4\times4=16$(개)

예제 **9** 답 (1) 20가지 (2) 6가지

(1) 회장을 뽑는 경우의 수는 5가지, 부회장을 뽑는 경우의 수는 회장으로 뽑힌 학생을 제외한 4가지이므로 구하는 경우의 수는 $5\times4=20$(가지)

(2) $\frac{4\times3}{2}=6$(가지)

01 ②	02 ⑤	03 ④	04 ③	05 ③	06 ③
07 ⑤	08 ③	09 ④	10 7가지	11 ④	12 ⑤
13 ⑤	14 ⑤	15 5가지	16 7가지	17 ⑤	18 ③
19 42가지	20 11가지	21 ⑤	22 216가지		23 96가지
24 ④	25 24가지	26 60가지	27 ⑤	28 ③	29 240가지
30 ④	31 ③	32 ⑤	33 30개	34 ②	35 24개
36 9개	37 ③	38 ⑤	39 ⑤	40 ⑤	41 ⑤
42 ③	43 ④	44 15번	45 10번	46 6가지	47 ⑤
48 ④	49 ③	50 ①	51 ③	52 ②	53 6개
54 15번	55 ③	56 ③	57 ⑤	58 ③	

01 (앞, 뒤, 뒤), (뒤, 앞, 뒤), (뒤, 뒤, 앞)이므로 한 개의 동전만 앞면이 나오는 경우의 수는 3가지이다.

02 15 이하의 소수는 2, 3, 5, 7, 11, 13이므로 소수가 적힌 공이 나오는 경우의 수는 6가지이다.

03 두 눈의 수의 합이 6인 경우의 수는 (1, 5), (2, 4), (3, 3), (4, 2), (5, 1)의 5가지이다.

04 $2x+y=9$일 경우의 수는 순서쌍 (x, y)로 나타내면 (4, 1), (3, 3), (2, 5)의 3가지이다.

05

100원짜리(개)	50원짜리(개)
7	2
6	4
5	6
4	8

∴ 4가지

06

500원짜리(개)	100원짜리(개)	50원짜리(개)
4	1	1
4	0	3
3	5	3
3	4	5

∴ 4가지

07

500원짜리(개)	50원짜리(개)	10원짜리(개)	금액(원)
1	1	1	560
1	1	2	570
1	2	1	610
1	2	2	620

500원짜리(개)	50원짜리(개)	10원짜리(개)	금액(원)
2	1	1	1060
2	1	2	1070
2	2	1	1110
2	2	2	1120

∴ 8가지

08 3의 배수일 경우의 수는 3, 6, 9의 3가지, 4의 배수일 경우의 수는 4, 8의 2가지이므로 3의 배수 또는 4의 배수일 경우의 수는 3+2=5(가지)

09 빨간 공은 2개, 노란 공은 6개이므로 빨간 공이거나 노란 공일 경우의 수는 2+6=8(가지)

10 두 눈의 수의 합이 4인 경우의 수는 (1, 3), (2, 2), (3, 1)의 3가지이고, 두 눈의 수의 합이 5인 경우의 수는 (1, 4), (2, 3), (3, 2), (4, 1)의 4가지이므로 구하는 경우의 수는 3+4=7(가지)

11 자음 1개에 모음 4개를 짝지을 수 있으므로 만들 수 있는 글자는 모두 $3×4=12$(가지)

12 윗옷 1가지에 바지 3가지를 짝지어 입을 수 있으므로 윗옷과 바지를 짝지어 입는 방법은 모두 $5×3=15$(가지)

13 수빈이는 가위, 바위, 보의 3가지를 낼 수 있고, 수현이도 가위, 바위, 보의 3가지를 낼 수 있으므로 구하는 경우의 수는 $3×3=9$(가지)

14 (홀수)×(홀수)=(홀수)이고 홀수의 눈은 1, 3, 5이므로 구하는 경우의 수는 $3×3=9$(가지)

15 3+2=5(가지)

16 4+3=7(가지)

17 5×4=20(가지)

18 A→B→C로 가는 방법 : $2×2=4$(가지)
A→D→C로 가는 방법 : $2×3=6$(가지)
따라서 A 마을에서 C 마을로 가는 방법은 모두 4+6=10(가지)

19 6×7=42(가지)

20 5+6=11(가지)

21 8×9=72(가지)

22 $6^3=216$(가지)

23 $2^4×6=96$(가지)

24 두 개의 동전에서 앞면과 뒷면이 한 개씩 나오는 경우의 수는 (앞, 뒤), (뒤, 앞)의 2가지이고, 주사위에서 6의 약수가 나오는 경우의 수는 1, 2, 3, 6의 4가지이므로 구하는 경우의 수는 $2×4=8$(가지)

25 $4×3×2×1=24$(가지)

26 $5×4×3=60$(가지)

27 C를 한가운데에 세우고 나머지 네 명을 일렬로 세우는 경우의 수이므로 $4×3×2×1=24$(가지)

28 아버지와 어머니 사이에 자녀 3명이 서는 경우의 수는 $3×2×1=6$(가지)이고, 아버지와 어머니가 서로 자리를 바꿀 수 있으므로 구하는 경우의 수는 $6×2=12$(가지)

29 a가 적혀 있는 카드가 맨 앞에 오는 경우의 수 :
$5×4×3×2×1=120$(가지)
i가 적혀 있는 카드가 맨 앞에 오는 경우의 수 :
$5×4×3×2×1=120$(가지)
따라서 a 또는 i가 적혀 있는 카드가 맨 앞에 오는 경우의 수는
120+120=240(가지)

30 부모를 하나로 보면 3명이 한 줄로 서는 경우의 수는
$3 \times 2 \times 1 = 6$(가지)이고, 부모가 서로 자리를 바꿀 수 있으므로 구하는
경우의 수는 $6 \times 2 = 12$(가지)

31 B, C, E를 하나로 보면 3명이 한 줄로 서는 경우의 수는
$3 \times 2 \times 1 = 6$(가지)이고 묶음 안의 3명이 한 줄로 서는 경우의 수는
$3 \times 2 \times 1 = 6$(가지)이므로 구하는 경우의 수는 $6 \times 6 = 36$(가지)

32 (남 3, 여 3), (여 3, 남 3) : 2가지
묶음 안에 3명을 한 줄로 세우는 경우의 수 : $3 \times 2 \times 1 = 6$(가지)
∴ $2 \times 6 \times 6 = 72$(가지)

33 십의 자리에 올 수 있는 숫자는 6가지, 일의 자리에 올 수 있는 숫자는
5가지이므로 만들 수 있는 두 자리 정수의 개수는 $6 \times 5 = 30$(개)

34 1□ : 3개, 2□ : 2개
∴ $3 + 2 = 5$(개)

35 일의 자리에 올 수 있는 숫자는 2, 4의 2가지, 십의 자리에 올 수 있
는 숫자는 일의 자리에 사용한 숫자를 제외한 4가지, 백의 자리에 올
수 있는 숫자는 일의 자리와 십의 자리에 사용한 숫자를 제외한 3가
지이다.
따라서 세 자리 정수를 만들 때, 짝수의 개수는 $3 \times 4 \times 2 = 24$(개)

36 십의 자리에 올 수 있는 숫자는 3가지, 일의 자리에 올 수 있는 숫자는
3가지이므로 만들 수 있는 두 자리 자연수의 개수는 $3 \times 3 = 9$(개)

37 3□ : 2개, 4□ : 4개
∴ $2 + 4 = 6$(개)

38 백의 자리에 올 수 있는 숫자는 0을 제외한 4가지, 십의 자리와 일의
자리에 올 수 있는 숫자는 각각 5가지이므로 만들 수 있는 세 자리 정
수의 개수는 $4 \times 5 \times 5 = 100$(개)

39 회장을 뽑는 경우의 수는 5가지, 부회장을 뽑는 경우의 수는 회장으로
뽑힌 학생을 제외한 4가지, 총무를 뽑는 경우의 수는 회장과 부회장으
로 뽑힌 두 학생을 제외한 3가지이므로 구하는 경우의 수는
$5 \times 4 \times 3 = 60$(가지)

40 이어달리기에 나갈 선수를 뽑는 경우의 수는 4가지, 남자 높이뛰기에
나갈 선수를 뽑는 경우의 수는 이어달리기 선수로 뽑힌 학생을 제외
한 3가지, 여자 높이뛰기에 나갈 선수를 뽑는 경우의 수는 3가지이므
로 구하는 경우의 수는 $4 \times 3 \times 3 = 36$(가지)

41 $\dfrac{5 \times 4 \times 3}{3 \times 2 \times 1} = 10$(가지)

42 연정이를 제외한 7명 중에서 2명을 뽑는 경우의 수와 같으므로 구하는
경우의 수는 $\dfrac{7 \times 6}{2} = 21$(가지)

43 남학생 1명을 뽑는 경우의 수는 3가지, 여학생 2명을 뽑는 경우의 수는
$\dfrac{3 \times 2}{2} = 3$(가지)이므로 남학생 1명과 여학생 2명을 대표로 뽑는 방법
은 모두 $3 \times 3 = 9$(가지)

44 $\dfrac{6 \times 5}{2} = 15$(번)

45 $\dfrac{5 \times 4}{2} = 10$(번)

46 A에 칠할 수 있는 색은 3가지, B에 칠할 수 있는 색은 2가지, C에 칠
할 수 있는 색은 1가지이므로 구하는 방법은 모두 $3 \times 2 \times 1 = 6$(가지)

47 A에 칠할 수 있는 색은 4가지, B에 칠할 수 있는 색은 3가지, C에 칠
할 수 있는 색은 2가지, D에 칠할 수 있는 색은 2가지이므로 구하는 경
우의 수는 $4 \times 3 \times 2 \times 2 = 48$(가지)

48 노란색을 칠할 수 있는 곳은 A, B, C, D이므로 4가지이고, 노란색을
칠한 곳을 제외한 3곳에 색을 칠하는 경우의 수는 $4 \times 3 \times 2 = 24$(가지)
이므로 구하는 경우의 수는 $4 \times 24 = 96$(가지)

49 윷짝의 등을 H, 윷짝의 배를 T라 하면 걸이 나오는 경우는
$(H, T, T, T), (T, H, T, T), (T, T, H, T), (T, T, T, H)$이
므로 구하는 경우의 수는 4가지이다.
다른 풀이 4개의 윷짝 중 배가 나오는 3개의 윷짝을 뽑는 경우의 수는
$\dfrac{4 \times 3 \times 2}{3 \times 2 \times 1} = 4$(가지)

50 윷짝의 등을 H, 윷짝의 배를 T라 하면 개가 나오는 경우는
$(H, H, T, T), (H, T, H, T), (H, T, T, H), (T, H, H, T),$
$(T, H, T, H), (T, T, H, H)$이므로 구하는 경우의 수는 6가지이다.
다른 풀이 4개의 윷짝 중 배가 나오는 2개의 윷짝을 뽑는 경우의 수는
$\dfrac{4 \times 3}{2} = 6$(가지)

51 원 위의 5개의 점 중에서 3개의 점을 선택하여 만들 수 있는 삼각형의
개수는 $\dfrac{5 \times 4 \times 3}{3 \times 2 \times 1} = 10$(개)

52 원 위의 4개의 점 중에서 2개의 점을 선택하여 만들 수 있는 선분의 개수는
$\dfrac{4 \times 3}{2} = 6$(개)

53 5개의 점 중에서 3개의 점을 선택하는 경우의 수는
$\dfrac{5 \times 4 \times 3}{3 \times 2 \times 1} = 10$(가지)이고, 점 B, C, D, E 중에서 3개의 점을 선택하는
경우의 수는 $\dfrac{4 \times 3 \times 2}{3 \times 2 \times 1} = 4$(가지)이므로 만들 수 있는 삼각형의 개수는
$10 - 4 = 6$(개)

54 총 16개의 팀이 출전하였으므로 16강전부터 시작한다.
이때 2개의 팀이 한 경기를 하므로 16강전은 $\dfrac{16}{2} = 8$(번)의 경기를
한다. 또, 8강전은 16강전에서 이긴 8개의 팀이 경기를 하므로
$\dfrac{8}{2} = 4$(번)의 경기를, 4강전은 8강전에서 이긴 4개의 팀이 경기를 하
므로 $\dfrac{4}{2} = 2$(번)의 경기를, 결승전은 4강전에 이긴 2개의 팀이 경기를
하므로 1번의 경기를 한다.
따라서 우승하는 팀이 결정될 때까지 모두 $8 + 4 + 2 + 1 = 15$(번)의 경
기를 해야 한다.

55 수학 참고서 2권을 고르는 경우의 수는 $\dfrac{4 \times 3}{2} = 6$(가지)

영어 참고서 2권을 고르는 경우의 수는 $\dfrac{3\times 2}{2}=3$(가지)

따라서 구하는 경우의 수는 $6\times 3=18$(가지)

56 모든 경우의 수는 $3\times 3\times 3=27$(가지)

승부가 결정되는 경우의 수는 모든 경우의 수에서 무승부가 되는 경우의 수를 빼면 된다. 이때 무승부가 되는 경우는 세 사람이 모두 같은 것을 내거나 모두 다른 것을 내는 경우이다.

세 사람이 모두 같은 것을 내는 경우의 수는 3가지이고 세 사람이 모두 다른 것을 내는 경우의 수는 $3\times 2\times 1=6$(가지)이다.

따라서 승부가 결정되는 경우의 수는 $27-(3+6)=18$(가지)

57 학교에서 서점까지 가는 최단 거리의 수는 4가지이고 서점에서 집까지 가는 최단 거리의 수는 6가지이므로 구하는 방법의 수는

$4\times 6=24$(가지)

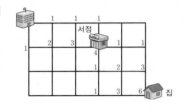

58 A 지점에서 B 지점까지 가는 최단 거리의 수는 10가지이고 B 지점에서 C 지점까지 가는 최단 거리의 수는 6가지이므로 구하는 방법은 모두 $10\times 6=60$(가지)

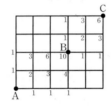

학교 시험 100점맞기

72쪽~75쪽

01 ③	02 ②	03 ④	04 ②	05 ④	06 ⑤
07 ④	08 ③	09 ④	10 ②	11 ①	12 ②
13 ④	14 ⑤	15 ⑤	16 ④	17 ④	18 8가지
19 20가지	20 6가지	21 15가지	22 55가지	23 30	

01 ① $3\times 3=9$(가지)

② (가위, 바위), (바위, 보), (보, 가위), (바위, 가위), (보, 바위), (가위, 보)이므로 6가지

③ $\dfrac{4\times 3}{2}=6$(가지) ④ $2^2\times 6=24$(가지) ⑤ $2+3=5$(가지)

02 20의 약수는 1, 2, 4, 5, 10, 20이므로 20의 약수가 적힌 카드가 나오는 경우의 수는 6가지이다.

03 두 눈의 수의 합이 8인 경우 :

$(2,6),(3,5),(4,4),(5,3),(6,2)$의 5가지

두 눈의 수의 합이 9인 경우 : $(3,6),(4,5),(5,4),(6,3)$의 4가지

두 눈의 수의 합이 10인 경우 : $(4,6),(5,5),(6,4)$의 3가지

두 눈의 수의 합이 11인 경우 : $(5,6),(6,5)$의 2가지

두 눈의 수의 합이 12인 경우 : $(6,6)$의 1가지

따라서 구하는 경우의 수는 $5+4+3+2+1=15$(가지)

04 $A\to C$로 가는 방법 : 2가지

$A\to B\to C$로 가는 방법 : $2\times 3=6$(가지)

$\therefore 2+6=8$(가지)

05 $3\times 4=12$(가지)

06 $4\times 3\times 2\times 1=24$(가지)

07 (재석, 종국), 동훈, 석진이가 한 줄로 서는 경우의 수는

$3\times 2\times 1=6$(가지)이고, 재석이와 종국이가 서로 자리를 바꿀 수 있으므로 구하는 경우의 수는 $6\times 2=12$(가지)

08 $5\times 4=20$(개)

09 뒤의 두 자리 수는 정해졌으므로 나머지 8개의 숫자로 앞의 두 자리 수를 정해야 한다. 따라서 첫 번째 자리에 0을 제외한 7가지의 숫자를 사용할 수 있고 두 번째 자리는 첫 번째 자리의 숫자를 제외한 7가지의 숫자를 사용할 수 있으므로 구하는 경우의 수는 $7\times 7=49$(가지)

10 5명 중에서 3명의 대표를 뽑는 경우의 수는

$\dfrac{5\times 4\times 3}{3\times 2\times 1}=10$(가지)

11 회원 수를 n명이라 하면 $\dfrac{n(n-1)}{2}=21$, $n(n-1)=42$

두 수의 차가 1이고 곱이 42인 두 자연수는 7, 6이고 구하는 n의 값은 7이다.

따라서 이 모임의 회원은 모두 7명이다.

12 $3\times 2\times 1=6$(가지)

13 $\dfrac{6\times 5}{2}=15$(개)

14 3으로 나눈 나머지가 1인 수는 1, 4, 7, 10, 13, 16, 19의 7가지, 3으로 나눈 나머지가 2인 수는 2, 5, 8, 11, 14, 17, 20의 7가지이므로 구하는 경우는 모두 $7+7=14$(가지)

15 $A\to B\to C\to B\to A : 4\times 3\times 2\times 3=72$(가지)

$A\to B\to C\to A : 4\times 3\times 1=12$(가지)

$A\to C\to B\to A : 1\times 3\times 4=12$(가지)

$\therefore 72+12+12=96$(가지)

16 5명이 일렬로 서는 경우의 수는 $5\times 4\times 3\times 2\times 1=120$(가지)

아버지와 어머니가 이웃하여 서는 경우의 수는

$(4\times 3\times 2\times 1)\times 2=48$(가지)

따라서 아버지와 어머니가 이웃하지 않게 서는 경우의 수는

$120-48=72$(가지)

17 6개의 점 중에서 3개의 점을 선택하는 경우의 수는

$\dfrac{6\times 5\times 4}{3\times 2\times 1}=20$(가지)

그런데 한 직선 위에 있는 세 점을 이으면 삼각형이 되지 않으므로 만들 수 있는 삼각형은 모두 $20-2=18$(개)

18 점 P가 점 C에 오는 경우는 두 눈의 수의 합이 2, 7, 12일 때이다.

2인 경우 : $(1,1)$의 1가지

7인 경우 : $(1, 6), (2, 5), (3, 4), (4, 3), (5, 2), (6, 1)$의 6가지

12인 경우 : $(6, 6)$의 1가지

따라서 구하는 경우의 수는 $1+6+1=8$(가지)

19 5명 중에서 자기 수험 번호가 적힌 의자에 앉는 2명의 수험생을 선택

하는 경우의 수는 $\dfrac{5\times4}{2}=10$(가지)

나머지 3명이 다른 수험 번호가 적힌 의자에 앉는 경우의 수는 2가지

이다.

따라서 구하는 경우의 수는 $10\times2=20$(가지)

20 [1단계] 3의 배수는 3, 6, 9, 12이므로 4가지

[2단계] 5의 배수는 5, 10이므로 2가지

[3단계] $4+2=6$(가지)

21 [1단계] 필기도구는 볼펜 또는 연필을 선택할 수 있으므로 필기도구 1종

류를 선택하는 경우의 수는 $3+2=5$(가지)

[2단계] 자 1종류를 선택하는 경우의 수는 3가지이다.

[3단계] $5\times3=15$(가지)

22 □□0이 되는 경우의 수는 $6\times5=30$(가지) ······ ❶

□□5가 되는 경우의 수는 $5\times5=25$(가지) ······ ❷

따라서 구하는 경우의 수는 $30+25=55$(가지) ······ ❸

채점 기준	배점
❶ 일의 자리의 숫자가 0인 경우의 수 구하기	3점
❷ 일의 자리의 숫자가 5인 경우의 수 구하기	3점
❸ 5의 배수가 되는 경우의 수 구하기	2점

23 회장 1명, 부회장 1명을 뽑는 경우의 수는 $5\times4=20$(가지) $\quad\therefore a=20$

······ ❶

대표 2명을 뽑는 경우의 수는 $\dfrac{5\times4}{2}=10$(가지) $\quad\therefore b=10$ ······ ❷

$\therefore a+b=20+10=30$ ······ ❸

채점 기준	배점
❶ a의 값 구하기	2점
❷ b의 값 구하기	2점
❸ $a+b$의 값 구하기	1점

10. 확률과 그 계산

시험에 🌀나오는 핵심개념

76쪽~77쪽

예제 1 답 $\dfrac{1}{5}$

1에서 10까지의 숫자 중에서 4의 배수는 4, 8의 2가지이므로

구하는 확률은 $\dfrac{2}{10}=\dfrac{1}{5}$

예제 2 답 (1) $\dfrac{1}{2}$ (2) 1 (3) 0

(1) 짝수의 눈은 2, 4, 6의 3가지이므로 구하는 확률은 $\dfrac{3}{6}=\dfrac{1}{2}$

(2) 주사위의 모든 눈은 1 이상이므로 구하는 확률은 1이다.

(3) 주사위에는 7의 눈이 없으므로 구하는 확률은 0이다.

예제 3 답 (1) $\dfrac{5}{6}$ (2) $\dfrac{3}{4}$

(1) 나오는 두 눈의 수가 서로 같은 경우는 모두 6가지이므로

구하는 확률은 $1-\dfrac{6}{36}=\dfrac{5}{6}$

(2) 나오는 두 눈의 수가 모두 짝수인 경우의 수는 $3\times3=9$(가지)이므로

나오는 두 눈의 수가 모두 짝수일 확률은 $\dfrac{9}{36}=\dfrac{1}{4}$

따라서 구하는 확률은 $1-\dfrac{1}{4}=\dfrac{3}{4}$

예제 4 답 $\dfrac{1}{2}$

3의 배수는 3, 6, 9의 3가지이고 5의 배수는 5, 10의 2가지이므로 구하는

확률은 $\dfrac{3}{10}+\dfrac{2}{10}=\dfrac{5}{10}=\dfrac{1}{2}$

예제 5 답 $\dfrac{1}{6}$

동전이 앞면이 나올 확률은 $\dfrac{1}{2}$, 주사위가 3의 배수의 눈이 나올 확률은

$\dfrac{2}{6}=\dfrac{1}{3}$이므로 구하는 확률은 $\dfrac{1}{2}\times\dfrac{1}{3}=\dfrac{1}{6}$

예제 6 답 (1) $\dfrac{9}{49}$ (2) $\dfrac{1}{7}$

(1) 처음에 노란 구슬을 꺼낼 확률은 $\dfrac{3}{7}$, 두 번째에 노란 구슬을 꺼낼 확률도

$\dfrac{3}{7}$이므로 구하는 확률은 $\dfrac{3}{7}\times\dfrac{3}{7}=\dfrac{9}{49}$

(2) 처음에 노란 구슬을 꺼낼 확률은 $\dfrac{3}{7}$, 두 번째에 노란 구슬을 꺼낼 확률은

$\dfrac{2}{6}=\dfrac{1}{3}$이므로 구하는 확률은 $\dfrac{3}{7}\times\dfrac{1}{3}=\dfrac{1}{7}$

유형 격파 ✛기출 문제

78쪽~85쪽

01 ②	02 ④	03 $\dfrac{1}{9}$	04 ②	05 ②	06 ②
07 $\dfrac{5}{36}$	08 (1) $\dfrac{1}{3}$ (2) 1 (3) 0			09 ②	10 1
11 $\dfrac{3}{5}$	12 $\dfrac{7}{8}$	13 $\dfrac{7}{10}$	14 ③		

15	(1) $\frac{1}{5}$	(2) $\frac{4}{25}$	(3) $\frac{9}{25}$	**16**	$\frac{7}{16}$	**17**	$\frac{7}{18}$	**18**	②
19	⑤	**20**	$\frac{4}{15}$	**21**	①	**22**	$\frac{13}{36}$	**23**	③	**24** ③
25	$\frac{31}{32}$	**26**	$\frac{3}{8}$	**27**	⑤	**28**	$\frac{9}{100}$	**29**	①	**30** $\frac{16}{81}$
31	$\frac{4}{25}$	**32**	④	**33**	$\frac{1}{35}$	**34**	$\frac{1}{60}$	**35**	(1) $\frac{3}{28}$	(2) $\frac{15}{28}$
36	⑤	**37**	⑤	**38**	$\frac{7}{15}$	**39**	②	**40**	②	**41** $\frac{14}{25}$
42	⑤	**43**	①	**44**	⑤	**45**	$\frac{1}{3}$	**46**	⑤	**47** ①
48	(1) $\frac{1}{3}$	(2) $\frac{2}{3}$	**49**	③	**50**	④	**51**	⑤	**52**	$\frac{47}{192}$
53	$\frac{1}{4}$	**54**	$\frac{63}{100}$	**55**	$\frac{1}{3}$	**56**	③	**57**	④	**58** $\frac{1}{16}$
59	$\frac{3}{8}$	**60**	(1) $\frac{5}{8}$	(2) $\frac{5}{16}$	(3) $\frac{1}{16}$	**61**	$\frac{5}{7}$		

01 5의 약수는 1, 5의 2가지이므로 구하는 확률은 $\frac{2}{6}=\frac{1}{3}$

02 1에서 20까지의 수 중에서 소수는 2, 3, 5, 7, 11, 13, 17, 19의 8가지이므로 구하는 확률은 $\frac{8}{20}=\frac{2}{5}$

03 모든 경우의 수는 $6\times6=36$(가지)
두 눈의 수의 합이 5가 되는 경우의 수는 $(1, 4)$, $(2, 3)$, $(3, 2)$, $(4, 1)$의 4가지
따라서 구하는 확률은 $\frac{4}{36}=\frac{1}{9}$

04 5명 중에서 2명을 뽑는 경우의 수는 $\frac{5\times4}{2}=10$(가지)
2명 모두 남학생이 뽑히는 경우의 수는 1가지
따라서 구하는 확률은 $\frac{1}{10}$이다.

05 $x+3y=8$을 만족하는 순서쌍 (x, y)는 $(5, 1)$, $(2, 2)$의 2가지
따라서 구하는 확률은 $\frac{2}{36}=\frac{1}{18}$

06 $2x+3y<10$을 만족하는 x, y는
$x=1$일 때, $y=1, 2$의 2가지, $x=2$일 때, $y=1$의 1가지,
$x=3$일 때, $y=1$의 1가지이므로 모두 $2+1+1=4$(가지)
따라서 구하는 확률은 $\frac{4}{36}=\frac{1}{9}$

07 두 일차함수의 그래프가 평행하려면 기울기가 같고 y절편이 달라야 한다.
즉, $a=2$이고 $b\neq5$인 경우의 수는 $(2, 1)$, $(2, 2)$, $(2, 3)$, $(2, 4)$, $(2, 6)$의 5가지
따라서 구하는 확률은 $\frac{5}{36}$이다.

08 (1) $\frac{3}{9}=\frac{1}{3}$

09 ① $\frac{1}{6}$ ② 1 ③ 0
④ 뒷면이 1개 이상 나오는 경우의 수는 (앞, 뒤), (뒤, 앞), (뒤, 뒤)의 3가지이므로 구하는 확률은 $\frac{3}{4}$이다.

⑤ 모든 경우의 수는 $3\times3=9$(가지)이고 서로 비기는 경우의 수는 (가위, 가위), (바위, 바위), (보, 보)의 3가지이므로 구하는 확률은 $\frac{3}{9}=\frac{1}{3}$

10 만들 수 있는 두 자리 정수는 모두 100 미만이므로 구하는 확률은 1이다.

11 A 중학교가 이길 확률이 $\frac{2}{5}$이므로 B 중학교가 이길 확률은
$1-\frac{2}{5}=\frac{3}{5}$

12 모두 앞면이 나올 확률은 $\frac{1}{8}$이므로 적어도 1개는 뒷면이 나올 확률은
$1-\frac{1}{8}=\frac{7}{8}$

13 모든 경우의 수는 $\frac{5\times4}{2}=10$(가지), 2명 모두 남학생이 뽑히는 경우의 수는 $\frac{3\times2}{2}=3$(가지)
따라서 2명 모두 남학생 뽑힐 확률은 $\frac{3}{10}$이므로 구하는 확률은
$1-\frac{3}{10}=\frac{7}{10}$

14 모든 경우의 수는 $\frac{8\times7\times6}{3\times2\times1}=56$(가지), 승기가 뽑히는 경우의 수는
승기를 제외한 7명 중에서 2명을 뽑는 경우의 수와 같으므로
$\frac{7\times6}{2}=21$(가지)
따라서 승기가 뽑힐 확률은 $\frac{21}{56}=\frac{3}{8}$이므로 구하는 확률은
$1-\frac{3}{8}=\frac{5}{8}$

15 (1) 5의 배수는 5, 10, 15, 20, 25의 5가지이므로 구하는 확률은
$\frac{5}{25}=\frac{1}{5}$
(2) 6의 배수는 6, 12, 18, 24의 4가지이므로 구하는 확률은 $\frac{4}{25}$이다.
(3) $\frac{1}{5}+\frac{4}{25}=\frac{9}{25}$

16 윷이 나올 확률은 $\frac{1}{16}$, 개가 나올 확률은 $\frac{6}{16}$
∴ (구하는 확률)$=\frac{1}{16}+\frac{6}{16}=\frac{7}{16}$

17 나온 눈의 차가 2가 되는 경우의 수는 $(1, 3)$, $(2, 4)$, $(3, 1)$, $(3, 5)$, $(4, 2)$, $(4, 6)$, $(5, 3)$, $(6, 4)$의 8가지이므로 확률은 $\frac{8}{36}$
나온 눈의 차가 3이 되는 경우의 수는 $(1, 4)$, $(2, 5)$, $(3, 6)$, $(4, 1)$, $(5, 2)$, $(6, 3)$의 6가지이므로 확률은 $\frac{6}{36}$
따라서 구하는 확률은 $\frac{8}{36}+\frac{6}{36}=\frac{14}{36}=\frac{7}{18}$

18 $\frac{2}{6}\times\frac{4}{6}=\frac{2}{9}$

19 $\frac{3}{7}\times\frac{3}{8}=\frac{9}{56}$

20 처음에 대표를 뽑는 확률은 $\dfrac{6}{10}$

부대표는 대표를 제외한 9명중 남학생일 확률이므로 $\dfrac{4}{9}$

따라서 구하는 확률은 $\dfrac{6}{10} \times \dfrac{4}{9} = \dfrac{4}{15}$

21 $\dfrac{2}{5} \times \dfrac{1}{4} = \dfrac{1}{10}$

22 두 번 모두 5의 약수의 눈이 나올 확률은 $\dfrac{2}{6} \times \dfrac{2}{6} = \dfrac{4}{36}$

두 번 모두 2의 배수의 눈이 나올 확률은 $\dfrac{3}{6} \times \dfrac{3}{6} = \dfrac{9}{36}$

따라서 구하는 확률은 $\dfrac{4}{36} + \dfrac{9}{36} = \dfrac{13}{36}$

23 동전은 앞면이 나오고 주사위는 홀수의 눈이 나올 확률은 $\dfrac{1}{2} \times \dfrac{3}{6} = \dfrac{1}{4}$

동전은 뒷면이 나오고 주사위는 소수의 눈이 나올 확률은 $\dfrac{1}{2} \times \dfrac{3}{6} = \dfrac{1}{4}$

따라서 구하는 확률은 $\dfrac{1}{4} + \dfrac{1}{4} = \dfrac{1}{2}$

24 서로 다른 두 개의 주사위를 동시에 던질 때, 나오는 두 눈의 수의 합이 짝수이려면 두 주사위의 눈의 수가 모두 짝수이거나 홀수이어야 한다.

따라서 구하는 확률은 $\dfrac{3}{6} \times \dfrac{3}{6} + \dfrac{3}{6} \times \dfrac{3}{6} = \dfrac{1}{4} + \dfrac{1}{4} = \dfrac{1}{2}$

25 (구하는 확률) $=1-$ (모두 틀릴 확률)

$$=1-\dfrac{1}{2} \times \dfrac{1}{2} \times \dfrac{1}{2} \times \dfrac{1}{2} \times \dfrac{1}{2}$$

$$=\dfrac{31}{32}$$

26 첫째 날은 지각을 하고 둘째 날은 지각을 하지 않을 확률은

$\dfrac{1}{4} \times \left(1-\dfrac{1}{4}\right) = \dfrac{1}{4} \times \dfrac{3}{4} = \dfrac{3}{16}$

첫째 날은 지각을 하지 않고 둘째 날은 지각을 할 확률은

$\left(1-\dfrac{1}{4}\right) \times \dfrac{1}{4} = \dfrac{3}{4} \times \dfrac{1}{4} = \dfrac{3}{16}$

따라서 구하는 확률은 $\dfrac{3}{16} + \dfrac{3}{16} = \dfrac{6}{16} = \dfrac{3}{8}$

27 (i) 금요일에 눈이 오는 경우 : $\dfrac{3}{7} \times \dfrac{3}{7} = \dfrac{9}{49}$

(ii) 금요일에 눈이 오지 않는 경우 : $\left(1-\dfrac{3}{7}\right) \times \dfrac{1}{7} = \dfrac{4}{49}$

따라서 (i), (ii)에서 구하는 확률은 $\dfrac{9}{49} + \dfrac{4}{49} = \dfrac{13}{49}$

28 처음에 당첨 제비를 뽑을 확률은 $\dfrac{3}{10}$ 이고, 두 번째에 당첨 제비를 뽑을 확률도 $\dfrac{3}{10}$ 이다. 따라서 구하는 확률은 $\dfrac{3}{10} \times \dfrac{3}{10} = \dfrac{9}{100}$

29 첫 번째에 빨간 공을 꺼낼 확률은 $\dfrac{3}{9} = \dfrac{1}{3}$ 이고, 두 번째에 빨간 공을 꺼낼 확률도 $\dfrac{3}{9} = \dfrac{1}{3}$ 이다.

따라서 구하는 확률은 $\dfrac{1}{3} \times \dfrac{1}{3} = \dfrac{1}{9}$

30 첫 번째에 짝수가 적힌 카드가 나올 확률은 $\dfrac{4}{9}$ 이고, 두 번째에 짝수가 적힌 카드가 나올 확률도 $\dfrac{4}{9}$ 이다.

따라서 구하는 확률은 $\dfrac{4}{9} \times \dfrac{4}{9} = \dfrac{16}{81}$

31 첫 번째에 소수가 적힌 카드가 나올 확률은 $\dfrac{4}{10} = \dfrac{2}{5}$ 이고, 두 번째에 소수가 적힌 카드가 나올 확률도 $\dfrac{4}{10} = \dfrac{2}{5}$ 이다.

따라서 구하는 확률은 $\dfrac{2}{5} \times \dfrac{2}{5} = \dfrac{4}{25}$

32 첫 번째가 불량품일 확률은 $\dfrac{3}{15} = \dfrac{1}{5}$

두 번째가 불량품일 확률은 $\dfrac{2}{14} = \dfrac{1}{7}$

따라서 구하는 확률은 $\dfrac{1}{5} \times \dfrac{1}{7} = \dfrac{1}{35}$

33 1에서 15 중에서 4의 배수는 4, 8, 12이므로 3가지이다.

첫 번째에 4의 배수가 적힌 카드를 뽑을 확률은 $\dfrac{3}{15} = \dfrac{1}{5}$

두 번째에 4의 배수가 적힌 카드를 뽑을 확률은 $\dfrac{2}{14} = \dfrac{1}{7}$

따라서 구하는 확률은 $\dfrac{1}{5} \times \dfrac{1}{7} = \dfrac{1}{35}$

34 첫 번째에 검은 공이 나올 확률은 $\dfrac{3}{10}$

두 번째에 검은 공이 나올 확률은 $\dfrac{2}{9}$

세 번째에 노란 공이 나올 확률은 $\dfrac{2}{8} = \dfrac{1}{4}$

따라서 구하는 확률은 $\dfrac{3}{10} \times \dfrac{2}{9} \times \dfrac{1}{4} = \dfrac{1}{60}$

35 (1) A가 당첨 제비를 뽑고 B도 당첨 제비를 뽑을 확률은 $\dfrac{3}{8} \times \dfrac{2}{7} = \dfrac{3}{28}$

(2) (A가 당첨 제비를 뽑고 B는 당첨 제비가 아닌 것을 뽑을 확률)

$+$ (A는 당첨 제비가 아닌 것을 뽑고 B가 당첨 제비를 뽑을 확률)

$=\dfrac{3}{8} \times \dfrac{5}{7} + \dfrac{5}{8} \times \dfrac{3}{7} = \dfrac{30}{56} = \dfrac{15}{28}$

36 A, B 두 주머니에서 모두 흰 공이 나올 확률은 $\dfrac{3}{6} \times \dfrac{4}{6} = \dfrac{1}{3}$

A, B 두 주머니에서 모두 검은 공이 나올 확률은 $\dfrac{3}{6} \times \dfrac{2}{6} = \dfrac{1}{6}$

따라서 구하는 확률은 $\dfrac{1}{3} + \dfrac{1}{6} = \dfrac{1}{2}$

37 둘 다 흰 공이 나올 확률은 $\dfrac{4}{9} \times \dfrac{4}{9} = \dfrac{16}{81}$

둘 다 검은 공이 나올 확률은 $\dfrac{5}{9} \times \dfrac{5}{9} = \dfrac{25}{81}$

따라서 구하는 확률은 $\dfrac{16}{81} + \dfrac{25}{81} = \dfrac{41}{81}$

38 (A 주머니를 택할 확률) $\times$ (A 주머니에서 흰 공이 나올 확률)

$+$ (B 주머니를 택할 확률) $\times$ (B 주머니에서 흰 공이 나올 확률)

$=\left(\dfrac{1}{2} \times \dfrac{3}{5}\right) + \left(\dfrac{1}{2} \times \dfrac{2}{6}\right) = \dfrac{3}{10} + \dfrac{1}{6} = \dfrac{7}{15}$

39 민수와 소영이 모두 약속을 지켜야 만날 수 있으므로
$$\left(1-\frac{3}{5}\right)\times\left(1-\frac{2}{3}\right)=\frac{2}{5}\times\frac{1}{3}=\frac{2}{15}$$

40 두 사람이 만날 확률은 $\frac{4}{5}\times\frac{9}{10}=\frac{18}{25}$

따라서 구하는 확률은 $1-\frac{18}{25}=\frac{7}{25}$

41 민정이가 늦을 확률은 $\frac{1}{5}$이므로 늦지 않을 확률은 $1-\frac{1}{5}=\frac{4}{5}$

진희가 늦을 확률은 $\frac{3}{10}$이므로 늦지 않을 확률은 $1-\frac{3}{10}=\frac{7}{10}$

따라서 구하는 확률은 $\frac{4}{5}\times\frac{7}{10}=\frac{14}{25}$

42 (구하는 확률)$=1-$(3문제 모두 틀릴 확률)
$$=1-\left(1-\frac{2}{3}\right)\times\left(1-\frac{1}{3}\right)\times\left(1-\frac{1}{2}\right)$$
$$=1-\frac{1}{9}=\frac{8}{9}$$

43 A는 합격하고 B는 불합격해야 하므로 구하는 확률은
$$\frac{2}{3}\times\left(1-\frac{3}{4}\right)=\frac{2}{3}\times\frac{1}{4}=\frac{1}{6}$$

44 1번 문제를 틀릴 확률은 $1-\frac{3}{4}=\frac{1}{4}$이므로

구하는 확률은 $\frac{1}{4}\times\frac{2}{3}\times\frac{3}{5}=\frac{1}{10}$

45 준형이가 이기는 경우의 수는 (가위, 보), (바위, 가위), (보, 바위)의 3가지이다.

따라서 구하는 확률은 $\frac{3}{9}=\frac{1}{3}$

46 비기는 경우의 수는 (가위, 가위), (바위, 바위), (보, 보)의 3가지이므로 비길 확률은 $\frac{3}{9}=\frac{1}{3}$

따라서 구하는 확률은 $1-\frac{1}{3}=\frac{2}{3}$

47 비기는 경우의 수는 (가위, 가위), (바위, 바위), (보, 보)의 3가지이므로 비길 확률은 $\frac{3}{9}=\frac{1}{3}$

민정이가 이기는 경우의 수는 3가지이므로 민정이가 이길 확률은 $\frac{3}{9}=\frac{1}{3}$

따라서 구하는 확률은 $\frac{1}{3}\times\frac{1}{3}\times\frac{1}{3}=\frac{1}{27}$

48 (1) 세 사람 모두 같은 것을 낼 확률은 $\frac{3}{27}=\frac{1}{9}$

세 사람 모두 다른 것을 내는 경우의 수는 $3\times2\times1=6$(가지)이므로

그 확률은 $\frac{6}{27}=\frac{2}{9}$

따라서 구하는 확률은 $\frac{1}{9}+\frac{2}{9}=\frac{3}{9}=\frac{1}{3}$

(2) $1-\frac{1}{3}=\frac{2}{3}$

49 두 타자 모두 안타를 치지 못할 확률은
$$\left(1-\frac{2}{5}\right)\times\left(1-\frac{1}{3}\right)=\frac{3}{5}\times\frac{2}{3}=\frac{2}{5}$$

50 사수가 한 발을 쏘았을 때, 명중시킬 확률은 $\frac{6}{8}=\frac{3}{4}$

2발 중 1발만 명중시키려면 처음에 명중시키고 나중에 명중시키지 못하거나, 처음에 명중시키지 못하고 나중에 명중시키면 된다.

따라서 구하는 확률은 $\left(\frac{3}{4}\times\frac{1}{4}\right)+\left(\frac{1}{4}\times\frac{3}{4}\right)=\frac{3}{16}+\frac{3}{16}=\frac{6}{16}=\frac{3}{8}$

51 적어도 한 사람은 명중시킬 확률과 같으므로 구하는 확률은
$$1-\left(1-\frac{4}{5}\right)\times\left(1-\frac{3}{4}\right)\times\left(1-\frac{2}{3}\right)=1-\frac{1}{5}\times\frac{1}{4}\times\frac{1}{3}$$
$$=1-\frac{1}{60}=\frac{59}{60}$$

52 (i) 두 번째 타석에서 안타를 친 경우 : $\frac{3}{8}\times\frac{3}{8}=\frac{9}{64}$

(ii) 두 번째 타석에서 안타를 못 친 경우 : $\left(1-\frac{3}{8}\right)\times\frac{1}{6}=\frac{5}{8}\times\frac{1}{6}$
$$=\frac{5}{48}$$

따라서 (i), (ii)에서 구하는 확률은 $\frac{9}{64}+\frac{5}{48}=\frac{47}{192}$

53 꽝을 맞힐 확률은 $\frac{1}{2}$이므로 두 번 모두 꽝을 맞힐 확률은 $\frac{1}{2}\times\frac{1}{2}=\frac{1}{4}$

54 매우 찬성은 $15\,\%=\frac{15}{100}$, 찬성은 $48\,\%=\frac{48}{100}$이므로

구하는 확률은 $\frac{15}{100}+\frac{48}{100}=\frac{63}{100}$

55 과녁의 넓이는 $\pi\times3^2=9\pi$

색칠한 부분의 넓이는 $\pi\times2^2-\pi\times1^2=3\pi$

따라서 구하는 확률은 $\frac{3\pi}{9\pi}=\frac{1}{3}$

56 첫째 날 줄넘기를 하고 둘째 날 줄넘기를 하지 않을 확률은
$$\frac{2}{5}\times\left(1-\frac{2}{5}\right)=\frac{2}{5}\times\frac{3}{5}=\frac{6}{25}$$

첫째 날 줄넘기를 하지 않고 둘째 날 줄넘기를 할 확률은
$$\left(1-\frac{2}{5}\right)\times\frac{2}{5}=\frac{3}{5}\times\frac{2}{5}=\frac{6}{25}$$

따라서 구하는 확률은 $\frac{6}{25}+\frac{6}{25}=\frac{12}{25}$

57 빨간 공과 파란 공을 차례로 꺼낼 확률은 $\frac{3}{7}\times\frac{5}{7}=\frac{15}{49}$

파란 공과 빨간 공을 차례로 꺼낼 확률은 $\frac{4}{7}\times\frac{4}{7}=\frac{16}{49}$

따라서 구하는 확률은 $\frac{15}{49}+\frac{16}{49}=\frac{31}{49}$

58 (8시보다 일찍 학교에 도착할 확률)$=1-\left(\frac{1}{2}+\frac{1}{4}\right)=\frac{1}{4}$

따라서 구하는 확률은 $\frac{1}{4}\times\frac{1}{4}=\frac{1}{16}$

59 동전을 3회 던져서 앞면이 x회 나온다고 하면 뒷면은 $(3-x)$회 나온다.

이때 점 P의 위치가 -1이므로 $x+(-1)\times(3-x)=-1$, $2x=2$

$\therefore x=1$

따라서 앞면이 1회, 뒷면이 2회 나오는 경우의 수는 (앞, 뒤, 뒤),

(뒤, 앞, 뒤), (뒤, 뒤, 앞)의 3가지이므로 구하는 확률은 $\frac{3}{8}$이다.

60 (1) 1회 또는 3회에 A가 이길 확률 : $\frac{1}{2}+\left(\frac{1}{2}\times\frac{1}{2}\times\frac{1}{2}\right)$

$$=\frac{1}{2}+\frac{1}{8}=\frac{5}{8}$$

(2) 2회 또는 4회에 B가 이길 확률 : $\left(\frac{1}{2}\times\frac{1}{2}\right)+\left(\frac{1}{2}\times\frac{1}{2}\times\frac{1}{2}\times\frac{1}{2}\right)$

$$=\frac{1}{4}+\frac{1}{16}=\frac{5}{16}$$

(3) 1, 2, 3, 4회에 모두 짝수가 나올 확률 : $\frac{1}{2}\times\frac{1}{2}\times\frac{1}{2}\times\frac{1}{2}=\frac{1}{16}$

61 파란 공이 3개이므로 진희는 1회 또는 3회에 이길 수 있다.

(ⅰ) 선우가 1회에 빨간 공을 뽑을 확률은 $\frac{5}{8}$

(ⅱ) 선우가 3회에 빨간 공을 뽑을 확률은 $\frac{3}{8}\times\frac{2}{7}\times\frac{5}{6}=\frac{5}{56}$

따라서 (ⅰ), (ⅱ)에서 구하는 확률은 $\frac{5}{8}+\frac{5}{56}=\frac{5}{7}$

학교 시험 100점맞기   86쪽~89쪽

01 ③	02 ③	03 ②	04 ④	05 ②	06 ⑤
07 ①	08 ⑤	09 ③	10 ④	11 ②	12 ①
13 ③	14 $\frac{3}{4}$	15 ④	16 $\frac{2}{9}$	17 $\frac{13}{40}$	18 ④
19 ⑤	20 $\frac{5}{18}$	21 $\frac{2}{9}$	22 $\frac{2}{5}$	23 $\frac{9}{25}$	24 $\frac{19}{27}$

01 6의 약수는 1, 2, 3, 6의 4가지이므로 구하는 확률은 $\frac{4}{6}=\frac{2}{3}$

02 모든 경우의 수는 $6\times6=36$(가지)

두 눈의 수의 차가 3인 경우의 수는 (1, 4), (2, 5), (3, 6), (4, 1),

(5, 2), (6, 3)의 6가지

따라서 구하는 확률은 $\frac{6}{36}=\frac{1}{6}$

03 4개의 막대 중에서 3개를 택하는 경우는 (5, 8, 12), (5, 8, 13),

(5, 12, 13), (8, 12, 13)이고, 이 중에서 삼각형이 만들어지는 경우

는 (5, 8, 12), (5, 12, 13), (8, 12, 13)이므로 구하는 확률은 $\frac{3}{4}$이다.

04 두 사람이 서로 같은 영화를 볼 확률은 $\frac{4}{16}=\frac{1}{4}$

따라서 구하는 확률은 $1-\frac{1}{4}=\frac{3}{4}$

05 3의 배수가 적힌 카드가 나올 확률은 $\frac{6}{20}$,

7의 배수가 적힌 카드가 나올 확률은 $\frac{2}{20}$이므로

구하는 확률은 $\frac{6}{20}+\frac{2}{20}=\frac{8}{20}=\frac{2}{5}$

06 A, B 두 스위치가 모두 닫혀 있을 때 전구에 불이 들어오므로

구하는 확률은 $\frac{1}{3}\times\frac{1}{3}=\frac{1}{9}$

07 대표가 둘 다 남학생일 확률은 $\frac{4}{9}\times\frac{3}{8}=\frac{12}{72}$

대표가 둘 다 여학생일 확률은 $\frac{5}{9}\times\frac{4}{8}=\frac{20}{72}$

따라서 구하는 확률은 $\frac{12}{72}+\frac{20}{72}=\frac{32}{72}=\frac{4}{9}$

08 $1-\frac{1}{2}\times\frac{1}{2}\times\frac{1}{2}=\frac{7}{8}$

09 내일 비가 올 확률은 $\frac{2}{5}$이고 모레 비가 올 확률은 $\frac{1}{5}$이므로

내일과 모레 연속하여 비가 오지 않을 확률은

$\left(1-\frac{2}{5}\right)\times\left(1-\frac{1}{5}\right)=\frac{3}{5}\times\frac{4}{5}=\frac{12}{25}$

10 $\frac{2}{5}\times\frac{2}{5}=\frac{4}{25}$

11 경희가 흰 공을 뽑을 확률은 $\frac{4}{15}$, 윤서가 흰 공을 뽑을 확률은 $\frac{3}{14}$이므로

구하는 확률은 $\frac{4}{15}\times\frac{3}{14}=\frac{2}{35}$

12 예빈이가 불합격할 확률은 $1-\frac{2}{5}=\frac{3}{5}$,

윤하가 불합격할 확률은 $1-\frac{1}{3}=\frac{2}{3}$

∴ (예빈이와 윤하 중 적어도 한 명은 합격할 확률)

$=1-$(예빈이와 윤하 둘 다 불합격할 확률)$=1-\frac{3}{5}\times\frac{2}{3}=\frac{3}{5}$

13 두 양궁 선수 모두 과녁에 명중시키지 못할 확률은

$\left(1-\frac{3}{4}\right)\times\left(1-\frac{4}{5}\right)=\frac{1}{4}\times\frac{1}{5}=\frac{1}{20}$

14 색칠한 부분의 넓이는 큰 삼각형의 넓이의 $\frac{1}{4}$이므로

점이 색칠한 부분에 있지 않을 확률은 $1-\frac{1}{4}=\frac{3}{4}$이다.

15 모든 경우의 수는 $2^4=16$(가지)

점 P의 위치가 +2인 경우는 앞면이 3번, 뒷면이 1번 나올 때이므로

(앞, 앞, 앞, 뒤), (앞, 앞, 뒤, 앞), (앞, 뒤, 앞, 앞), (뒤, 앞, 앞, 앞)의 4가

지이다.

따라서 구하는 확률은 $\frac{4}{16}=\frac{1}{4}$

16 주사위를 한 번 던졌을 때,

예진이가 이길 확률은 $\frac{2}{6}=\frac{1}{3}$, 혜수가 이길 확률은 $\frac{4}{6}=\frac{2}{3}$

예진이가 두 번 이기는 경우의 확률은 각각

(예진, 예진, 혜수) : $\frac{1}{3}\times\frac{1}{3}\times\frac{2}{3}=\frac{2}{27}$,

(예진, 혜수, 예진) : $\frac{1}{3}\times\frac{2}{3}\times\frac{1}{3}=\frac{2}{27}$,

(혜수, 예진, 예진) : $\frac{2}{3}\times\frac{1}{3}\times\frac{1}{3}=\frac{2}{27}$

따라서 구하는 확률은 $\frac{2}{27}+\frac{2}{27}+\frac{2}{27}=\frac{2}{9}$

17 시합하는 날 비가 올 확률은 $\frac{40}{100}=\frac{2}{5}$

비가 오지 않고 이길 확률은 $\left(1-\dfrac{2}{5}\right)\times\dfrac{3}{8}=\dfrac{3}{5}\times\dfrac{3}{8}=\dfrac{9}{40}$

비가 오고 이길 확률은 $\dfrac{2}{5}\times\dfrac{1}{4}=\dfrac{1}{10}$

따라서 구하는 확률은 $\dfrac{9}{40}+\dfrac{1}{10}=\dfrac{13}{40}$

18 $1-($맞힌 두 수의 곱이 홀수가 될 확률$)=1-\dfrac{4}{8}\times\dfrac{4}{8}=1-\dfrac{1}{4}=\dfrac{3}{4}$

19 직선 $ax+by-6=0$이 점 $P(1, 1)$을 지나면 $a+b-6=0$, 즉 $a+b=6$이다. $a+b=6$인 순서쌍 (a, b)는 $(1, 5)$, $(2, 4)$, $(3, 3)$, $(4, 2)$, $(5, 1)$의 5가지이므로 직선 $ax+by-6=0$이 점 $P(1, 1)$을 지날 확률은 $\dfrac{5}{36}$이다.

따라서 구하는 확률은 $1-\dfrac{5}{36}=\dfrac{31}{36}$

20 점 P가 점 D에 오는 경우는 두 눈의 수의 합이 3, 7, 11일 때이다.

두 눈의 수의 합이 3인 경우의 수는 $(1, 2)$, $(2, 1)$의 2가지

두 눈의 수의 합이 7인 경우의 수는 $(1, 6)$, $(2, 5)$, $(3, 4)$, $(4, 3)$, $(5, 2)$, $(6, 1)$의 6가지

두 눈의 수의 합이 11인 경우의 수는 $(5, 6)$, $(6, 5)$의 2가지

따라서 구하는 확률은

$\dfrac{2}{36}+\dfrac{6}{36}+\dfrac{2}{36}=\dfrac{10}{36}=\dfrac{5}{18}$

21 (1단계) 두 눈의 수의 합이 5인 경우의 수는 $(1, 4)$, $(2, 3)$, $(3, 2)$, $(4, 1)$의 4가지이므로 나오는 두 눈의 수의 합이 5일 확률은

$\dfrac{4}{36}=\dfrac{1}{9}$

(2단계) 두 눈의 수의 차가 4인 경우의 수는 $(1, 5)$, $(2, 6)$, $(5, 1)$, $(6, 2)$의 4가지이므로 나오는 두 눈의 수의 차가 4일 확률은

$\dfrac{4}{36}=\dfrac{1}{9}$

(3단계) $\dfrac{1}{9}+\dfrac{1}{9}=\dfrac{2}{9}$

22 (1단계) $\dfrac{2}{5}\times\dfrac{1}{4}=\dfrac{1}{10}$

(2단계) $\dfrac{3}{5}\times\dfrac{2}{4}=\dfrac{3}{10}$

(3단계) $\dfrac{1}{10}+\dfrac{3}{10}=\dfrac{4}{10}=\dfrac{2}{5}$

23 6장의 카드 중에서 2장을 뽑아 만들 수 있는 두 자리 정수의 개수는

$5\times5=25$(개) ……❶

5의 배수인 경우는 일의 자리가 0 또는 5이어야 한다.

(i) 일의 자리가 0인 경우 : 5개

(ii) 일의 자리가 5인 경우 : 4개

(i), (ii)에서 5의 배수의 개수는 $5+4=9$(개) ……❷

따라서 구하는 확률은 $\dfrac{9}{25}$이다. ……❸

채점 기준	배점
❶ 2장을 뽑아 만들 수 있는 두 자리 정수의 개수 구하기	2점
❷ 5의 배수의 개수 구하기	3점
❸ 5의 배수일 확률 구하기	1점

24 첫 번째에 목표물을 맞힐 확률은 $\dfrac{3}{9}=\dfrac{1}{3}$ ……❶

두 번째에 목표물을 맞힐 확률은 $\left(1-\dfrac{1}{3}\right)\times\dfrac{1}{3}=\dfrac{2}{3}\times\dfrac{1}{3}=\dfrac{2}{9}$ ……❷

세 번째에 목표물을 맞힐 확률은

$\left(1-\dfrac{1}{3}\right)\times\left(1-\dfrac{1}{3}\right)\times\dfrac{1}{3}=\dfrac{2}{3}\times\dfrac{2}{3}\times\dfrac{1}{3}=\dfrac{4}{27}$ ……❸

따라서 구하는 확률은 $\dfrac{1}{3}+\dfrac{2}{9}+\dfrac{4}{27}=\dfrac{19}{27}$ ……❹

채점 기준	배점
❶ 첫 번째에 명중할 확률 구하기	1점
❷ 두 번째에 명중할 확률 구하기	2점
❸ 세 번째에 명중할 확률 구하기	2점
❹ 목표물이 총에 맞을 확률 구하기	2점

싹쓸이 핵심 기출 문제　92쪽~95쪽

01 ③	02 ⑤	03 ③	04 $\frac{16}{5}$	05 8 cm
06 $\frac{35}{6}$ cm	07 18 cm	08 2 cm²	09 80 cm²	10 40 cm³
11 17	12 ④	13 ②	14 ③	15 $\frac{20}{3}$ cm
16 ②	17 ③	18 ②	19 ③	20 ② 　21 12가지
22 20개	23 30가지	24 ⑤	25 ①	26 ⑤ 　27 ③
28 ③	29 $\frac{4}{15}$	30 ④		

01 $(4+2):4=\overline{AC}:6$ 　∴ $\overline{AC}=9$(cm)

02 ① $4:3\ne5:4$ ② $5:8\ne3:7$ ③ $6:2=3:1\ne4:3$
④ $3:8\ne5:10=1:2$ ⑤ $9:3=6:2=3:1$

03 $8:6=\overline{BD}:3$ 　∴ $\overline{BD}=4$

04 $x:(8-x)=2:3$, $2(8-x)=3x$ 　∴ $x=\frac{16}{5}$

05 △ABD에서 $\overline{EP}:6=2:3$이므로 $\overline{EP}=4$(cm)
△DBC에서 $\overline{PF}:12=1:3$이므로 $\overline{PF}=4$(cm)
∴ $\overline{EF}=\overline{EP}+\overline{PF}=8$(cm)

06 $\overline{AB}:\overline{CD}=5:7$이므로 $\overline{BE}:\overline{EC}=5:7$
따라서 △BFE와 △BDC에서 $5:12=\overline{EF}:14$이므로
$\overline{EF}=\frac{35}{6}$(cm)

07 $\overline{GG'}:\overline{GD}=2:3$이므로 $4:\overline{GD}=2:3$ 　∴ $\overline{GD}=6$(cm)
$\overline{AD}:\overline{GD}=3:1$이므로 $\overline{AD}:6=3:1$ 　∴ $\overline{AD}=18$(cm)

08 △GBD$=\frac{1}{6}\times36=6$(cm²)이므로
△G'BD$=\frac{1}{3}$△GBD$=\frac{1}{3}\times6=2$(cm²)

09 △ADE∽△ABC(AA 닮음)이고 닮음비는
$12:20=3:5$
따라서 넓이의 비는 $3^2:5^2=9:25$이므로
$9:(25-9)=45:\square DBCE$, $9:16=45:\square DBCE$
∴ $\square DBCE=80$(cm²)

10 그릇과 채워진 물의 닮음비는 $3:2$이므로
부피의 비는 $3^3:2^3=27:8$
따라서 채워진 물의 부피를 x cm³라 하면 $27:8=135:x$이므로
$x=40$

11 △ADC에서 $\overline{DC}^2=10^2-8^2=36$
∴ $\overline{DC}=6(∵\overline{DC}>0)$
△ABC에서 $\overline{AB}^2=(9+6)^2+8^2=289$
∴ $\overline{AB}=17(∵\overline{AB}>0)$

12 $\overline{AE}=8-5=3$이므로 △AEH에서 $\overline{EH}^2=3^2+5^2=34$
∴ $\square EFGH=\overline{EH}^2=34$

13 △ABC에서 피타고라스 정리에 의해 $\overline{AC}=3$
∴ △AGC$=$△LGC$=\frac{1}{2}\square LMGC=\frac{1}{2}\square ACHI=\frac{1}{2}\times3^2=\frac{9}{2}$

14 $\overline{AB}^2+\overline{CD}^2=\overline{AD}^2+\overline{BC}^2$에서
$8^2+x^2=6^2+10^2$이므로 $x^2=72$

15 $\overline{AC}^2=\overline{CD}\times\overline{BC}$이므로 $5^2=3\times\overline{BC}$ 　∴ $\overline{BC}=\frac{25}{3}$(cm)
따라서 △ABC에서 $\overline{AB}^2=\left(\frac{25}{3}\right)^2-5^2=\frac{400}{9}$
∴ $\overline{AB}=\frac{20}{3}$(cm)

16 $R=P+Q=32\pi$(cm²)이므로 $\frac{1}{2}\times\pi\times\left(\frac{1}{2}\overline{AC}\right)^2=32\pi$
$\overline{AC}^2=256$ 　∴ $\overline{AC}=16$(cm)$(∵\overline{AC}>0)$

17 나오는 눈의 수의 합이 6이 되는 경우는 (1, 5), (2, 4), (3, 3),
(4, 2), (5, 1)이므로 구하는 경우의 수는 5가지이다.

18 3의 배수는 3, 6, 9이므로 3의 배수가 적힌 구슬이 나오는 경우의 수
는 3가지
5의 배수는 5, 10이므로 5의 배수가 적힌 구슬이 나오는 경우의 수는
2가지
따라서 구하는 경우의 수는 $3+2=5$(가지)

19 공책 1종류를 사는 경우의 수는 8가지, 연필 1종류를 사는 경우의 수
는 10가지이므로 공책 1종류와 연필 1종류를 사는 방법은 모두
$8\times10=80$(가지)

20 4명의 학생을 한 줄로 세우는 경우의 수는 $4\times3\times2\times1=24$(가지)

21 정수와 미나를 묶어 한 명으로 생각하면 3명이 한 줄로 서는 경우의
수는 $3\times2\times1=6$(가지)
이때 정수와 미나가 서로 자리를 바꾸어 설 수 있으므로 구하는 경우
의 수는 $6\times2=12$(가지)

22 십의 자리에 올 수 있는 숫자는 5개, 일의 자리에 올 수 있는 숫자는
십의 자리에 온 숫자를 제외한 4개이므로 만들 수 있는 두 자리 정수
의 개수는 $5\times4=20$(개)

23 여섯 명의 후보 중에서 회장 1명을 뽑는 경우의 수는 6가지, 부회장 1
명을 뽑는 경우의 수는 회장으로 뽑힌 사람을 제외한 5가지이므로 구
하는 경우의 수는 $6\times5=30$(가지)

24 모든 경우의 수는 6가지이고 짝수의 눈이 나오는 경우의 수는 2, 4, 6
의 3가지이므로 구하는 확률은 $\frac{3}{6}=\frac{1}{2}$

25 서로 다른 두 개의 주사위를 동시에 던질 때, 나오는 두 눈의 수의 합
은 항상 2 이상이므로 구하는 확률은 0이다.

26 모든 경우의 수는 $\frac{7\times6}{2}=21$(가지)이고 2명 모두 남학생이 뽑히는
경우의 수는 $\frac{3\times2}{2}=3$(가지)이므로 2명 모두 남학생이 뽑힐 확률은
$\frac{3}{21}=\frac{1}{7}$

따라서 적어도 1명은 여학생이 뽑힐 확률은 $1-\dfrac{1}{7}=\dfrac{6}{7}$

27 나오는 두 눈의 수의 합이 3인 경우는 (1, 2), (2, 1)이므로 확률은 $\dfrac{2}{36}$

나오는 두 눈의 수의 합이 4인 경우는 (1, 3), (2, 2), (3, 1)이므로 확률은 $\dfrac{3}{36}$

따라서 구하는 확률은 $\dfrac{2}{36}+\dfrac{3}{36}=\dfrac{5}{36}$

28 첫 번째에 4의 약수의 눈이 나오는 경우는 1, 2, 4이므로 확률은 $\dfrac{3}{6}=\dfrac{1}{2}$

두 번째에 소수의 눈이 나오는 경우는 2, 3, 5이므로 확률은 $\dfrac{3}{6}=\dfrac{1}{2}$

따라서 구하는 확률은 $\dfrac{1}{2}\times\dfrac{1}{2}=\dfrac{1}{4}$

29 경희는 당첨 제비를 뽑고 범수는 당첨 제비를 뽑지 못하는 경우이므로 구하는 확률은 $\dfrac{2}{6}\times\dfrac{4}{5}=\dfrac{4}{15}$

30 두 사람이 만날 확률은 $\dfrac{7}{10}\times\dfrac{3}{4}=\dfrac{21}{40}$

따라서 두 사람이 만나지 못할 확률은 $1-\dfrac{21}{40}=\dfrac{19}{40}$

싹쓸이 핵심 예상문제 96쪽~99쪽

01 ②	02 ⑤	03 20	04 $\dfrac{9}{2}$	05 $\dfrac{18}{5}$	06 $\dfrac{36}{5}$ cm
07 $\dfrac{16}{3}$ cm	08 24 cm²	09 32 cm²	10 78초	11 12	12 ⑤
13 ③	14 16	15 ③	16 $\dfrac{9}{2}\pi$ cm²		17 4가지
18 ④	19 6가지	20 ⑤	21 48가지	22 16개	23 10가지
24 ⑤	25 ⑤	26 ④	27 ②	28 ③	29 $\dfrac{25}{64}$
30 ⑤					

01 $12:9=8:\overline{AD}$ ∴ $\overline{AD}=6$(cm)

02 ㄱ. $6:3=2:1\ne7:5$ ㄴ. $7:5\ne10:6=5:3$
ㄷ. $6:2=12:4=3:1$ ㄹ. $5:10=8:16=1:2$

03 $12:10=(4+x):x$, $10(4+x)=12x$ ∴ $x=20$

04 $9:6=x:3$ ∴ $x=\dfrac{9}{2}$

05 △ABC에서 $x:10=3:5$ ∴ $x=6$
△ACD에서 $y:6=2:5$ ∴ $y=\dfrac{12}{5}$
∴ $x-y=\dfrac{18}{5}$

06 $\overline{AB}:\overline{CD}=12:18=2:3$이므로
$\overline{BP}:\overline{PD}=2:3$
따라서 △BHP와 △BCD에서
$2:5=\overline{PH}:18$이므로 $\overline{PH}=\dfrac{36}{5}$(cm)

07 $\overline{GD}=\dfrac{1}{3}\times24=8$(cm) ∴ $\overline{GG'}=\dfrac{2}{3}\times8=\dfrac{16}{3}$(cm)

08 △ABC$=3$△GCA$=3\times8=24$(cm²)

09 △ODA∽△OBC(AA 닮음)이고 닮음비는
$9:12=3:4$
따라서 넓이의 비는 $3^2:4^2=9:16$이므로
$9:16=18:$△OBC에서 △OBC$=32$(cm²)

10 원뿔 모양의 그릇과 채워진 물의 부피의 비는 $3^3:1^3=27:1$
이때 가득 채우는 데 걸리는 시간이 81초이므로
$\dfrac{1}{3}$까지 채우는 데 걸리는 시간을 x초라 하면
$27:1=81:x$ ∴ $x=3$
따라서 나머지를 채우는 데 걸리는 시간은 $81-3=78$(초)

11 △ABD에서 $\overline{AB}^2=17^2-8^2=225$
∴ $\overline{AB}=15(∵\overline{AB}>0)$
△ABC에서 $\overline{BC}^2=25^2-15^2=400$ ∴ $\overline{BC}=20(∵\overline{BC}>0)$
따라서 $x=20-8=12$

12 $\square EFGH = \overline{EF}^2 = 100$이므로 $\overline{EF} = 10 (\because \overline{EF} > 0)$

$\triangle AEF$에서 피타고라스 정리에 의해 $\overline{AF} = 8$

$\therefore \square ABCD = (6+8)^2 = 196$

13 $\triangle ABC$에서 피타고라스 정리에 의해 $\overline{AB} = 5$

$\therefore \square BHKJ = \square AFGB = 5^2 = 25$

14 $\overline{AB}^2 + \overline{CD}^2 = \overline{AD}^2 + \overline{BC}^2$이므로

$\overline{AD}^2 - \overline{AB}^2 = 5^2 - 3^2 = 16$

15 $\triangle ABD$에서 피타고라스 정리에 의하여 $\overline{BD} = 10 (cm)$

$\triangle ADH \backsim \triangle DBC (AA닮음)$이므로

$\overline{AD} : \overline{DB} = \overline{AH} : \overline{DC}$, $8 : 10 = \overline{AH} : 6$ $\therefore \overline{AH} = 4.8 (cm)$

16 (두 반원의 넓이의 합) = ($\overline{AB}$를 지름으로 하는 반원의 넓이)

$$= \frac{1}{2} \times \pi \times 3^2 = \frac{9}{2}\pi (cm^2)$$

17 나오는 두 눈의 수의 합이 9가 되는 경우는 $(3, 6)$, $(4, 5)$, $(5, 4)$, $(6, 3)$이므로 구하는 경우의 수는 4가지이다.

18 4의 배수는 4, 8, 12, 16, 20이므로 4의 배수가 적힌 구슬이 나오는 경우의 수는 5가지

7의 배수는 7, 14이므로 7의 배수가 적힌 구슬이 나오는 경우의 수는 2가지

따라서 구하는 경우의 수는 $5 + 2 = 7$(가지)

19 A에서 B로 가는 방법은 3가지, B에서 C로 가는 방법은 2가지이므로 A에서 B를 거쳐 C까지 가는 방법은 모두 $3 \times 2 = 6$(가지)

20 6명의 학생을 한 줄로 세우는 경우의 수는

$6 \times 5 \times 4 \times 3 \times 2 \times 1 = 720$(가지)

21 부부를 묶어 한 명으로 생각하면 4명이 나란히 앉는 경우의 수는

$4 \times 3 \times 2 \times 1 = 24$(가지)

이때 부부가 서로 자리를 바꾸어 앉을 수 있으므로 구하는 경우의 수는 $24 \times 2 = 48$(가지)

22 십의 자리에 올 수 있는 숫자는 0을 제외한 4개, 일의 자리에 올 수 있는 숫자는 십의 자리에 온 숫자를 제외한 4개이므로 만들 수 있는 두 자리 정수의 개수는 $4 \times 4 = 16$(개)

23 2명의 대표로 (A, B)가 뽑히는 것과 (B, A)가 뽑히는 것은 서로 같은 경우이므로 다섯 명의 학생 중에서 2명의 대표를 뽑는 경우의 수는 $\frac{5 \times 4}{2} = 10$(가지)

24 공은 모두 $4 + 6 = 10$(개)이고 검은 공은 6개이므로 구하는 확률은 $\frac{6}{10} = \frac{3}{5}$

25 만들 수 있는 두 자리 자연수는 모두 50 이하이므로 구하는 확률은 1이다.

26 모두 뒷면이 나올 확률은 $\frac{1}{2^4} = \frac{1}{16}$

따라서 적어도 한 개는 앞면이 나올 확률은 $1 - \frac{1}{16} = \frac{15}{16}$

27 나오는 두 눈의 수의 차가 1인 경우는 $(1, 2)$, $(2, 1)$, $(2, 3)$, $(3, 2)$, $(3, 4)$, $(4, 3)$, $(4, 5)$, $(5, 4)$, $(5, 6)$, $(6, 5)$이므로 확률은 $\frac{10}{36}$

나오는 두 눈의 수의 차가 2인 경우는 $(1, 3)$, $(2, 4)$, $(3, 1)$, $(3, 5)$, $(4, 2)$, $(4, 6)$, $(5, 3)$, $(6, 4)$이므로 확률은 $\frac{8}{36}$

따라서 구하는 확률은 $\frac{10}{36} + \frac{8}{36} = \frac{18}{36} = \frac{1}{2}$

28 첫 번째에 짝수의 눈이 나오는 경우는 2, 4, 6이므로 확률은 $\frac{3}{6} = \frac{1}{2}$

두 번째에 6의 약수의 눈이 나오는 경우는 1, 2, 3, 6이므로 확률은 $\frac{4}{6} = \frac{2}{3}$

따라서 구하는 확률은 $\frac{1}{2} \times \frac{2}{3} = \frac{1}{3}$

29 꺼낸 공을 다시 넣으므로 두 개 모두 검은 공일 확률은

$\frac{5}{8} \times \frac{5}{8} = \frac{25}{64}$

30 두 사람이 만날 확률은 $\frac{2}{5} \times \frac{1}{3} = \frac{2}{15}$

따라서 두 사람이 만나지 못할 확률은 $1 - \frac{2}{15} = \frac{13}{15}$

기말고사 대비 실전 모의고사

1 회

100쪽~103쪽

01 $\frac{3}{2}$ cm 　02 $\frac{27}{5}$ cm 　03 ① 　04 ② 　05 ④ 　06 8 cm

07 ② 　08 ⑤ 　09 ⑤ 　10 ② 　11 72 cm² 　12 ④, ⑤

13 ⑤ 　14 108 cm² 　15 ② 　16 ④ 　17 ④

18 ⑤ 　19 ⑤ 　20 ④ 　21 ① 　22 ④ 　23 15

24 3 cm 　25 $\frac{1}{2}$

---

01 $\overline{DP} : 4 = \overline{AP} : \overline{AQ} = 3 : 8$

$\therefore \overline{DP} = \frac{3}{2}$(cm)

02 $\overline{AB} : \overline{AC} = \overline{BD} : \overline{DC}$이므로

$\overline{BD} = x$라 하면

$12 : 8 = x : (9-x)$

$12(9-x) = 8x$

$\therefore \overline{BD} = x = \frac{27}{5}$(cm)

03 $x : (12-x) = 4 : 6$, $6x = 4(12-x)$ 　$\therefore x = 4.8$(cm)

04 $\overline{AF} : \overline{CF} = 3 : 5$이므로 △ABC에서 $3 : 8 = \overline{EF} : 5$

$\therefore \overline{EF} = \frac{15}{8}$(cm)

△ACD에서 $5 : 8 = \overline{FG} : 3$ 　$\therefore \overline{FG} = \frac{15}{8}$(cm)

$\therefore \overline{EG} = \frac{15}{8} + \frac{15}{8} = \frac{15}{4}$(cm)

05 $\overline{AB} : \overline{AD} = \overline{AC} : \overline{AE} = 1 : 2$이므로

$x = 2\overline{BC} = 8$

06 점 A를 지나면서 $\overline{BC}$에 평행한 선분이

$\overline{DE}$와 만나는 점을 N이라 하자.

△AMN≡△CME(ASA 합동)이므로

$\overline{AN} = \overline{CE} = 4$(cm)

$\therefore \overline{BE} = 2\overline{AN} = 8$(cm)

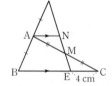

07 △AGC $= \frac{1}{3} \times 36 = 12$(cm²)

△AMC $= \frac{1}{2}$△ADC $= \frac{1}{2} \times \frac{1}{2}$△ABC $= \frac{1}{4} \times 36 = 9$(cm²)

$\therefore$ △MGC $= 12 - 9 = 3$(cm²)

08 △ADE∽△ABC(AA 닮음)이고 닮음비가 $4 : 7$이므로

넓이의 비는 $4^2 : 7^2 = 16 : 49$

$32 : $△ABC $= 16 : 49$ 　$\therefore$ △ABC $= 98$(cm²)

$\therefore$ □DBCE $= 98 - 32 = 66$(cm²)

09 반지름의 길이의 비가 $1 : 5$이므로 부피의 비는 $1^3 : 5^3 = 1 : 125$

따라서 작은 쇠구슬은 모두 125개 만들 수 있다.

10 $\overline{AC}$의 실제 길이는 $5 \times 500 = 2500$(cm) $= 25$(m)

따라서 나무의 실제 높이는 $1.5 + 25 = 26.5$(m)

11 △ABC에서 피타고라스의 정리에 의하여

$\overline{AB} = 12$(cm)

$\therefore$ △ABF $=$ △EBC $=$ △AEB

$= \frac{1}{2}$□ADEB

$= \frac{1}{2} \times 12^2 = 72$(cm²)

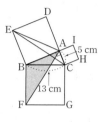

12 ④ $6^2 + 8^2 = 10^2$

⑤ $8^2 + 15^2 = 17^2$

13 $S_1 + S_2 = S_3$이므로 $S_2 = S_3 - S_1 = 50\pi - 32\pi = 18\pi$(cm²)

14 꼭짓점 A에서 변 BC에 내린 수선의 발을

H라 하면

$\overline{AH}^2 = 15^2 - 9^2 = 144$, $\overline{AH} = 12$(cm)

$\therefore$ △ABC $= \frac{1}{2} \times 18 \times 12 = 108$(cm²)

15 ① $2^3 = 8$(가지) 　　② $6^2 = 36$(가지)

③ $4 \times 3 \times 2 \times 1 = 24$(가지) 　④ $4 + 3 = 7$(가지)

⑤ $6 \times 2 = 12$(가지)

16 제1관에서 제2관을 가는 방법은 3가지, 제2관에서 제3관을 가는 방법은 2가지이다.

$\therefore 3 \times 2 = 6$(가지)

17 일의 자리의 숫자가 4일 때, 백의 자리에 올 수 있는 숫자는 4가지, 십의 자리에 올 수 있는 숫자는 3가지이므로 구하는 경우의 수는

$4 \times 3 = 12$(가지)

18 $6 \times 5 \times 4 = 120$(가지)

19 서로 다른 두 개의 주사위를 동시에 던질 때, 일어나는 모든 경우의 수는 36가지, 눈의 수가 서로 같게 나오는 경우의 수는 6가지이다.

따라서 눈의 수가 서로 다르게 나올 확률은 $1 - \frac{1}{6} = \frac{5}{6}$

20 윷가락 4개를 던질 때 나오는 전체 경우의 수는 16(가지)

개가 나오는 경우의 수는 6(가지), 걸이 나오는 경우의 수는 4(가지)

따라서 개가 나올 확률은 $\frac{3}{8}$, 걸이 나올 확률은 $\frac{1}{4}$이므로

개 또는 걸이 나올 확률은 $\frac{3}{8} + \frac{1}{4} = \frac{5}{8}$

21 (이틀 동안 연속하여 비가 올 확률) $= \frac{4}{10} \times \frac{7}{10} = \frac{7}{25}$

22 $1 - $(두 사람 모두 합격할 확률) $= 1 - \frac{5}{7} \times \frac{3}{5} = 1 - \frac{3}{7} = \frac{4}{7}$

23 $8 : 4 = x : 3$, $4x = 24$ 　$\therefore x = 6$ 　‥‥‥ ❶

$8 : 12 = 6 : y$, $8y = 72$ 　$\therefore y = 9$ 　‥‥‥ ❷

$\therefore x + y = 6 + 9 = 15$ 　‥‥‥ ❸

채점 기준	배점
❶ x의 값 구하기	3점
❷ y의 값 구하기	2점
❸ $x+y$의 값 구하기	2점

24 점 G가 $\triangle$ABC의 무게중심이므로

$\overline{GD}=\dfrac{1}{3}\overline{AD}=\dfrac{1}{3}\times 18=6(cm)$ ...... ❶

$\triangle$GEH와 $\triangle$GBD에서

$\angle$EGH$=\angle$BGD(맞꼭지각), $\overline{BC}\,/\!/\,\overline{FE}$이므로

$\angle$GEH$=\angle$GBD(엇각)

$\therefore \triangle$GEH$\sim\triangle$GBD(AA 닮음) ...... ❷

$\overline{HG}:\overline{DG}=\overline{GE}:\overline{GB}$이므로 $\overline{HG}:6=1:2$, $2\overline{HG}=6$

$\therefore \overline{HG}=3(cm)$ ...... ❸

채점 기준	배점
❶ $\overline{CD}$의 길이 구하기	2점
❷ $\triangle$GEH$\sim\triangle$GBD임을 설명하기	3점
❸ $\overline{HG}$의 길이 구하기	3점

25 서로 다른 동전 2개를 동시에 던질 때, 일어나는 모든 경우의 수는

$2^2=4$(가지) ...... ❶

점 A를 출발한 점 P가 다시 점 A에 도착할 경우는 (앞, 뒤), (뒤, 앞)

이므로 경우의 수는 2가지 ...... ❷

따라서 구하는 확률은 $\dfrac{2}{4}=\dfrac{1}{2}$ ...... ❸

채점 기준	배점
❶ 모든 경우의 수 구하기	2점
❷ 점 P가 다시 점 A에 도착할 경우의 수 구하기	4점
❸ 점 P가 다시 점 A에 도착할 확률 구하기	2점

2 회 104쪽~107쪽

01 ④	02 ⑤	03 ⑤	04 ③	05 ③	06 ②
07 7 cm²	08 ②	09 ④	10 ①	11 17 cm	12 9 cm²
13 ①	14 ④	15 ②	16 ④	17 ④	18 ①
19 ③	20 ④	21 ②	22 ②	23 $\dfrac{21}{2}$	24 25 cm²
25 18가지					

01 $\overline{AP}:\overline{PD}=\overline{BQ}:\overline{QD}$이므로 $\overline{AB}\,/\!/\,\overline{PQ}$ $\therefore \angle$PQD$=30°$

$\overline{BQ}:\overline{QD}=\overline{BR}:\overline{RC}$이므로 $\overline{QR}\,/\!/\,\overline{DC}$ $\therefore \angle$BQR$=65°$

$\therefore \angle$DQR$=180°-65°=115°$

$\therefore \angle$PQR$=30°+115°=145°$

02 $\overline{DE}\,/\!/\,\overline{BC}$이므로 $\overline{AB}:\overline{AD}=\overline{AC}:\overline{AE}=27:18=3:2$

$\overline{DF}\,/\!/\,\overline{BE}$이므로 $\overline{AB}:\overline{AD}=\overline{BE}:\overline{DF}$에서 $3:2=24:\overline{DF}$

$\therefore \overline{DF}=16(cm)$

03 $8:6=12:\overline{CD}$ $\therefore \overline{CD}=9(cm)$

04 $\overline{BE}:\overline{DE}=\overline{AB}:\overline{CD}=30:50=3:5$이므로 $\overline{BE}:\overline{BD}=3:8$

$3:8=\overline{BF}:80$ $\therefore \overline{BF}=30(cm)$

$\therefore \overline{FC}=80-30=50(cm)$

05 $\overline{PQ}=\overline{SR}=\dfrac{1}{2}\overline{AC}=5(cm)$, $\overline{PS}=\overline{QR}=\dfrac{1}{2}\overline{BD}=6(cm)$

따라서 $\square$PQRS의 둘레의 길이는 $2\times(5+6)=22(cm)$

06 $\overline{EH}=\dfrac{1}{2}\overline{BC}=6(cm)$이므로 $\overline{EG}=6-3=3(cm)$

따라서 $\triangle$ABD에서 $\overline{AD}=2\overline{EG}=6(cm)$

07 $\triangle$ABD$=\dfrac{1}{2}\times 28=14(cm^2)$

$\therefore \triangle$EBD$=\dfrac{1}{2}\times 14=7(cm^2)$

08 점 D는 직각삼각형 ABC의 외심이므로 $\overline{AD}=\overline{BD}=\overline{CD}=5(cm)$

따라서 점 G는 $\triangle$ABC의 무게중심이므로 $\overline{BG}=\dfrac{2}{3}\times 5=\dfrac{10}{3}(cm)$

09 점 E는 $\triangle$ABC의 무게중심이므로 $\triangle$ABC의 넓이는

$3\times 10=30(cm^2)$

따라서 $\square$ABCD의 넓이는 $2\times 30=60(cm^2)$

10 부피의 비가 $128:250=64:125=4^3:5^3$이므로 닮음비는 $4:5$

큰 원기둥의 겉넓이를 x라 하면 겉넓이의 비는 $4^2:5^2=16:25$이므로

$16:25=96\pi:x$ $\therefore x=150\pi(cm^2)$

11 두 정사각형의 한 변의 길이는 각각 8 cm, 7 cm이므로

$\overline{AB}=8$ cm, $\overline{BC}=15$ cm

따라서 피타고라스 정리에 의하여 $\overline{AC}=17(cm)$

12 $\triangle$ABE에서 $\overline{AE}^2=15^2-9^2=144$, $\overline{AE}=12(cm)$ ($\because \overline{AE}>0$)

$\overline{BF}=\overline{AE}=12(cm)$ $\therefore \overline{EF}=12-9=3(cm)$

따라서 □EFGH는 한 변의 길이가 3 cm인 정사각형이므로 넓이는
$3^2=9(cm^2)$

13 ① $10^2>6^2+5^2$ ∴ 둔각삼각형
② $6^2<4^2+5^2$ ∴ 예각삼각형
③ $10^2=6^2+8^2$ ∴ 직각삼각형
④ $17^2=8^2+15^2$ ∴ 직각삼각형
⑤ $13^2<9^2+12^2$ ∴ 예각삼각형

14 $\overline{AB}^2+\overline{CD}^2=\overline{AD}^2+\overline{BC}^2$에서
$\overline{AB}^2+28=6^2+8^2$이므로 $\overline{AB}^2=72$

15 ① 짝수는 2, 4, 6이므로 경우의 수는 3가지이다.
② 소수는 2, 3, 5이므로 경우의 수는 3가지이다.
③ 3의 배수는 3, 6이므로 경우의 수는 2가지이다.
④ 6보다 작은 수는 1, 2, 3, 4, 5이므로 경우의 수는 5가지이다.
⑤ 2보다 크고 5보다 작은 수는 3, 4이므로 경우의 수는 2가지이다.

16 짝수가 적힌 구슬이 나오는 경우는 2, 4, 6, 8, 10, 12, 14로 모두 7가지, 9의 배수가 적힌 구슬이 나오는 경우는 9로 1가지이므로
$7+1=8$(가지)

17 $\dfrac{6\times5}{2}=15$(번)

18 A, B 두 개의 동전을 동시에 던질 때, 나올 수 있는 모든 경우의 수는 4가지이고 서로 다른 면이 나오는 경우의 수는 (앞, 뒤), (뒤, 앞)의 2가지이므로 구하는 확률은 $\dfrac{2}{4}=\dfrac{1}{2}$

19 $\dfrac{3}{6}\times\dfrac{4}{6}=\dfrac{1}{3}$

20 A 주머니 속에서 흰 공, B 주머니 속에서 검은 공이 나올 확률은
$\dfrac{4}{5}\times\dfrac{3}{5}=\dfrac{12}{25}$
A 주머니 속에서 검은 공, B 주머니 속에서 흰 공이 나올 확률은
$\dfrac{1}{5}\times\dfrac{2}{5}=\dfrac{2}{25}$
따라서 구하는 확률은 $\dfrac{12}{25}+\dfrac{2}{25}=\dfrac{14}{25}$

21 A가 당첨 제비를 뽑고, B는 당첨 제비를 뽑지 않아야 하므로 구하는 확률은
$\dfrac{3}{10}\times\dfrac{7}{9}=\dfrac{7}{30}$

22 두 수의 곱이 홀수가 되는 경우는 두 수가 모두 홀수인 경우이므로
구하는 확률은 $\dfrac{5}{10}\times\dfrac{5}{10}=\dfrac{1}{4}$

23 $2:3=3:x$이므로 $2x=9$ ∴ $x=\dfrac{9}{2}$ ······ ❶
$3:4=\dfrac{9}{2}:y$이므로 $3y=18$ ∴ $y=6$ ······ ❷
∴ $x+y=\dfrac{9}{2}+6=\dfrac{21}{2}$ ······ ❸

채점 기준	배점
❶ x의 값 구하기	3점
❷ y의 값 구하기	3점
❸ $x+y$의 값 구하기	1점

24 종이를 접었으므로 $\overline{AE}=\overline{AD}=10$(cm)
△ABE에서 $\overline{BE}^2=10^2-8^2=36$, $\overline{BE}=6$(cm) ······ ❶
∠ABE=∠ECF=90°
∠AEB+∠BAE=∠AEB+∠CEF에서
∠BAE=∠CEF이므로 △ABE∽△ECF(AA 닮음)
△ABE와 △ECF의 닮음비는 $\overline{AB}:\overline{EC}=8:(10-6)=2:1$
이므로 $\overline{AE}:\overline{EF}=2:1$, $10:\overline{EF}=2:1$ ∴ $\overline{EF}=5$ ······ ❷
따라서 △AEF$=\dfrac{1}{2}\times10\times5=25(cm^2)$ ······ ❸

채점 기준	배점
❶ $\overline{BE}$의 길이 구하기	3점
❷ △ABE∽△ECF을 이용하여 $\overline{EF}$의 길이 구하기	4점
❸ △AEF의 넓이 구하기	1점

25 학교에서 놀이터까지 가는 방법의 수는 3가지 ······ ❶
놀이터에서 집까지 가는 방법의 수는 6가지 ······ ❷
∴ $3\times6=18$(가지) ······ ❸

채점 기준	배점
❶ 학교에서 놀이터까지 가는 방법의 수 구하기	3점
❷ 놀이터에서 집까지 가는 방법의 수 구하기	3점
❸ 주어진 조건을 만족하는 방법의 수 구하기	2점

기말고사 대비 실전 모의고사

❸ 회   108쪽~111쪽

01 ⑤	02 36 cm²	03 ③	04 ③	05 ②	06 12 cm²
07 14	08 72π cm²	09 ④	10 ④	11 ④	
12 ④	13 ①	14 160	15 ③	16 240가지	
17 12가지	18 240가지		19 ②	20 ③	21 ③
22 ②	23 2 cm	24 $\frac{1}{4}$	25 $\frac{3}{4}$		

01 ⑤ $\overline{AD}:\overline{DB}=6:12=1:2$, $\overline{AE}:\overline{EC}=7:15$
따라서 $\overline{BC}$와 $\overline{DE}$는 평행하지 않다.

02 $\triangle ABD:\triangle ADC=\overline{BD}:\overline{DC}=\overline{AB}:\overline{AC}=12:15=4:5$
$\therefore \triangle ABD=\frac{4}{5}\times 45=36(cm^2)$

03 $3:6=x:10$ $\therefore x=5$
$3:6=(y-8):8$ $\therefore y=12$
$\therefore x+y=17$

04 $x=\overline{AD}=5$
$4:(4+8)=y:(14-5)$ $\therefore y=3$

05 $\overline{DE}=\frac{1}{2}\overline{AC}$, $\overline{EF}=\frac{1}{2}\overline{AB}$, $\overline{DF}=\frac{1}{2}\overline{BC}$이므로
$(\triangle DEF의 둘레의 길이)=\frac{1}{2}(\overline{AB}+\overline{BC}+\overline{AC})=30(cm)$

06 $\triangle ABD=\triangle ADC=\frac{1}{2}\triangle ABC=\frac{1}{2}\times 36=18(cm^2)$
$\triangle EBF=\triangle EFC=\frac{1}{3}\triangle ABD=\frac{1}{3}\times 18=6(cm^2)$
따라서 색칠한 부분의 넓이는 $\triangle EBF+\triangle EFC=6+6=12(cm^2)$

07 $x=\frac{1}{2}\times 12=6$, $y=2\times 4=8$
$\therefore x+y=14$

08 닮음비가 $3:4$이므로 넓이의 비는 $3^2:4^2=9:16$
작은 원의 넓이를 x라 하면
$x:128\pi=9:16$ $\therefore x=72\pi(cm^2)$

09 두 원뿔의 닮음비는 $10:4=5:2$이므로 부피의 비는
$5^3:2^3=125:8$
x초 동안 물을 더 넣었을 때, 그릇에 물이 가득찬다고 하면
$(125-8):8=x:8$ $\therefore x=117$
따라서 그릇에 물을 가득 채우려면 117초 동안 물을 더 넣어야 한다.

10 축척이 $\frac{1}{100000}$이므로 지도에서의 길이가 10 cm인 두 지점 사이의 실제 거리는 $10\times 100000=1000000(cm)=10(km)$
$\therefore$ (시속 5 km로 가는데 걸리는 시간)$=\frac{10}{5}=2(시간)$

11 $\overline{OB}^2=\overline{BC}^2=1^2+1^2=2$
$\overline{OC}^2=\overline{CD}^2=\overline{OB}^2+\overline{BC}^2=2+2=4$

12 $\triangle CAD=\triangle IAB=\triangle IAC=\frac{1}{2}\times 8\times 8=32(cm^2)$

13 삼각형의 변의 길이에서 $7-6<x<7+6$, $1<x<13$
이때 $x<7$이므로 $1<x<7$ …… ㉠
둔각삼각형이므로 $7^2>6^2+x^2$ $\therefore x^2<13$ …… ㉡
㉠, ㉡을 모두 만족하는 x의 값으로 적당하지 않은 것은 ① 4이다.

14 $\overline{AB}^2=\overline{BD}\times\overline{BC}$이므로 $x^2=4\times(4+16)=80$
$\overline{AD}^2=\overline{BD}\times\overline{DC}$이므로 $y^2=4\times 16$, $y^2=64$, $y=8(\because y>0)$
$\therefore \frac{1}{4}x^2y=\frac{1}{4}\times 80\times 8=160$

15 지불할 수 있는 물건값은 50원, 100원, 150원, 200원, 250원, 300원, 350원의 7가지이다.

16 g가 맨 앞에 오는 경우의 수 : $5\times 4\times 3\times 2\times 1=120(가지)$
a가 맨 앞에 오는 경우의 수 : $5\times 4\times 3\times 2\times 1=120(가지)$
따라서 g 또는 a가 맨 앞에 오는 경우의 수는
$120+120=240(가지)$

17 시장 1명을 뽑는 경우의 수는 2가지, 시의원 2명을 뽑는 경우의 수는
$\frac{4\times 3}{2}=6(가지)$이므로 시장 1명, 시의원 2명을 뽑는 경우의 수는
$2\times 6=12(가지)$

18 $(5\times 4\times 3\times 2\times 1)\times 2=240(가지)$

19 ② 어떤 사건이 일어날 확률을 p라 하면 $0\le p\le 1$이다.
⑤ 6의 약수는 1, 2, 3, 6이므로 확률은 $\frac{4}{6}=\frac{2}{3}$

20 두 일차함수 $y=ax+b$와 $y=5x+1$의 그래프가 평행하므로
$a=5$, $b\ne 1$
즉, 첫 번째에는 5의 눈이 나오고 두 번째에는 2, 3, 4, 5, 6 중에서 1가지가 나오는 경우이므로 $(5, 2)$, $(5, 3)$, $(5, 4)$, $(5, 5)$, $(5, 6)$의 5가지이다.
따라서 구하는 확률은 $\frac{5}{36}$이다.

21 $\frac{6}{9}\times\frac{3}{7}=\frac{2}{7}$

22 4의 배수는 4, 8의 2가지이므로 구하는 확률은
$\frac{2}{10}\times\frac{2}{10}=\frac{1}{25}$

23 $\triangle ABC$에서 $\overline{MQ}=\frac{1}{2}\overline{BC}=\frac{1}{2}\times 8=4(cm)$ …… ❶
$\triangle ABD$에서 $\overline{MP}=\frac{1}{2}\overline{AD}=\frac{1}{2}\times 4=2(cm)$ …… ❷
$\therefore \overline{PQ}=\overline{MQ}-\overline{MP}=4-2=2(cm)$ …… ❸

채점 기준	배점
❶ $\overline{MQ}$의 길이 구하기	3점
❷ $\overline{MP}$의 길이 구하기	3점
❸ $\overline{PQ}$의 길이 구하기	1점

(위쪽)
$\overline{OD}^2=\overline{DE}^2=\overline{OC}^2+\overline{CD}^2=4+4=8$
$\overline{OE}^2=\overline{OD}^2+\overline{DE}^2=8+8=16$ $\therefore \overline{OE}=4(\because \overline{OE}>0)$

24 모든 경우의 수는 $6^2=36$(가지) ...... ❶

$2x+y<8$이 되는 경우의 수는 순서쌍 (x, y)로 나타내면

$x=1$일 때 $(1, 5), (1, 4), (1, 3), (1, 2), (1, 1)$의 5가지

$x=2$일 때 $(2, 3), (2, 2), (2, 1)$의 3가지

$x=3$일 때 $(3, 1)$의 1가지

이므로 $5+3+1=9$(가지) ...... ❷

따라서 구하는 확률은 $\dfrac{9}{36}=\dfrac{1}{4}$ ...... ❸

채점 기준	배점
❶ 모든 경우의 수 구하기	2점
❷ $2x+y<8$이 되는 경우의 수 구하기	4점
❸ $2x+y<8$일 확률 구하기	2점

25 모든 경우의 수는 $\dfrac{8\times7}{2}=28$(가지) ...... ❶

C가 뽑히는 경우의 수는 C를 제외한 7명 중에서 1명을 뽑는 경우의

수와 같으므로 7가지이고, 그 확률은 $\dfrac{7}{28}=\dfrac{1}{4}$ ...... ❷

따라서 구하는 확률은 $1-\dfrac{1}{4}=\dfrac{3}{4}$ ...... ❸

채점 기준	배점
❶ 모든 경우의 수 구하기	2점
❷ C가 뽑힐 확률 구하기	3점
❸ C가 뽑히지 않을 확률 구하기	3점

기말고사 대비 실전 모의고사

4 회   112쪽~115쪽

01 ④	02 ⑤	03 ②	04 ③	05 2 cm	06 ④
07 ③	08 ①	09 ④	10 ③	11 $\dfrac{60}{13}$	12 ③
13 ②	14 ③	15 ④	16 ④	17 ③	18 ④
19 ③	20 ④	21 $\dfrac{1}{4}$	22 $\dfrac{3}{25}$	23 42 cm^3	
24 $\dfrac{49}{8}$ cm^2		25 7가지			

01 $y:10=12:8$ $\therefore y=15$

$x:12=10:15$ $\therefore x=8$

$\therefore x+y=23$

02 ㄱ. $\overline{AP}:\overline{PB}=\overline{AQ}:\overline{QC}$이므로 $\overline{AB}:\overline{AP}=\overline{AC}:\overline{AQ}$,

∠A는 공통 $\therefore \triangle ABC\backsim\triangle APQ$(SAS 닮음)

ㄴ. ∠APQ=∠ABC이므로 $\overline{PQ}\,/\!/\,\overline{BC}$

ㄷ. $\overline{PQ}:\overline{BC}=3:5$

ㄹ. $3:5=\overline{PQ}:10$ $\therefore \overline{PQ}=6$

03 $10:8=(\overline{BC}+12):12$, $8(\overline{BC}+12)=120$

$\therefore \overline{BC}=3$(cm)

04 $9:6=6:\overline{DC}$ $\therefore \overline{DC}=4$(cm)

$9:6=(6+4+\overline{CE}):\overline{CE}$, $6(10+\overline{CE})=9\overline{CE}$

$\therefore \overline{CE}=20$(cm)

05 $\overline{BE}:\overline{DE}=\overline{AB}:\overline{CD}=6:3=2:1$이므로 $\overline{BE}:\overline{BD}=2:3$

$\overline{EF}:3=2:3$ $\therefore \overline{EF}=2$(cm)

06 $x=\dfrac{1}{2}\overline{BG}=8$, $y=2\overline{FE}=10$ $\therefore x+y=18$

07 $\triangle ABD=\dfrac{1}{2}\times40=20$(cm^2)이고, $\triangle PBD=\triangle PDC=5$(cm^2)

이므로 $\triangle ABP=20-5=15$(cm^2)

08 $\overline{AG}:\overline{AE}=\overline{AG'}:\overline{AF}=2:3$이고 $\overline{EF}=12$(cm)이므로

$2:3=\overline{GG'}:12$ $\therefore \overline{GG'}=8$(cm)

09 $\overline{AG}$를 그으면

$\triangle ABG=\triangle AGC=\triangle BCG=24$(cm^2)

이고

$\triangle AEG=\triangle AGF=\dfrac{1}{2}\triangle ABG$

$=12$(cm^2)

이므로 색칠한 부분의 넓이는 $12+12=24$(cm^2)이다.

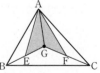

10 $\triangle ABC\backsim\triangle AED$(SAS 닮음)이고 닮음비가 $(6+9):5=3:1$이

므로 넓이의 비는 $3^2:1^2=9:1$

$\triangle ABC:12=9:1$ $\therefore \triangle ABC=108$(cm^2)

11 △ABD에서 $\overline{BD}^2 = 5^2 + 12^2 = 169$, $\overline{BD} = 13$ $(\because \overline{BD} > 0)$

삼각형의 넓이를 이용하여 $13 \times \overline{AH} = 5 \times 12$이므로 $\overline{AH} = \dfrac{60}{13}$

12 $\overline{BE}^2 + \overline{CD}^2 = \overline{DE}^2 + \overline{BC}^2$에서

$\overline{BE}^2 + 7^2 = 4^2 + 9^2$이므로 $\overline{BE}^2 = 48$

13 $\overline{AC}^2 = 15^2 - 12^2 = 81$ $\quad \therefore \overline{AC} = 9 (\because \overline{AC} > 0)$

따라서 $S_3 = \dfrac{1}{2} \times 9 \times 12 = 54$이고 $S_1 + S_2 = S_3$이므로

$S_1 + S_2 + S_3 = 2S_3 = 2 \times 54 = 108$

14 $\overline{CD}^2 = 3^2 + 4^2 = 25$

$\therefore \overline{CD} = 5 (\because \overline{CD} > 0)$

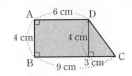

15 두 사람이 가위바위보를 할 때, 일어나는 모든 경우의 수는

$3 \times 3 = 9$(가지)

이때 무승부가 되는 경우는 두 사람이 모두 같은 것을 내는 경우이므로 3가지이다.

따라서 승부가 결정되는 경우의 수는 $9 - 3 = 6$(가지)

16 두 개의 동전에서 같은 면이 나오는 경우의 수는 (앞, 앞), (뒤, 뒤)의 2가지이고, 주사위에서 2의 배수의 눈이 나오는 경우의 수는 2, 4, 6의 3가지이므로 구하는 경우의 수는 $2 \times 3 = 6$(가지)

17 백의 자리에 올 수 있는 숫자는 0을 제외한 4가지, 십의 자리에 올 수 있는 숫자는 백의 자리에 온 숫자를 제외한 4가지, 일의 자리에 올 수 있는 숫자는 백의 자리와 십의 자리에 온 숫자를 제외한 3가지이므로 만들 수 있는 세 자리 정수의 개수는 $4 \times 4 \times 3 = 48$(개)

18 7개의 점 중에서 2개의 점을 순서에 상관없이 선택하는 경우와 같으므로 선분의 개수는 $\dfrac{7 \times 6}{2} = 21$(개)

19 바둑돌이 1에 놓이려면 왼쪽으로 1만큼 가야 하므로 (앞, 뒤, 뒤), (뒤, 앞, 뒤), (뒤, 뒤, 앞)이 나와야 한다.

따라서 구하는 확률은 $\dfrac{3}{8}$이다.

20 ③ 30 미만인 경우는 23, 24, 25이므로 확률은 $\dfrac{3}{12} = \dfrac{1}{4}$

④ 5의 배수인 경우는 25, 35, 45이므로 확률은 $\dfrac{3}{12} = \dfrac{1}{4}$

21 (버스가 정시보다 일찍 도착할 확률)

$= 1 - \{($정시에 도착할 확률$) + ($정시보다 늦게 도착할 확률$)\}$

$= 1 - \left(\dfrac{1}{2} + \dfrac{1}{4} \right) = 1 - \dfrac{3}{4} = \dfrac{1}{4}$

22 토요일에 비가 오지 않을 확률은 $1 - \dfrac{3}{5} = \dfrac{2}{5}$이므로

토요일에는 비가 오지 않고, 일요일에는 비가 올 확률은

$\dfrac{2}{5} \times \dfrac{3}{10} = \dfrac{3}{25}$

23 세 원뿔의 닮음비가 $1 : 2 : 3$이므로 부피의 비는

$1^3 : 2^3 : 3^3 = 1 : 8 : 27$ ······ ❶

이때 가장 작은 원뿔의 부피를 V라 하면

$1 : 27 = V : 162$, $27V = 162$

$\therefore V = 6 (\text{cm}^3)$ ······ ❷

따라서 구하는 원뿔대의 부피를 x라 하면

$1 : (8-1) = 6 : x$이므로 $x = 42 (\text{cm}^3)$ ······ ❸

채점 기준	배점
❶ 세 원뿔의 부피의 비 구하기	2점
❷ 가장 작은 원뿔의 부피 구하기	3점
❸ 두 평면 P, Q 사이의 원뿔대의 부피 구하기	3점

24 △AED $= \dfrac{1}{2} \overline{DE}^2 = \dfrac{25}{8}$이므로

$\overline{DE}^2 = \dfrac{25}{4}$, $\overline{DE} = \dfrac{5}{2} (\text{cm}) (\because \overline{DE} > 0)$ ······ ❶

△DEC에서 피타고라스 정리에 의하여 $\overline{EC} = \dfrac{3}{2} (\text{cm})$ ······ ❷

따라서 □ABCD에서 $\overline{AB} = \overline{EC} = \dfrac{3}{2} (\text{cm})$,

$\overline{BE} = \overline{CD} = 2 (\text{cm})$이므로

$\therefore$ □ABCD $= \dfrac{1}{2} \times \left(2 + \dfrac{3}{2} \right) \times \left(2 + \dfrac{3}{2} \right) = \dfrac{49}{8} (\text{cm}^2)$ ······ ❸

채점 기준	배점
❶ $\overline{DE}$의 길이 구하기	2점
❷ $\overline{EC}$의 길이 구하기	3점
❸ □ABCD의 넓이 구하기	3점

25 두 눈의 수의 합이 5가 되는 경우의 수는

$(1, 4), (2, 3), (3, 2), (4, 1)$의 4가지 ······ ❶

두 눈의 수의 합이 10이 되는 경우의 수는

$(4, 6), (5, 5), (6, 4)$의 3가지 ······ ❷

따라서 구하는 경우의 수는 $4 + 3 = 7$(가지) ······ ❸

채점 기준	배점
❶ 두 눈의 수의 합이 5가 되는 경우의 수 구하기	3점
❷ 두 눈의 수의 합이 10이 되는 경우의 수 구하기	3점
❸ 두 눈의 수의 합이 5의 배수가 되는 경우의 수 구하기	1점

MEMO